AF618478

Papier fresserchen

Impressum:

Personen und Handlungen sind frei erfunden.
Ähnlichkeiten mit lebenden oder verstorbenen Personen sind zufällig und nicht beabsichtigt.

Besuchen Sie uns im Internet:
www.papierfresserchen.de

Sonnenbichlstraße 39, D- 88149 Nonnenhorn
Telefon: 08382/7159086
info@papierfresserchen.de

Erstauflage 2015

Lektorat: Melanie Wittmann
Herstellung: Redaktions- und Literaturbüro MTM
www.literaturredaktion.de
Titelbild: Lisa Richter

Druck: bookpress / Polen
Gedruckt in der EU

ISBN: 978-3-86196-583-1 – Taschenbuch
ISBN: 978-3-86196-584-8 – eBook

haben grüne Augen

Lisa Richter

Inhalt

Prolog 7

Teil 1 Schicksal

Warten 12
Schreie 23
Ein Wunder 29
Tatsachen 40
Entscheidung 53
Blitze 66
Dunkelheit 89
Schwarze Kleidung 97
Abschied 103
Blauer Schimmer 116
Gute und schlechte Tage 131
Anruf 145

Teil 2 Schwangerschaft

Der zweite Monat 152
Der dritte Monat 159
Der vierte Monat 183
Der fünfte Monat 204
Der sechste Monat 227
Der siebte Monat 242
Der achte Monat 266
Der neunte Monat 286

Epilog 297

ENGEL

An alle Autofahrer dieser Erde, bitte vermeidet Alkohol, Zigaretten, Drogen, Handys und sonstige Dinge hinter dem Steuer, die euch beim Fahren ablenken und zu Unfällen führen, die schon viele Menschen getötet oder ihnen dauerhafte Schäden zugefügt haben, die niemand mehr rückgängig machen kann.

Jeder von uns ist ein Engel mit nur einem Flügel. Und wir können nur fliegen, wenn wir uns umarmen.

Luciano De Crescenzo

Prolog

Mit wild pochendem Herzen beobachtete ich den Jungen, der zwei Klassenstufen über mir war. Ich war schon seit zwei Jahren in ihn verliebt, doch ich traute mich nicht, ihn anzusprechen oder zu fragen, ob er etwas mit mir unternehmen wolle. Meine Knie wurden immer weich, wenn ich ihn sah, meine Hände zitterten und ich konnte kaum noch atmen. Meine Freundinnen sagten, es würde sich anhören wie eine Krankheit und nicht wie Verliebtsein. Mit der Zeit glaubte ich auch daran, dass die Reaktion meines Körpers, die für mich unkontrollierbar war, nicht normal sein konnte.

Es fühlte sich wie eine Sucht an, sich in den Pausen regelmäßig in seiner Nähe aufhalten zu müssen. Ich bekam so viel von seinen Gesprächen mit Freunden mit, dass ich schon mehr von ihm wusste, als er mir jemals glauben würde. Obwohl es mich selbst beunruhigte und garantiert nicht meine Absicht war. Ich kannte ihn zwar, aber nicht so gut, dass ich eigentlich gar nicht solche tief reichenden Gefühle für ihn empfinden sollte. Ich meine, ich wäre für ihn vor einen Zug gesprungen, nur weil ich in ihn verliebt war.

Ständig zerbrach ich mir den Kopf darüber, wie ich ihm bloß die Wahrheit über meine Gefühle erzählen konnte, denn ich fand, er hätte ein Recht darauf, es zu wissen. Frustration und Selbstmitleid machten sich in mir breit, wenn ich von der Schule nach Hause kam und ich ihn wieder nicht angesprochen hatte. Meine Aufregung war nicht das Einzige, was mich daran hinderte, sondern auch, dass ich ihn zu keinem Zeitpunkt alleine erwischen konnte. Also hätte ich in eine Menge von fünf bis zehn Jungen laufen und ihn bitten müssen, mit mir zu sprechen. Sie würden sich lustig machen und sich denken können, was ich ihm sagte, und ich wollte ihn auf keinen Fall in Verlegenheit bringen, denn dann würde er mich wahrscheinlich gar nicht mehr leiden können. Das heißt, ich wusste nicht, wie er über mich dachte, aber ich vermutete, dass er nicht sonderlich an mir interessiert war. Das wäre schließlich der reinste Zufall gewesen und gleichzeitig das größte Glück für mich. So etwas gibt es jedoch nur in Märchen, aber nicht in der Realität. Ich weiß bis heute nicht, was mein Herz so sehr zum Rasen brachte, wenn ich ihn sah, denn dieses Gefühl war einfach immer da gewesen, seit ich ihm zum ersten Mal begegnet war. Vermutlich kam einfach alles zusammen: sein gutes Aussehen, die sympathische Ausstrahlung und mein Gespür für das andere Geschlecht.

Ich starrte noch immer zu ihm hinüber. Er befand sich in einem Haufen von Jungen, mit denen er sich unterhielt und lachte.

Ich saß – mit Absicht – ungefähr zehn Meter von ihm entfernt auf einer der vielen Bänke im Pausenhof. Meine beiden Freundinnen Verena und Nadine waren gemeinschaftlich auf die Toilette gegangen und ließen sich verdammt viel Zeit dabei. Ich wusste, dass Nadine in einen seiner Freunde verliebt war, der in seine Klasse ging. Dieser hieß Tobias. Verena mochte Florian, der in unserer Klasse war.

Mich störte zwar nicht, dass meine Freundinnen so lange weg waren, aber so langsam bekam ich Panik, weil ich hier so alleine saß und Angst hatte, er könnte merken, dass ich ihn ohne Unterbrechung beobachtete. Wenn er zu mir schaute, versuchte ich zu lächeln und war mir manchmal nicht sicher, ob es vielleicht nur Einbildung war, dass er es erwiderte.

Plötzlich trat er ohne Vorwarnung aus der Menge heraus und kam auf mich zu. Das hieß, er steuerte in meine Richtung, aber ich vermutete, dass er an mir vorbeilaufen und zu einem anderen Freund gehen würde, um ihn zu holen. Er würde mit Sicherheit etwas anderes tun, als bei mir stehen zu bleiben. Doch er kam immer näher, bis er sich schließlich tatsächlich neben mich setzte.

Panisch zwang ich mich, gleichmäßig zu atmen, denn mein jagendes Herz schlug unbarmherzig gegen meinen Brustkorb und nahm mir die Luft. Unsicher schaute ich zu ihm und fragte mich, was ich jetzt sagen sollte.

Aber er kam mir zuvor. „Hi.“ Schmetterlinge tanzten in meinem Bauch, als ich den Klang seiner Stimme vernahm.

„Hi.“ Jetzt schaute ich ihm zum ersten Mal richtig in die Augen und erstarrte dabei.

„Stimmt was nicht?“, fragte er lächelnd und zeigte mir seine weißen geraden Zähne.

„Trägst du Kontaktlinsen?“, erwiderte ich leise. Seine Augen waren so tiefblau, dass es unecht wirkte. Ich hatte noch nie jemanden gesehen, der so schöne, strahlende Augen hatte.

„Nein.“ Meine Frage schien ihn zu amüsieren.

„Oh.“ Sofort hatte ich ein schlechtes Gewissen, so etwas Dummes gesagt zu haben. „Tut mir leid.“

„Nicht schlimm“, antwortete er locker, wenigstens einer von uns konnte das sein. „Das habe ich schon oft gehört.“

Ein Stein fiel mir vom Herzen. Ich hoffte, er sagte das nicht nur, um mich zu beruhigen. Nervös fummelte ich am Saum meines Oberteils herum, weil ich seinem Blick nicht standhalten konnte.

„Bist du nicht das Mädchen, das immer ganz zufällig in meiner Nähe ist und dabei mindestens zehn Meter Abstand hält?“

Ein Schreck durchfuhr mich. Ich war also aufgeflogen, was ich eigentlich auch nicht anders erwartet hatte. Nur hätte ich niemals geglaubt, dass er mich direkt darauf ansprechen, geschweige denn überhaupt mit mir reden würde. Ich strich meine langen Haare hinter meinen Ohren hervor, um sie mir ins Gesicht fallen zu lassen, damit er nicht sehen konnte, dass ich rot wurde.

Aber er hatte es längst bemerkt. „Hey.“ Anscheinend wusste er selbst nicht mehr, was er sagen sollte, weil ihm nicht klar gewesen war, dass er mich mit seinen Worten in Verlegenheit bringen würde. Doch dann fügte er hinzu: „Das ist nicht schlimm.“

„Wirklich?“ Hoffnungsvoll blickte ich ihn an.

„Wenn du mir sagst, warum du es machst“, stellte er eine Bedingung.

Also atmete ich einmal tief durch und überlegte angespannt. Ich konnte nicht einfach „Ich liebe dich“ sagen, obwohl das der Wahrheit entsprach. Aber ich kannte ihn ja eigentlich nicht und konnte deswegen mit meinen Gefühlen nicht so übertreiben. Schließlich antwortete ich kurz und knapp, ohne es weiter hinauszuzögern: „Ich mag dich.“ Dabei schaffte ich es, ihm wenigstens für ein paar Sekunden in die Augen zu blicken. Ich machte mich auf das Schlimmste gefasst und dachte, er würde aufstehen und gehen oder mir Beleidigungen an den Kopf werfen.

Doch er lächelte nur und schaute mir ebenfalls tief in die Augen, als er gestand: „Ich mag dich auch.“

Ich konnte nicht fassen, was er soeben gesagt hatte. Unwillkürlich traten mir Freudentränen in die Augen. Schnell rieb ich mir über die geschlossenen Lider, um zu verhindern, dass sie mir übers Gesicht rannen.

„Wie heißt du?“, fragte er, als er mich dabei beobachtete.

„Diana.“ Mehr brachte ich nicht heraus.

„Das ist ein schöner Name. Der Junge, der übrigens auch immer ganz zufällig in deiner Nähe ist, heißt John.“ Als er diesen Satz beendet hatte, breitete sich ein Lächeln auf meinem Gesicht aus.

Plötzlich ertönte das Läuten der Schulglocke und er sprang von der Bank auf, um im Gebäude zu verschwinden, während ich wie versteinert sitzen blieb und den Freudentränen freien Lauf ließ. Nadine und Verena eilten umgehend herbei, als sie das sahen. Doch als sie bei mir ankamen, fand ich keine Worte. Meine Freundinnen schlossen mich mitfühlend in die Arme. Bald wollte ich ihnen alles erzählen, aber im Moment war ich zu überwältigt von der Liebe, die mich durchströmte.

Schicksal

Teil 1

Warten

Wieder stand ich unruhig vom Sofa auf und lief im Wohnzimmer hin und her. Ich zog die Stirn in Falten, schaute auf die große Uhr. Am liebsten würde ich meine Armbanduhr abnehmen und mit voller Kraft gegen das andere tickende Ding an der Wand werfen. Dann wären beide zerstört und ich müsste mich nicht mehr über die Uhrzeit aufregen. In der Küche nahm ich eine Flasche Cola aus dem Kühlschrank und goss sie in mein Glas. Plötzlich klingelte mein Handy, ich ließ vor Schreck die gesamte Flasche fallen und spürte, wie die kalte Flüssigkeit meine Socken durchnässte und an meinen Zehen kleben blieb. Ich biss mir auf die Unterlippe, um nicht zu schreien, hob schnell die nun beinahe leere Flasche auf und rannte hektisch zurück ins Wohnzimmer, wo mein läutendes Handy lag. Ich war froh, dass sich meine Eltern für Laminat entschieden hatten anstatt Teppich, denn überall, wo ich nun hintrat, hinterließ ich dunkle Spuren auf dem Boden.

Hastig drückte ich mir das Handy ans Ohr. Dabei blieb mein Herz vor Spannung einen Moment stehen. „Ja?“

„Ich bin's, Verena.“

„Hi“, meinte ich enttäuscht. Nun schlug es wieder, und zwar doppelt so schnell.

„Was ist los?“, fragte meine Freundin besorgt.

„Ich dachte, es wäre John.“ Ich sog hörbar die Luft ein.

„Siehst du meinen Namen denn nicht auf deinem Display, wenn ich dich anrufe?“ Es klang vorwurfsvoll.

„Doch, aber da habe ich gerade eben nicht drauf geachtet, weil ich eine Literflasche Cola in der Küche verschüttet habe.“

„Oh.“ Dann entstand eine Pause. „Dann ist er also immer noch nicht da?“, fragte sie schließlich verblüfft.

„Nein. Vor einer halben Stunde wollte er kommen. Er geht nicht ans Handy und zu Hause nimmt auch niemand ab.“

Im Hintergrund hörte ich, wie Nadine etwas für mich Unverständliches dazwischenrief. Bevor ich etwas dazu sagen konnte, fragte Verena: „Sollen wir zu dir kommen? Wir könnten ein paar Filme mitbringen."

„Ich weiß nicht", murmelte ich unentschlossen.

„Wir gehen auch sofort wieder, wenn John da ist, keine Sorge", versprach Verena.

„Gut, aber dann treffen wir uns in einer halben Stunde vor seinem Haus. Ich habe ja einen Schlüssel und will gucken, ob sie vielleicht doch da sind und John nur etwas dazwischengekommen ist."

„Okay, bis später", stimmte meine Freundin zu und legte auf.

Ich tat es ihr gleich und versuchte noch einmal, John auf beiden Wegen zu erreichen, aber ich hatte keinen Erfolg.

Nachdem ich den Boden gewischt hatte, nahm ich den Ersatzschlüssel, den wir für die Familie Hoffmann aufbewahrten, und trat hinaus auf die Straße. Die Sonne schien noch immer, obwohl es bereits Abend war. Doch es war ein sehr heißer Sommer und gerade hatten wir große Ferien. Danach würde ich in die zehnte Klasse kommen und John in die zwölfte. Es waren nur zehn Minuten bis zu dem Haus der Hoffmanns, denn sie wohnten nur ein paar Straßen weiter, ebenso wie meine Freundinnen.

Es war nun schon knapp drei Jahre her, als John mich auf dem Schulhof angesprochen hatte. Seitdem hatten wir viel Zeit miteinander verbracht und wurden schließlich ein Paar. Damals war ich dreizehn gewesen und er fünfzehn. Erst vor ein paar Wochen hatte er seinen achtzehnten Geburtstag gefeiert und in drei Monaten würde ich sechzehn werden.

Er war zu einem Freund gefahren, der weiter weg in der nächstgrößeren Stadt wohnte. Ich kannte ihn nicht so gut, da ich ihm nur einmal begegnet war, als er John besucht hatte. Ich wusste nur, dass er Michael hieß und ungefähr so alt war wie mein Freund. Seine Eltern sollten John von dort abholen, weil sie am Nachmittag ein paar Bekannte trafen, die in der Nähe wohnten. Obwohl mein Freund schon ein eigenes Auto und einen Führerschein besaß, waren sie zusammen mit dem Wagen seiner Eltern dorthin gefahren. Er hatte mir versprochen, er würde gegen acht Uhr direkt zu mir kommen. Wir hatten uns die Erlaubnis geholt, dass er bei mir übernachten durfte, und hatten uns schon sehr darauf gefreut, ein paar Stunden für uns haben zu können, weil meine Eltern heute Abend ausgegangen waren. Sie wollten essen gehen und erst gegen zehn Uhr wieder zu Hause sein. Es war merkwürdig, dass ich niemanden erreichen konnte. Es sei denn, der Akku von Johns Handy wäre leer und das Festnetztelefon kaputt, was ich jedoch für sehr unwahrscheinlich hielt. Oder die Hoffmanns waren noch nicht zu Hause. Ich wollte mich vergewissern, falls meine fantasiereiche Theorie doch stimmte. Aber dann erinnerte ich mich daran, dass John gesagt hatte, er würde mich anrufen, falls er später käme. Also musste er doch irgendwie zu erreichen sein. Vielleicht war er auch, bevor er zu mir kommen wollte, noch einmal kurz nach Hause gegangen, weil er etwas vergessen hatte.

Nachdenklich schritt ich durch die Straßen. Ich durfte nicht daran denken, dass die Hoffmanns möglicherweise einen Unfall gehabt haben könnten. Doch da stand ich schon vor der Haustür und kramte den Schlüssel aus meiner Hosentasche hervor. Ich konnte nicht erkennen, ob das Auto hier stand, weil die Garage geschlossen war. Mit zittrigen Fingern öffnete ich die Haustür und betrat den stillen Flur. Mit rasendem Herzen blieb ich stehen, um zu lauschen. Doch ich nahm nur die Stille wahr. Besorgt schaute ich auf meine Armbanduhr: Viertel vor neun.

„John?“, rief ich, obwohl ich wusste, dass das Haus verlassen war. „Monika? Alexander?“, schrie ich auch die Namen seiner Eltern. Natürlich bekam ich keine Antwort.

Ich wusste nicht, warum ich es tat, aber ich lief in Johns Zimmer und schaute mich um, betrachtete diesen Raum, in dem wir schon so oft Zeit miteinander verbracht hatten. Ich sah den Schlüssel von innen an der Tür stecken, mit dem wir uns schon oft eingeschlossen hatten, um nicht gestört zu werden. Das Bett, auf dem wir uns Tausende Male leidenschaftlich geküsst hatten, stundenlang gekuschelt und unser erstes Mal erlebt hatten, welches perfekt gewesen war. Ich weiß, dass das vermutlich jeder sagt, aber ich empfand es wirklich so. Ich erinnere mich noch genau an jedes Detail dieses Abends.

Nach langen Diskussionen mit unseren Eltern durfte ich zum ersten Mal bei ihm übernachten. Wir waren alleine gewesen, weil seine Eltern zu einem Konzert gingen. Ich war überwältigt, als ich Johns Zimmer betrat: Überall hatte er Kerzen aufgestellt und rote Rosenblätter im gesamten Raum verteilt. Er hatte mir an diesem Abend eine Rose geschenkt, die ich getrocknet und auf Papier geklebt hatte. Darunter hatte ich das Datum geschrieben und den Zettel eingerahmt. Diese Rose hängt seitdem in meinem Zimmer über dem Bett.

Von dieser wunderbaren Erinnerung gefesselt, betrachtete ich die beiden dunkelblauen Wände, die ich gemeinsam mit John angestrichen hatte, um ein bisschen Farbe ins Zimmer zu bringen. Ich erinnerte mich, wie wir uns gegenseitig lachend mit Farbe bespritzt und anschließend Fotos von uns gemacht hatten. Sah die beiden ebenfalls dunkelblauen, von einem Herz umrahmten Handabdrücke, mit denen wir uns auf der Wand verewigt hatten. Dieses Andenken befand sich an der Wand über dem Bett. Nun ging ich dorthin und legte meine Hand auf den Abdruck. Ich musste grinsen, als ich feststellte, dass dieser nun kleiner als meine Handfläche war. Aber dann machte sich wieder Besorgnis in mir breit und ich setzte mich auf das weiche Bett, nahm das Kissen und drückte es an mich. Es tat gut, seinen süßen Duft einzuatmen.

Ich verweilte einen Augenblick, dann legte ich das Kissen wieder an seinen Platz und verließ das Haus. In diesem Moment tauchten meine Freundinnen auf.

„Hallo“, begrüßte ich sie und umarmte beide.

„Und?“, fragte Nadine.

Ich zuckte mit den Schultern. „Niemand da.“

Mitfühlend sahen sie mich an. „Vielleicht steht er auch gerade vor eurem Haus“, meinte Verena.

„Mist.“ Ich runzelte die Stirn. „Daran habe ich gar nicht gedacht.“

Zügig marschierten wir los, zurück zu meinem Zuhause.

Frustriert betrachtete ich wenig später unsere Einfahrt, weil ich feststellen musste, dass auch dort niemand stand. Doch dann fiel mir ein, dass John ebenfalls einen Schlüssel von uns hatte und vielleicht schon drin war. Hoffnungsvoll schloss ich die Tür auf, aber wie vorhin schallte mir nur erbarmungslose Stille entgegen.

Wieder rief ich: „John? Bist du da?“ Doch es kam keine Antwort. Ich seufzte und wir setzten uns aufs Sofa.

„Hast du eine Handynummer von seinen Eltern?“, fragte Nadine.

„Nein, aber ich könnte Ben anrufen.“ Dieser war Johns großer Bruder. Er war vor zwei Jahren mit seiner Freundin zusammengezogen und wohnte etwa eine Stunde von hier entfernt. „Wollt ihr schon mal den Film einlegen? Ich telefoniere so lange.“ Meine Freundinnen waren mit diesem Vorschlag einverstanden. „Was habt ihr denn eigentlich mitgebracht?“, fragte ich.

„Einen Actionfilm und eine Komödie. Du kannst aussuchen“, bot Verena an.

„Ich glaube, ich würde den Actionfilm vorziehen.“ Ich bezweifelte, dass ich an diesem Abend noch würde lachen können. Schließlich ging ich in den Flur und hielt mir den Hörer ans Ohr. Es tutete eine ganze Weile, doch nichts geschah. Ich wollte gerade auflegen, als sich doch noch jemand meldete.

„Ben Hoffmann?“

„Hallo, hier ist Diana“, presste ich unsicher hervor.

„Hi.“ Er schien nicht mit mir gerechnet zu haben. „Ist alles okay?“

„Ich weiß nicht genau. John und eure Eltern wollten um acht Uhr bei mir sein. Jetzt ist es schon nach neun und ich kann niemanden erreichen. Ich war auch schon bei euch zu Hause.“

„Oh“, war Bens einziger Kommentar.

„Könntest du vielleicht versuchen, deinen Vater oder deine Mutter zu erreichen?“, bat ich. „Ich habe keine Handynummer von ihnen.“

„Natürlich. Das ist ungewöhnlich, normalerweise sind sie sehr pünktlich oder geben Bescheid, wenn sie sich verspäten. Ich rufe dich gleich zurück.“ Ben schien nun ebenfalls besorgt zu sein.

„Danke.“ Ich legte auf und nahm das Telefon mit ins Wohnzimmer. Der Film lief bereits. „Möchtet ihr etwas trinken oder essen?“, fragte ich meine Freundinnen. „Cola ist leider aus.“ Ich lächelte schwach.

„Setz dich erst mal, wir holen uns dann etwas. Wir wissen ja, wo alles steht“, meinte Nadine.

„Na gut.“ Ich folgte ihrer Aufforderung und nahm Platz. Doch ich war viel zu nervös, um still sitzen zu können. Unruhig wippte ich hin und her und versuchte, mich von dem Film auf andere Gedanken bringen zu lassen.

Als nach wenigen Minuten das Telefon klingelte, das ich noch immer verkrampft in der Hand hielt, nahm ich sofort ab. „Hallo?“

„Hier ist Ben. Ich kann meine Eltern beide nicht erreichen und auch John geht immer noch nicht an sein Handy. Meinst du, ihnen ist etwas zugestoßen?“

Nadine und Verena schauten mich fragend an und ich schüttelte als Antwort den Kopf. Sie machten große Augen.

„Das will ich nicht hoffen“, erwiderte ich unsicher.

„Ich auch nicht, aber wenn wir sie heute Abend nicht mehr erreichen, sollten wir vielleicht im Krankenhaus anrufen.“

„Ja, ich mache das.“ Ich war froh, etwas tun zu können.

„Soll ich zu dir kommen?“, fragte Ben.

„Nein. Vielleicht tauchen sie doch noch auf. Ich rufe dich wieder an, wenn ich mehr weiß“, versuchte ich ihn und in gewisser Weise auch mich selbst zu beruhigen.

„In Ordnung.“

„Bis später.“ Ich legte auf und rannte in den Flur, um das Telefonbuch der Stadt herauszusuchen.

Meine Freundinnen folgten mir und Nadine fragte: „Was hast du vor?“

„Ich muss es einfach versuchen“, gab ich zurück. Ich konnte nicht länger warten. Wenn wirklich etwas passiert war, musste ich es gleich wissen. Doch insgeheim hoffte ich, dass alles gut war und ich gleich beruhigt sein würde. Zittrig wählte ich die Nummer des Krankenhauses, die ich bislang noch nie benötigt hatte, und ich ahnte nicht, dass dieser Anruf mein Leben verändern würde.

„Schulze, Krankenhaus Travemünde“, meldete sich ein Mann.

„Guten Abend, hier ist Diana Schmidt. Könnten Sie mir bitte sagen, ob John, Alexander oder Monika Hoffmann heute bei Ihnen eingeliefert wurde?“

„Das ist eine vertrauliche Information, Frau Schmidt. Darf ich fragen, warum Sie das wissen wollen?“

Ich seufzte. „Diese Familie ist heute Abend nicht nach Hause gekommen und ich kann niemanden telefonisch erreichen. Ich bin die Freundin von John Hoffmann.“

„In Ordnung. Einen Moment, bitte, ich muss im Computer nachsehen.“ Ich hörte, wie der Mann am anderen Ende auf einer Tastatur herumhämmerte und ein paarmal mit der Maus klickte. „Nennen Sie mir bitte das Geburtsdatum von John Hoffmann“, verlangte er.

„28. Juli 1994“, antwortete ich sofort und bekam nur weitere Mausklicke als Antwort.

Verzweifelt biss ich mir auf die Unterlippe, weil ich Angst vor der Antwort hatte, die man mir gleich geben würde. Und tatsächlich ...

„Ja, alle drei wurden bei uns aufgenommen“, bestätigte Herr Schulze meine schlimmsten Befürchtungen. Es fühlte sich an, als würde mir jemand eine Messerspitze ins Herz rammen. Ich spürte, wie meine Knie nachgaben, und ließ mich an der Kommode hinuntergleiten, an der ich mich angelehnt hatte, bis ich auf dem Boden zum Sitzen kam. Nadine und Verena ließen sich erschrocken neben mir nieder. Ich nickte und versetzte den beiden damit einen Schock. Ich war nicht fähig, etwas zu sagen, denn ich spürte einen Kloß in meinem Hals, zwang mich aber, nicht zu weinen.

„Alles in Ordnung, Frau Schmidt?", fragte der Mann.

„Ja." Ich schnappte nach Luft. „Was ist passiert? Geht es ihnen gut?" Meine Stimme zitterte.

„Darüber kann ich Sie leider nicht informieren. Sie können herkommen, um mit dem Arzt zu sprechen, das ist allerdings nur möglich, wenn ein Familienangehöriger dabei ist."

„Oh, okay", stieß ich hervor. „Ich werde gleich mit Johns Bruder kommen." Als ich auflegte, fielen meine Freundinnen mir in die Arme.

„Was ist passiert?" Nadines braune Augen schauten mich besorgt an.

„Der Mann am Telefon konnte mir nichts sagen, er meinte, wir könnten kommen und mit dem Arzt sprechen, aber nur, wenn ein Verwandter dabei ist."

Ich überlegte kurz. „Meine Eltern werden in einer halben Stunde zurück sein." Ich warf einen Blick auf die nervend tickende, hässliche Wanduhr im Wohnzimmer. Es war halb zehn. „Ich rufe Ben an und werde ihn fragen, ob wir uns im Krankenhaus treffen."

Meine Freundinnen widersprachen mir nicht. Sie packten ihre Sachen zusammen und räumten das Wohnzimmer ein bisschen auf, während ich erneut telefonierte.

„Hi Ben", sagte ich.

„Hey. Weißt du etwas Neues?"

„Ja. Ich habe im Krankenhaus angerufen." Ich hatte Angst, es ihm zu sagen, denn ich hatte keine Ahnung, wie er reagieren würde.

„Und?", drängte er.

Ich wollte ihn nicht länger auf die Folter spannen. „Sie wurden ins Krankenhaus eingeliefert, aber mehr konnte man mir nicht sagen." Er sog scharf die Luft ein. „Wir können mit dem Arzt sprechen, aber du musst herkommen, ohne dich geben sie mir keine Auskunft", redete ich schnell weiter.

Er hatte sofort verstanden und meinte: „Okay, ich werde so schnell wie möglich da sein."

„Treffen wir uns am Haupteingang der Klinik?", schlug ich vor. Ein Kloß hatte sich in meinem Hals gebildet. Ich wollte Ben beruhigen, konnte jedoch nicht, da ich selbst viel zu aufgebracht war.

„Ja. Ist gut. So ein Mist ..." Ben klang verzweifelt, so als hätte er bereits Tränen in den Augen.

„Mach dir keine Sorgen, es ist bestimmt nichts Schlimmes passiert", presste ich doch noch beschwichtigend hervor.

„In Ordnung. Bis später." Er riss sich zusammen und legte dann auf.

Ich versuchte, die Nerven zu bewahren, und wollte mir nicht unnötig Sorgen machen, bevor ich nicht wusste, wie es John und seinen Eltern ging. Meine Freundinnen und ich hatten uns etwas zu trinken genommen und saßen nun in der Küche.

„Es geht ihnen bestimmt gut", versuchte Verena mich aufzumuntern.

„Ich habe solche Angst." Verzweifelt stützte ich den Kopf in die Hände. Ich wollte nicht eine Sekunde länger warten, sondern sofort ins Krankenhaus fahren, um Klarheit zu bekommen. Doch es ließ sich nicht ändern, ohne Ben würde ich keine Auskunft bekommen.

Wenig später wurde die Haustür aufgeschlossen. Mama und Papa blieben fragend stehen, als sie uns vom Flur aus sahen. Meine Freundinnen begrüßten die beiden.

„Diana, was ist los? Wo ist John? Hat er abgesagt?", ergriff Mama als Erste das Wort.

„Nein. Er und seine Eltern liegen im Krankenhaus. Ich habe dort angerufen, weil sie nicht aufgetaucht sind. Wir müssen gleich hinfahren, Ben wird auch kommen, damit wir mit dem Arzt sprechen können."

Meine Eltern legten besorgt die Stirn in Falten. Mama hielt sich am Türrahmen fest und ich hatte Angst, sie würde gleich umkippen. „Oh Gott", sagte sie nur. Nervös strich sie sich eine ihrer braunen Strähnen hinter das Ohr.

Papa legte einen Arm um mich und meinte ruhig: „Macht euch nicht vorher verrückt, wir warten ab, was der Arzt sagt."

„Kommt ihr mit?", fragte ich meine Freundinnen. „Ihr müsst das nicht tun. Wir können euch auch vorher zu Hause absetzen."

„Nein“, widersprachen die beiden entschlossen. „Wir kommen mit.“

Zu fünft stiegen wir also eine halbe Stunde später ins Auto und fuhren los. Während der gesamten Fahrt sprach keiner von uns ein Wort. Mittlerweile war es dunkel geworden und ich betrachtete den hellen Vollmond und die Sterne. Ich spürte, dass etwas Schlimmes passiert sein musste, und fragte mich, ob bald alles vorbei sein würde. Lebte John überhaupt noch? War er schwer verletzt? Wie ging es seinen Eltern? Es konnte nur ein Autounfall gewesen sein. Unruhig zappelte ich mit den Beinen, die unkontrolliert gegen Mamas Sitz traten.

„Bleib ruhig, Diana“, raunte sie mir zu. „Wir sind gleich da und dann werden wir alles erfahren. Ich bin sicher, es ist nichts Schlimmes vorgefallen.“

Mir war klar, dass sie das nur gesagt hatte, um mich zu beruhigen. Sie sah nämlich selbst ganz blass aus.

Schließlich erreichten wir das Krankenhaus. Ben war noch nicht eingetroffen. Enttäuscht setzten wir uns auf ein paar Stühle im Flur. Und das Warten begann von vorn.

Erleichtert sprang ich von meinem Stuhl auf, als Ben und seine Freundin Larissa den Flur betraten und uns begrüßten. Ich umarmte die beiden etwas fester als sonst. Dann gingen wir gemeinsam zur Rezeption. Dort sprach ich mit dem Mann, mit dem ich bereits telefoniert hatte. Seinen Anweisungen folgend, gingen wir in die zweite Etage und klopften an die Bürotür des behandelnden Arztes.

„Guten Abend“, begrüßte er uns freundlich. Er war etwa Mitte dreißig und mir von Anfang an sympathisch. „Ich bin Dr. Böhmer.“

Mama übernahm unsere Vorstellung. „Wir sind die Schmidts und wegen Familie Hoffmann hier. Ich heiße Ina, das ist mein Mann Lars und unsere Tochter Diana. Das sind Dianas Freundinnen Nadine und Verena.“

Dr. Böhmer nickte und schaute nun zu mir. „Und du bist Johns Freundin?“

„Ja“, antwortete ich.

„Ich bin Johns Bruder Ben und das ist meine Freundin Larissa“, stellte auch er sich vor.

„Ich weiß schon Bescheid. Ich möchte, dass das Gespräch in kleinem Rahmen stattfindet, also besprechen Sie bitte kurz, wer mitkommen möchte.“

Ich war mir nicht sicher, ob ich das alles wirklich aus erster Hand erfahren wollte, ich konnte mir auch erzählen lassen, was der Arzt gesagt hatte. Aber auf der anderen Seite wollte ich genau wissen, was los war, und zwar sofort. Also betraten Ben und ich das Büro des Arztes, während die anderen draußen warteten.

„In Ordnung, dann werde ich Ihnen nun die Situation darlegen", begann Dr. Böhmer, nachdem wir uns gesetzt hatten. „Familie Hoffmann hatte einen schweren Autounfall kurz vor Travemünde. Ihr Auto wurde von einem anderen Pkw gerammt, der seine Fahrspur verlassen hat, und in einen Graben gestoßen. Dabei wurden die Leitplanken am Straßenrand zerstört. Das Fahrzeug hat sich überschlagen und ist auf dem Dach liegen geblieben. Die Feuerwehrleute hatten große Mühe, Ihre Familie zu bergen, Ben. Dadurch verging kostbare Zeit. Ihr Vater Alexander starb vor wenigen Minuten hier im Krankenhaus, nachdem wir eine geraume Zeit versucht haben, ihn zu reanimieren. Es tut mir sehr leid. Der Fahrer des anderen Pkws starb noch am Unfallort. Man stellte fest, dass er über zwei Promille Alkohol im Blut hatte."

Tränen traten mir in die Augen. Aber noch größer als meine Trauer war die Wut, die in mir aufstieg, als ich hörte, dass Johns Vater wegen eines Betrunkenen zu Tode gekommen war.

„Ihre Mutter Monika hat ein Schädel-Hirn-Trauma und leichte innere Verletzungen davongetragen. Sie liegt derzeit im Koma."

Besonders der letzte Satz versetzte mir einen Schock. Ich warf einen kurzen Blick zu Ben, er kämpfte mit den Tränen. Fest umklammerte ich die Armlehnen meines Stuhles, weil ich wusste, was jetzt kommen würde.

„Die Verletzungen von John sind deutlich schlimmer."

Ich machte mich auf alles gefasst. Aber natürlich war ich dennoch nicht auf das vorbereitet, was nun kam, denn das wäre mir nie in den Sinn gekommen.

„Bei dem Unfall wurde seine Wirbelsäule im unteren Bereich schwer verletzt. Der Wirbel L3 ist angebrochen."

Mir wurde übel. Nur langsam sickerte die Bedeutung der Worte zu mir durch.

„In wenigen Minuten wird ein Facharzt eintreffen, um John zu operieren. Das ist in diesem Fall nötig, um die Stabilität der Wirbelsäule wiederherzustellen und so weitere Schädigungen zu vermeiden. Da er unter einem spinalen Schock leidet, also das Knochenmark durch die Verletzung angeschwollen ist, kann ich erst in sechs bis acht Wochen die eigentliche Ausdehnung der Lähmung bestimmen. Erst dann wird sich zeigen, ob sie bleibend, heilbar oder verschwunden ist. Bei dem Unfall wurde der Lendenwirbelbereich verletzt, das heißt, dass die unteren Extremitäten von der Lähmung betroffen wären. Man spräche von einer Paraplegie, wenn keine Besserung eintreten würde."

Jetzt konnte ich die Tränen nicht mehr zurückhalten und nahm eine Hand vor den Mund, um nicht zu schreien.

„Er liegt ebenfalls im Koma. Die gute Nachricht für Monika und John Hoffmann ist, dass ich einen Hirntod ausschließen kann, da beide eindeutige Reflexe zeigen, die dagegen sprechen. Die schlechte Nachricht ist, dass immer noch Lebensgefahr besteht und ich Ihnen nicht sagen kann, ob und wann sie es schaffen werden aufzuwachen. Es tut mir leid."

Das Messer, welches bereits durch das Telefonat in meinem Herzen steckte, wurde wieder herausgezogen, um mir noch einmal einen tiefen Schnitt zu verpassen und mir die Luft zu nehmen.

Schreie

Völlig orientierungslos stand ich im Dunkeln. Der Regen stürzte unbarmherzig auf mich herab. Panisch starrte ich zu Boden, wo sich eine Pfütze befand, in der ich mich spiegelte. Mein langes Haar war nass und klebte an meinem Gesicht, meine Lippen waren blutrot und meine Haut noch blasser als sonst. Alles an mir sah hell aus, nur in meinen Augen befand sich kein Licht.

Plötzlich fuhr ein Auto so dicht an mir vorbei, dass mir das Wasser der Pfütze ins Gesicht spritzte. Erschrocken schaute ich auf. In diesem Moment raste ein weiteres Fahrzeug an mir vorbei. Erst jetzt begriff ich, dass ich mich auf dem Mittelstreifen einer Straße befand. Da vernahm ich einen Schrei. Ich hörte genauer hin. Ein Baby musste ihn ausgestoßen haben. Es weinte laut, als hätte es seine Mutter verloren.

Ich schaute mich um, doch das Einzige, was ich sah, war ein kleiner dunkler Wald mit hohen Tannen, nicht weit von der Straße entfernt, auf der ich mich befand. Plötzlich erschien ein helles Augenpaar inmitten dieses Waldes. Ich wusste sofort, wem es gehörte, denn ich würde dieses strahlende Blau überall wiedererkennen.

„John!", schrie ich.

Doch er antwortete mir nicht.

„John!", kreischte ich wieder.

Kurz entschlossen rannte ich quer über die Straße, um zu ihm zu gelangen, sah aber zu spät, dass ein Auto auf mich zukam. Das Letzte, was ich wahrnahm, war ein unerträglicher Schmerz, der durch meine Beine fuhr, dort, wo das Fahrzeug mich getroffen hatte.

Als ich aufwachte, zuckte ich schockiert zusammen und legte instinktiv sofort meine Hände auf meine Beine. Erst dann schrie ich schmerzerfüllt weiter. Zittrig ließ ich mich vom Bett auf den Boden gleiten und kroch mit weit aufgerissenen Augen durch den Raum. Weil es dunkel war, bekam ich Panik und tastete mich zum Lichtschalter vor. Ich wurde geblendet, nachdem ich ihn endlich gefunden und betätigt hatte, und schaute mir prüfend meine Beine an, doch da war nichts. Nun ließ der Schmerz nach und ich streichelte erleichtert über meine Glieder.

„Diana?“, rief meine Mutter. Ich fuhr erschrocken zusammen. „Mach die Tür auf!“ Sie klopfte laut dagegen.

„Warum ist meine Zimmertür abgeschlossen?“, fragte ich mich verwirrt.

„Ist alles okay?“, wollte Mama besorgt wissen.

„Ja.“ Meine Stimme brach weg. Ich war sehr dankbar dafür, dass sie nicht hereinkommen konnte, obwohl ich mich tatsächlich nicht daran erinnerte, meine Tür abgeschlossen zu haben. „Ich habe nur schlecht geträumt.“ Ich schluchzte wie ein kleines Kind. Schnell stolperte ich zurück zu meinem Nachttisch und schaute auf meine Armbanduhr, die dort lag: halb sechs Uhr morgens. „Leg dich wieder hin. Es ist alles in Ordnung“, schickte ich sie weg. Aber natürlich wussten wir beide, dass das nicht stimmte.

„Okay“, erwiderte Mama langsam. „Komm zu uns, wenn etwas ist.“

„Ja“, gab ich nur zurück.

Endlich entfernten sich ihre Schritte. Verwirrt rollte ich mich auf dem Boden zusammen. Warum war mein Zimmer verdunkelt und meine Tür abgeschlossen? Normalerweise machte ich die Jalousien nie ganz herunter und ich hatte mich auch noch nie eingeschlossen. Dass ich gestern ins Bett gegangen war, wusste ich auch nicht mehr. Und dann dieser Albtraum. Ich hatte wirklich Schmerzen in den Beinen gehabt, aber in der Realität war ich nicht verletzt. Es musste alles Einbildung gewesen sein.

Plötzlich kam mir in den Sinn, dass ich auf John gewartet hatte und im Krankenhaus gewesen war. Meine Gedanken ordneten sich langsam. Oder hatte ich auch das bloß geträumt? Bestimmt nicht, denn sonst wäre dieser Traum nie zustande gekommen, in dem ich sicherlich verarbeitet hatte, dass John und seine Eltern einen Autounfall gehabt hatten. Außerdem wäre mein Freund nun bei mir, wenn gestern alles nach Plan gelaufen wäre.

Aber was hatte das Geräusch eines weinenden Babys mit all dem zu tun? Sollte es vielleicht meine Traurigkeit zum Ausdruck bringen? Ich konnte mir keinen Reim darauf machen.

Dann überwältigte mich die grausame Tatsache, dass John und seine Mutter im Koma lagen und sein Vater tot war. Mein Freund konnte womöglich nie wieder laufen, aber das bereitete mir die wenigsten Sorgen. Ich würde ihn dennoch lieben und in Zukunft mit ihm zusammenbleiben wollen. Doch viel bedeutender war die Frage, ob wir überhaupt eine Zukunft hatten. Würde John jemals wieder aufwachen? Oder würde er sterben? Würde seine Mutter es schaffen? Würde er damit leben können, dass sein Vater nicht mehr hier war und er selbst vielleicht für immer körperlich eingeschränkt war? Würde er mich so lieben können wie zuvor?

Benommen von den vielen Fragen, auf die ich keine Antwort wusste, tauchte ich in meine Erinnerungen an die Ereignisse der letzten Nacht ein. Ich wusste noch, wie sehr ich geweint hatte, als ich die schlechten Nachrichten des Arztes hörte. Er sagte uns, in welchen Zimmern John und seine Mutter lägen, nämlich getrennt voneinander im zweiten Stock.

Leise betraten Verena, Nadine und ich sein Zimmer, während meine Eltern mit Ben und Larissa in das Zimmer von Johns Mutter gingen. Langsam trat ich an das Bett meines Freundes heran, den ich so sehr liebte und der aussah, als würde er nur ruhig schlafen. Ich versuchte, die vielen Geräte und Schläuche zu ignorieren, die sich um ihn herum befanden und ihm das Leben gerettet hatten, aber es funktionierte nicht. Von einer dieser Maschinen ging ein regelmäßiges Piepen aus, wodurch seine Herzschläge aufgezeichnet wurden. Vorsichtig legte ich meine Hand auf die Johns, als mir klar wurde, dass ich ihn nicht mehr spüren konnte. Ich spürte keine Schmetterlinge in meinem Bauch tanzen, keine Wärme, die von ihm ausging, und auch kein Lächeln auf meinem Gesicht, wenn ich ihn ansah. Stattdessen fühlte ich, wie sich Angst in mir ausbreitete und sich meine Augen erneut mit Tränen füllten. Wie meine Knie nachgaben und ich auf den Boden sank. Wie ich laut weinte, beinahe schrie. Wie meine Freundinnen sich zu mir auf den Boden setzten, aber ich ihre Stimmen kaum hörte. Ich wollte nicht mehr sein, nicht ohne John. Ich wusste nicht, ob er es schaffen oder sterben würde. Ich hatte keine Ahnung, wie lange ich auf Klarheit warten musste.

Ich erinnerte mich an die Worte, die John mir immer wieder gesagt hatte, wenn ich nicht zufrieden mit mir selbst war, und das kam ziemlich häufig vor. Meistens lag es an meinem Aussehen, manchmal daran, weil ich meiner Meinung nach ständig Fehler machte und die falschen Entscheidungen traf. Wenn ich in den Spiegel schaute, dachte ich manchmal, eine Leiche schaute mir entgegen, weil ich von Natur aus rabenschwarze lange Haare und eine blasse Haut hatte, die auch im Sommer nie braun wurde. Meine Augen besaßen eine matte grüne Farbe, Johns dagegen strahlten blau, er hatte dunkelblonde Haare und immer eine gesunde Gesichtsfarbe.

Doch er hatte immer zu mir gesagt, wenn ich besonders kritisch war: „Deine Augen sehen aus wie Smaragde und du bist wunderschön. Wie ein Engel, der zu mir gefunden hat."

Wie lange ich weinend auf dem Boden lag, wusste ich nicht. Ich fragte mich, warum alles so gekommen war, warum dieses schreckliche Schicksal mich und John ereilt hatte. Warum wir? Warum er? Niemals hatten wir etwas Böses getan. Wofür wollte man uns bestrafen? Jede Sekunde würde ich in Angst leben, bis John aufwachte. Der Arzt hatte versprochen, sofort anzurufen, wenn es Neuigkeiten gäbe.

Ich hatte nicht die Kraft, wieder ins Krankenhaus zu fahren, weil mich dort noch mehr Schmerz erwartete, den ich nicht ertragen konnte. Ich wollte warten, bis ich erneut dazu bereit war.

Meine Freundinnen hatten mich in die Arme geschlossen und mich getröstet, als ich vor Johns Bett auf den Boden gesunken war. In diesem Moment brachen meine Erinnerungen ab. Alles Weitere musste ich verdrängt haben. Ich schluchzte laut und weinte weiter, wobei ich alles um mich herum vergaß.

Irgendwann rappelte ich mich vom Boden auf, zog die Jalousien hoch und machte mein Fenster auf. Die Sonne schien herein. Meine und Johns Welt war zerstört, also müsste es doch eigentlich regnen.

Als ich mich im Spiegel betrachtete, bekam ich einen Schrecken. Meine Haare standen in alle Richtungen von meinem Kopf ab und meine Wimperntusche lief mir in schwarzen Bächen über die Wangen. Mein verschmiertes Lipgloss bedeckte mein ganzes Gesicht. Warum hatte ich mich gestern Abend nicht abgeschminkt?

Ich beschloss, zunächst kalt zu duschen, um wach zu werden. Auf keinen Fall würde ich versuchen wieder einzuschlafen, denn ich hatte Angst, ein weiterer Albtraum würde mich heimsuchen.

Nachdem ich geduscht und mich angezogen hatte, setzte ich mich vor den Fernseher, um mich abzulenken. Früher hatte ich immer eine meiner Freundinnen angerufen, wenn ich ein Problem hatte, aber ich wollte sie nicht belästigen, schon gar nicht um sechs Uhr morgens. Vermutlich ging es ihnen nicht besser als mir, denn sie waren selbst sehr gut mit John befreundet. Beide hatten außerdem einen Freund, sie konnten nachempfinden, wie ich mich fühlte. Tatsächlich handelte es sich dabei um die beiden Jungen, in die sie sich schon vor drei Jahren verliebt hatten. Wir sechs hatten uns immer wunderbar verstanden und viel Zeit zusammen verbracht.

Ich hatte einen Horrorfilm geschaut, den ich schon kannte, und nun liefen die Nachrichten. Es fühlte sich an, als würde mir jemand einen Schlag in den Magen verpassen, als ich einen Bericht über den Autounfall von John und seinen Eltern sah. Es wurden Bilder des Unfallortes gezeigt und ich sah das vertraute Auto, welches völlig verbeult in einem Graben lag. Auch das andere Fahrzeug, das sich auf der Straße befand und den Verkehr blockierte, wurde eingeblendet. Ich musste erneut weinen, denn ich konnte nicht fassen, dass dieser betrunkene Fahrer so viel zerstört hatte. Ich war wütend auf ihn, zornig, dass so etwas wie Alkohol überhaupt existierte. Kochend vor Wut schaltete ich den Fernseher aus und musste mich beherrschen, die Fernbedienung nicht gegen den Bildschirm zu schleudern.

Als ich auf die Uhr schaute, war es kurz vor neun. Ich begann, das Frühstück vorzubereiten, weil ich wusste, dass meine Eltern gleich aufstehen würden. Heute war Sonntag und morgen mussten beide wieder arbeiten. Es waren Ferien und vor mir lagen noch vier Wochen, bis die Schule wieder losging.

„Guten Morgen“, rief ich meinen Eltern entgegen, als sie die Küche betraten.

„Morgen. Du bist heute früher wach als wir?“ Papa war überrascht.

Ansonsten stand ich in den Ferien erst gegen elf Uhr auf. „Ja“, antwortete ich. „Ich habe schlecht geschlafen.“

Sie wussten sicherlich, warum. Mama erwiderte: „Danke, dass du Frühstück gemacht hast.“

Ich nickte und versuchte zu lächeln.

Wir setzten uns an den Tisch und begannen zu essen. Ich hatte keinen Appetit, würgte aber trotzdem ein halbes Brötchen hinunter.

Am Tisch herrschte peinliches Schweigen, weil niemand wusste, was er sagen sollte.

Erst als Papa sein drittes Brötchen verdrückt hatte, äußerte er: „Wir machen uns Sorgen um dich, Diana.“

Ich schaute ihn fragend an, obwohl ich genau wusste, wie er das meinte.

Also redete er weiter: „Uns alle hat mitgenommen, was gestern passiert ist, aber wir müssen versuchen, damit klarzukommen.“

„Das versuche ich doch“, erwiderte ich.

„Warum hast du dich in deinem Zimmer eingeschlossen?“, fragte Mama sanft.

Darüber hatte ich mir keine Gedanken mehr gemacht. Die einzig logische Antwort war wohl, dass mein Unterbewusstsein mich gestern Nacht darauf hingewiesen hatte, dass es besser wäre, sich einzuschließen, denn Mama hätte einen riesigen Schock bekommen, wenn sie mich in dieser Situation gesehen hätte. „Ich weiß nicht“, sagte ich nur.

„Wir dachten, es wäre etwas passiert. Wir hätten dir noch nicht mal helfen können“, meinte Mama betroffen.

„Ich brauche einfach ein bisschen Zeit für mich allein, um das alles zu verarbeiten. Ich verstehe eure Sorgen, aber bitte macht euch nicht zu viele.“ Mit diesen Worten stand ich auf und verschwand zügig in meinem Zimmer, um mich wieder einzuschließen.

Ein Wunder

Ich sah nichts.

Ich hörte nichts außer meinen Tränen, die auf mein Kissen tropften.

Aber ich spürte alles.

Ich fühlte den größten vorstellbaren Schmerz in meiner Seele und das Messer in meinem Herzen.

Ich nahm meine vom Weinen brennenden Augen und meinen flachen Atem wahr.

Ich war in einen Abgrund gestürzt, war vom Schicksal überrannt und hinuntergeworfen worden.

Gnadenlos, ganz einfach.

Doch nach oben würde ich nie wieder gelangen.

So verweilte ich, denn ich traute mich nicht, mich zu bewegen. Auf keinen Fall wollte ich noch mehr Schmerz spüren, wollte mich mit der Realität auseinandersetzen, wollte den Tatsachen ins Auge blicken. Ich trauerte um Johns Vater, weil er ein guter, liebevoller Mensch gewesen war. Gleichzeitig bemitleidete ich meinen Freund und seine Mutter, denn sie hatten dieses Schicksal nicht verdient. Aber am größten war die Angst, da beide jeden Augenblick ebenfalls sterben konnten.

Ich wusste nicht, wie lange ich in der Dunkelheit meines verschlossenen Zimmers schon verharrte, denn ich verlor jegliches Zeitgefühl. Ich kam nur heraus, wenn es nötig war. Ständig klopften meine Eltern an die Tür, um mich zu bitten sie zu öffnen, um zu fragen, ob es mir gut ginge. Ständig klingelte mein Handy und ich wusste, dass es nur Nadine oder Verena sein konnte. Mir fehlte die Kraft abzunehmen. Ich würde schrecklich klingen und weinen und das wollte ich ihnen nicht antun. Meine Eltern hatten versprochen, mir Bescheid zu sagen, sobald der Arzt sich meldete. Das war bis jetzt nicht passiert, was bedeutete, dass sich nichts geändert hatte. Das frustrierte mich noch mehr.

Ich dachte an Ben und Larissa, denen es bestimmt genauso schrecklich ging. Ben hatte gesagt, sie würden im Haus der Hoffmanns übernachten und alle wichtigen Anrufe tätigen. Ich bat ihn, auch Johns Freund Michael Bescheid zu geben, weil ich es nicht übers Herz brachte, es ihm zu sagen. Ben forderte mich auf, mich auszuruhen und mich um nichts zu kümmern. Er und Larissa würden jedes Wochenende herfahren, um ein Auge auf das Haus zu werfen und um ins Krankenhaus zu fahren.

Ich fror, weil ich reglos in meinem kühlen Zimmer lag. Draußen musste es heiß sein, aber es konnte kein Sonnenstrahl in mein verdunkeltes Zimmer vordringen. Verzweifelt rollte ich mich zusammen, als ich es zum ersten Mal spürte. Obwohl mein gesamter Körper ausgekühlt war, durchdrang eine plötzliche Wärme meinen Unterleib. Ich runzelte die Stirn und legte meine Hand an die Stelle. Langsam begann ich, über meinen Bauch zu streicheln. Verwirrt setzte ich mich hin und stand auf, um zu meinem Fenster zu gehen.

Als ich es gefunden hatte, zog ich die Jalousien hoch und atmete die frische Luft ein. Dann schob ich mein T-Shirt ein Stück nach oben und legte meine Finger an die Stelle unter meinem Bauchnabel, ungefähr dort, wo mein Gürtel saß. Mit beiden Händen fuhr ich an meinem Unterleib entlang und dachte nach. Bekam ich etwa meine Periode?

Schnell lief ich zu meinem Schreibtisch und holte meinen Kalender hervor, um die Tage abzuzählen. Zur Sicherheit wiederholte ich diesen Vorgang mehrmals, kam aber stets zu dem Ergebnis, dass ich bereits vor drei Tagen meine Periode hätte bekommen müssen. Bei dieser Feststellung zog sich mein Magen vor Schreck zusammen. Vielleicht war die ungewöhnliche Wärme ein Anzeichen dafür, dass ich sie bald bekommen würde. Aber eigentlich kündigte sich meine Regel meist durch ein Ziehen oder krampfartige Schmerzen an und nicht durch ein so angenehmes Gefühl.

Es war neun Uhr morgens, was bedeutete, dass meine Eltern bereits bei der Arbeit waren. Ich versuchte, Ruhe zu bewahren. Ich wusste nicht, was ich denken sollte, und starrte wieder auf den Kalender. Verwirrt lief ich zu meinem Kleiderschrank, denn an einer seiner Türen befand sich ein Spiegel. Ausgiebig betrachtete ich mich von allen Seiten, um eine Veränderung festzustellen, obwohl ich wusste, dass man ohnehin noch nichts sehen konnte, sollten meine Befürchtungen zutreffen. Plötzlich erinnerte ich mich an die Babyschreie, die ich in meinem Traum gehört hatte. Sollten sie eine Art Vorahnung oder Hinweis sein? Aufgeregt eilte ich ins Badezimmer, riss das Schrankfach auf und nahm die Schachtel mit den Pillen in die Hand, die mich eigentlich hätten schützen sollen. Obwohl ich mir sicher war, sie jeden Tag genommen zu haben, holte ich mit zittrigen Fingern eine Verpackung heraus. Doch darin waren keine Pillen mehr. Ich befand mich gerade in der siebentägigen Einnahmepause, während der die Blutung eintreten sollte, jedoch fast am Ende derselben. Vielleicht würde am nächsten Tag noch eine Blutung auftreten, aber das war sehr unwahrscheinlich.

Da kam mir eine Idee. Ich holte die Packungsbeilage heraus und suchte nach dem Satz, der mir im Kopf herumschwirrte und mich beruhigen sollte. Schnell fand ich ihn unter den Nebenwirkungen: Ausbleiben der Abbruchblutung. Die Beruhigung, die ich erwartet hatte, kam jedoch nicht zum Vorschein. Ich war mir nicht sicher, ob ich überhaupt wollte, dass mich dieser Satz entspannte.

Dann las ich einen anderen Abschnitt.

Faktoren, die die Wirkung der Pille beeinflussen: Erbrechen, Durchfall, bestimmte Medikamente, unter anderem Antibiotika.

All das traf nicht zu. Kopfschüttelnd legte ich die Verpackung an ihren Platz zurück und atmete tief durch.

Da ich mir Klarheit verschaffen musste, packte ich meine kleine Handtasche und machte mich mit dem Fahrrad auf den Weg in die Stadt. Die Sonne tat gut auf meiner Haut. Erst als ich auf mein Handy geschaut hatte, war mir aufgefallen, dass ich drei Tage in meinem Zimmer verbracht und zehn entgangene Anrufe auf dem Display hatte. Immer wieder zerbrach ich mir den Kopf darüber, ob meine Theorie stimmte und ob es überhaupt möglich war.

Es war mir peinlich, als ich in der Apotheke bezahlte, und ich hoffte, von niemandem gesehen zu werden, der mich kannte. Schnell fuhr ich nach Hause, um die Schwangerschaftstests durchzuführen.

Mir wurde schwindlig, als beide Teststreifen verschiedener Marken „schwanger“ anzeigten.

Ich kann nicht sagen, ob ich aus Freude oder Verzweiflung weinte. Immer wieder starrte ich die Teststreifen an, als würde sich dadurch noch etwas verändern.

„Oh mein Gott, ich bin schwanger, und das mit fünfzehn!“

Okay, ich wurde bald sechzehn, aber das war trotzdem viel zu jung. Was war mit meiner Zukunft? Schule? Studium? Beruf? Freizeit? Dinge, die man macht, wenn man jung ist? Meine Eltern würden ausrasten! Was war mit John? Ich konnte ihn noch nicht einmal fragen, was er davon hielt. Immer mehr Tränen strömten über meine Wangen. Ich konnte nicht länger vor dem Waschbecken stehen, in das ich die Teststreifen gelegt hatte, sondern ließ mich kraftlos auf den Boden gleiten, um meinen Körper fest zu umschlingen und lauthals zu schluchzen. So viele Dinge schwirrten mir im Kopf herum. Das war einfach alles zu viel. Langsam verebbte die Tränenflut, weil mir klar wurde, dass ich diese Situation gar nicht als so schlimm empfand. Der Unfall von John und seinen Eltern war wesentlich schrecklicher. Und ich konnte nichts dafür, ich hatte doch die Pille genommen!

Nachdenklich streichelte ich meinen Bauch. Dabei wurde mir klar, dass sich ein Teil von John in mir befand. Auch wenn er sterben würde, könnte ich immer einen Teil von ihm bei mir haben. Ich lächelte, als mir das bewusst wurde. Angenommen, John würde aufwachen, dann wäre dies vielleicht unsere einzige Chance, jemals ein eigenes Kind zu haben, wenn seine Lähmung blieb. Nun brachte ich ein kleines Lächeln zustande.

„Ich liebe dich“, murmelte ich. „So sehr.“ Mir wurde bewusst, dass ich nicht ohne diesen Teil von John weitermachen konnte. „Aber das ist eigentlich unmöglich“, redete ich mit mir selbst.

Ungläubig schaute ich die Tests an und fragte mich, ob sie logen. Ich dachte nämlich, dass solche Tests nicht immer sicher waren.

Einen Moment lang fragte ich mich, wann genau das passiert sein sollte, und dachte an einen Tag mit John zurück. Es war in der ersten Ferienwoche gewesen und ich hatte bei ihm übernachtet. Er empfing mich lächelnd und nahm mir meine Tasche ab. Schmetterlinge flogen in meinem Bauch hin und her, als ich ihm in die Augen sah. Glücklich drückte ich meine Lippen auf die seinen.

„Wir sind allein.“ Er schmunzelte.

„Warum?“, fragte ich grinsend.

„Meine Eltern sind einkaufen gefahren, also haben wir ungefähr eine Stunde für uns.“

„Das ist klasse.“ Noch im Hauseingang begann ich, ihn verlangend zu küssen.

Wir machten ein paar Schritte, bis die Tür zufiel und ich meine Beine um Johns Hüfte schlang, um mich an ihm hochzuziehen. So trug er mich küssend zu seinem Bett und streifte mir mein Top über den Kopf. Ich machte dasselbe mit seinem T-Shirt und schließlich warfen wir auch unsere Hosen auf den Boden.

Zärtlich streichelte er mein Bein, vom Knöchel bis hinauf zum Oberschenkel, wobei ich Hitze in mir auflodern spürte. Unsere Herzen und unsere Atmung wurden immer schneller, bis sie nur noch in kurzen, flachen Stößen gingen. Da öffnete er geschickt meinen BH und drückte seine Lippen auf meinen Hals. Küssend wanderte er hinunter zu meiner Schulter, während ich seinen Rücken streichelte und durch seine Haare fuhr. Nun streiften wir die restliche Unterwäsche ab und hatten jegliche Barrieren gesprengt, die uns daran gehindert hatten, uns ausgiebig zu berühren.

„Ich liebe dich." John hielt meinen Kopf fest.

„Ich liebe dich", keuchte ich und presste immer wieder meine Lippen auf die seinen.

Ein starkes Kribbeln durchfuhr immer wieder mein Unterleib und zog heftig bis in die Zehenspitzen, als wir uns vereinten, als er mich eroberte, uns zusammenführte. Ich stöhnte auf und berührte ihn weiter. Verlangend küssten wir uns immer wieder und waren unbeschreiblich glücklich. So wie jedes Mal.

Als ich diese Erinnerung losließ, wurde ich wieder unruhig. Da mir die positiven Tests, mein Traum, meine ausbleibende Regelblutung und das Gefühl in meinem Unterleib als Beweis nicht ausreichten, rannte ich hinunter ins Wohnzimmer und schnappte mir das Telefon. Ich brauchte Fakten und keine Theorien.

„Frauenärztliche Praxis Dr. Jessen", meldete sich jemand.

„Hallo, hier ist Diana Schmidt. Ich brauche dringend einen Termin, wenn es möglich ist, noch heute", erwiderte ich ohne Umschweife.

„Tut mir leid, aber heute ist alles voll." Ich biss mir auf die Unterlippe. „Worum geht es denn?", fragte die Sprechstundenhilfe.

„Ich vermute, dass ich schwanger bin, und wenn es so sein sollte, dann ist es ungewollt."

„Ja, dann müssen Sie wirklich zeitig kommen. Ich könnte Sie heute dazwischenschieben, aber dann müssten Sie viel Wartezeit mitbringen."

Ich schaute auf die Uhr. Wenn ich das Angebot wahrnahm, konnte ich nicht sicher sein, vor meiner Mutter wieder zu Hause zu sein.

„Einen Moment“, sagte sie unvermittelt. „Ich sehe gerade, dass jemand einen Termin für morgen abgesagt hat. Den könnten Sie nehmen und müssten nicht so lange warten.“

Ich atmete auf. „Um wie viel Uhr?“

„Um zehn.“

„Sehr gut.“

„Dann kann ich Sie eintragen?“

„Ja.“

„Ihren Namen bitte noch einmal.“

„Schmidt, Diana. Vielen Dank.“

Nachdem ich aufgelegt hatte, machte ich mir einen Toast. Ich hatte mich in den letzten drei Tagen ziemlich vernachlässigt und kaum etwas gegessen oder getrunken. Das bereitete mir ein schlechtes Gewissen, weil es nun wahrscheinlich für zwei reichen musste. Also nahm ich ein ordentliches Frühstück zu mir und trank auf Ex eine ganze Flasche Wasser aus. Dann ging ich die Liste der entgangenen Anrufe auf meinem Handy durch. Ich fragte mich, ob die beiden sich abgesprochen hatten, als ich feststellte, dass Nadine und Verena je fünfmal angerufen hatten. Nadines Nummer wählte ich zuerst.

„Hallo?“, meldete sie sich.

„Hi, hier ist Diana.“

„Hi. Endlich rufst du zurück! Wie geht es dir?“ Es klang vorwurfsvoll.

„Geht so. Tut mir leid, aber ich konnte nicht reden, ich war total am Ende.“

„Gerade dann sollten wir telefonieren, wir wären auch gern vorbeigekommen, aber wir wollten nicht nerven.“

„Schwamm drüber, okay? Kann ich jetzt vorbeikommen? Ich muss dringend mit dir und Verena sprechen.“

Verwirrt antwortete Nadine: „Klar, kannst du machen. Was ist denn los?“

„Erzähle ich dir, wenn ich da bin. Ich rufe Verena an und bitte sie dazu.“

„Aber mir wäre es lieber, wenn ihr erst um drei kommen würdet. Tobias ist noch hier“, warf Nadine ein.

„Oh." Ich machte eine Pause. „Aber wenn du mit ihm verabredet bist, dann verschieben wir es."

„Nein, kein Problem. Er muss heute Nachmittag sowieso wieder gehen, weil er ein paar Kumpel trifft", beruhigte sie mich.

„Weiß er es?", fragte ich unsicher.

„Ja, Florian auch. Wir haben es ihnen erzählt und waren gestern sogar zusammen im Krankenhaus. Wir haben mit dem Arzt gesprochen."

„Und?", wollte ich aufgeregt wissen.

„Er weiß nicht mehr als vorher."

Ich zögerte, denn ich wusste nicht, was ich darauf antworten sollte. „Dann sehen wir uns später", meinte ich schließlich.

„Gut, bis dann."

Danach rief ich Verena an. Sie sagte ebenfalls zu. Nervös setzte ich mich wieder vor den Fernseher, denn ich konnte den Arzttermin morgen nicht erwarten. Ich bekam ein bisschen Angst, weil es möglich war, dass ich doch nicht schwanger war, falls die Tests logen und ich meine Periode morgen bekommen würde. Ich glaube, die Tatsache, dass sich ein Kind von John in meinem Bauch befand, war das Einzige, was mich dazu ermutigt hatte, aus meinem Zimmer zu gehen und weiterzumachen. Wenn ich doch nicht schwanger war, würde ich es nicht ertragen. Aber ich glaubte fest daran und redete es mir immer wieder ein, um mich zu beruhigen.

Ich hatte keine Ahnung, wie ich es meinen Eltern sagen sollte, und fragte mich gleichzeitig, ob John es überhaupt gewollt hätte. Wie würde er reagieren, wenn er aufwachte und ich es ihm sagte? Ich konnte nicht sicher sein, ob er sich freuen würde. Ich wusste nicht, wie das funktionieren sollte. Schließlich konnte ich nicht für das Kind da sein, wenn ich mein Abitur machen wollte. Vermutlich würde ich keinen Beruf erlernen oder ein Studium aufnehmen können, wenn ich eine Mutter war. Zwar hatte ich noch keine Entscheidung getroffen, aber tief in meinem Inneren stand sie schon fest.

Pünktlich um zwei Uhr kam meine Mutter. „Hallo Diana." Sie schien überrascht zu sein, mich außerhalb meines Zimmers vorzufinden. „Wie geht es dir?"

„Ganz gut." Es fiel mir schwer, so zu tun, als wäre nichts, aber ich fand es besser, sie nicht mit den Neuigkeiten verrückt zu machen, solange ich nicht völlig sicher sein konnte. „Und dir?"

„Auch ganz gut. Danke“, erwiderte sie überrascht.

„Ich bin nachher mit Nadine und Verena verabredet.“

„Was macht ihr denn?“ Sie stellte ihre Tasche ab und zog sich die Schuhe aus.

„Wissen wir noch nicht.“ Ich folgte Mama in die Küche, wo ich bereits den Tisch gedeckt und das Essen warm gemacht hatte. Wir setzten uns und aßen.

„Ich bin froh, dass es dir besser geht“, meinte Mama.

Ich wusste zunächst nicht, was ich darauf antworten sollte. Aber nach einigen Überlegungen erwiderte ich: „Ich habe doch gesagt, ich brauche nur ein bisschen Zeit für mich allein.“

Mama nickte. „Warst du im Krankenhaus?“

„Nein, aber morgen früh fahre ich hin.“

„Das ist doch viel zu weit mit dem Fahrrad bei dieser Hitze“, widersprach meine Mutter.

Ich rollte mit den Augen. „Vielleicht tut mir Bewegung gut. Außerdem ist es gar nicht so weit.“

„Ich kann dich am Nachmittag auch fahren.“

„Nein, danke. Aber ich möchte mit dem Fahrrad fahren. Ich brauche ein bisschen frische Luft, um einen klaren Kopf zu haben“, lehnte ich ihr freundliches Angebot bestimmt ab.

„Na gut“, gab sie nach und wandte sich schulterzuckend ihrem Teller zu.

Die restliche Mahlzeit verbrachten wir schweigend. Anschließend räumten wir gemeinsam die Küche auf.

„Hast du das schon gesehen?“, fragte Mama.

„Was denn?“ Nachdem ich den letzten Teller in die Geschirrspülmaschine gestellt hatte, sah ich neugierig zu ihr.

Mama wedelte mit einem geöffneten Briefumschlag. Ich schüttelte den Kopf, nahm ihn ihr ab und holte eine edel verzierte Einladung aus dem Umschlag hervor.

Am Samstag, den 20. August 2012, möchten wir euch an der Verabschiedung unseres geliebten Vaters Alexander Hoffmann teilhaben lassen.

Wir werden ihn um 14 Uhr auf dem St. Lorenz Friedhof (Mühlenberg 8, Travemünde) zu Grabe tragen.

Danach möchten wir euch in das Restaurantcafé Kogge (Kaiserallee 2b, Travemünde) einladen, wo für alle Kaffee und Kuchen bereitstehen werden.
Wir würden uns freuen, wenn ihr kommt.
Liebe Grüße Ben und Larissa.

Mir stiegen Tränen in die Augen. Bis jetzt war mir der Tod von Johns Vater nicht real vorgekommen, doch nun würde die Beerdigung nächste Woche am Samstag, das hieß in zehn Tagen, stattfinden.

„Ich habe schon eine Trauerkarte an Ben und Larissa geschrieben und sie in den Briefkasten der Hoffmanns gesteckt, weil ich die Adresse der beiden nicht weiß. Aber sie leeren ihn ja jedes Wochenende."

Das hatte ich in meiner Sorge völlig vergessen. „Werdet ihr mitkommen?"

„Natürlich", erwiderte Mama bestimmt und wischte den Tisch ab.

Später machte ich mich auf den Weg. Ich konnte es kaum abwarten, meinen Freundinnen von der Neuigkeit zu erzählen. Nadine öffnete sofort die Tür. Hinter ihr sah ich Verena. Wir umarmten uns zur Begrüßung und sie bat mich herein.

„Sind wir allein?", fragte ich.

„Nein, nicht ganz, meine Mutter ist im Garten beschäftigt und Papa ist noch bei der Arbeit", antwortete Nadine. „Wieso?"

„Weil niemand etwas davon mitkriegen darf, was ich euch erzählen will", antwortete ich geheimnisvoll. Also verzogen wir uns in ihr Zimmer und schlossen die Tür. „Und ihr müsst mir versprechen, es für euch zu behalten", fügte ich hinzu und setzte mich.

„Wir versprechen es", gelobte Verena. „Aber nun sag es uns endlich. Was ist los?"

Ich konnte es nicht länger zurückhalten und platzte sofort heraus: „Ich glaube, ich bin schwanger." Den beiden fiel die Kinnlade herunter. „Ich habe zwei Tests gemacht, sie sind positiv. Morgen früh habe ich einen Termin beim Arzt."

„Habt ihr etwa nicht aufgepasst?", fragte Verena bestürzt.

„Doch, das haben wir. Ich kann es mir nicht erklären."

„Oh, mein Gott", murmelte Nadine. „Und was hast du jetzt vor?"

Ich zuckte die Schultern. „Ich wollte erst mal eure Meinung hören."

Sie sahen aus, als würden sie angestrengt nachdenken.

„Wenn man es aus einer vernünftigen Perspektive heraus betrachtet, solltest du die Schwangerschaft abbrechen, weil du zu jung bist und keine Zeit hättest, ein Kind zu versorgen“, antwortete Verena.

„Aber auf der anderen Seite hätte ich immer einen Teil von John bei mir, selbst wenn er es nicht schaffen sollte. Es würde mich davon abhalten, völlig zu verzweifeln. Und wenn er es schafft, würde das Baby John sicher helfen, wieder einen Sinn im Leben zu sehen, den er aus den Augen verlieren könnte nach allem, was passiert ist. Außerdem ist es womöglich das einzige Kind, das wir jemals haben werden“, erklärte ich.

„Da ist was dran“, stimmte Nadine zu.

„Ich glaube, letzten Endes musst du das mit dir selbst ausmachen, denn niemand kann dich zu einer Entscheidung zwingen, die du nicht aus vollem Herzen getroffen hast“, meinte Verena. „In diesem Fall gibt es kein Richtig oder Falsch.“

„Hast du es deinen Eltern schon gesagt?“, wollte Nadine wissen.

„Nein. Ich will erst den Termin abwarten, damit ich mir hundertprozentig sicher bin. Ich weiß nicht, wie ich es ihnen beibringen soll. Sie werden ausrasten.“ Bekümmert legte ich meine Stirn in Falten bei diesem Gedanken.

„Das kannst du nicht wissen. Vielleicht gehen sie besser damit um, als du es ihnen zutraust, und sprechen ruhig mit dir darüber“, versuchte Nadine mir die Angst zu nehmen.

„Sollen wir dir dabei helfen?“, bot Verena an.

„Nein, danke. Ich glaube, es ist besser, wenn ich das alleine mache. Ich rufe euch sofort an, wenn ich beim Arzt war.“

„Wie wär's, wenn wir morgen Nachmittag alle zusammen zum Strand fahren?“, schlug Verena vor.

„Klar“, stimmte ich zu. Vielleicht würde mir ein bisschen Ablenkung ganz guttun. „Du meinst mit Florian und Tobias?“

„Ja. Aber natürlich nur, wenn es dir nichts ausmacht“, sagte sie rücksichtsvoll.

„Nein, ich würde die beiden gerne sehen. Aber sagt ihnen bitte nichts von meiner eventuellen Schwangerschaft, das will ich selbst machen, falls es überhaupt so ist.“

„Na gut. Wollen wir uns ein Eis holen?“, schlug Nadine vor.

Verena und ich fanden den Vorschlag gut und wir machten uns gemeinsam auf in die Küche.

„Hast du denn schon mehr Appetit als sonst oder woran hast du es gemerkt?“, fragte Nadine mich grinsend.

„Es war sehr seltsam.“ Ich beobachte, wie meine Freundin den Kühlschrank öffnete und eine Packung Eis auf den Tisch stellte. „Ich habe auf einmal eine merkwürdige Wärme in meinem Bauch gespürt.“ Bei der Erinnerung daran musste ich lächeln.

Verena musterte mich. „Du siehst glücklich aus“, stellte sie fest. „Trotz allem wirst du es behalten, oder?“

Um nicht direkt auf ihre Frage antworten zu müssen, meinte ich: „Ich werde zuerst mit meinen Eltern reden. Und ich wünschte, ich könnte John fragen. Außerdem weiß ich noch nicht mal, ob ich wirklich schwanger bin.“

„Ich glaube daran.“ Verena nickte, um ihre Worte zu bekräftigen.

„Ich auch“, stimmte Nadine ein.

Ich lächelte meine Freundinnen etwas unsicher an und legte eine Hand auf meinen Bauch.

Tatsachen

Nachdem ich an diesem Morgen die Augen aufgeschlagen hatte, rannte ich sofort ins Badezimmer, um mich hustend und würgend über die Toilette zu beugen. Mehr geschah jedoch nicht. Mir war immer noch übel, als ich mir das Gesicht mit kaltem Wasser bespritzte und tief durchatmete. War das ein Anzeichen für die Schwangerschaft? In diesem Augenblick wurde mir klar, dass es sich nicht allzu lange hinauszögern ließ, es meinen Eltern zu sagen. Denn spätestens wenn ich mich zum ersten Mal wirklich übergeben musste, konnte ich wahrscheinlich nicht vortäuschen, krank zu sein. Meine Periode hatte ich immer noch nicht. Ich konnte es nicht abwarten, zum Frauenarzt zu fahren und endlich eine Bestätigung zu bekommen.

Seufzend fasste ich mir an den Bauch und lauschte. Meine Eltern mussten schon bei der Arbeit sein. Ich war eine halbe Stunde vor meinem Wecker aufgewacht und nun putzmunter. Trotz der Übelkeit aß ich eine Kleinigkeit. Vielleicht hatte ich einfach Hunger. Dann machte ich mich langsam auf den Weg zum Arzt. Die Sonne lächelte mir entgegen und ich atmete die frische Meeresbrise ein.

Als ich bei der Praxis ankam, schwang ich mich vom Fahrrad und meldete mich aufgeregt am Empfang. Hoffentlich kannte mich niemand, der ebenfalls hier im Wartezimmer saß und Mama von meinem Besuch berichten konnte. Aber vermutlich machte ich mir zu viele Sorgen.

Unruhig zappelte ich auf dem Stuhl herum und spürte zu meiner Erleichterung, dass die Übelkeit langsam verschwand. Ich wollte keine Zeitschriften lesen, denn darauf hätte ich mich ohnehin nicht konzentrieren können. Also schloss ich die Augen und ließ meinen Gedanken freien Lauf. Ich dachte daran, was meine Freundinnen gestern gesagt hatten, und fragte mich, wie meine Eltern reagieren würden.

Ich war nie gut darin gewesen, etwas alleine zu entscheiden, egal, wie unbedeutend es gewesen war.

Aber dann kamen mir Verenas Worte wieder in den Kopf: „In diesem Fall gibt es kein Richtig oder Falsch." Vielleicht hatte sie recht damit.

„Diana Schmidt." Ich zuckte zusammen, als ich aufgerufen wurde, und folgte der Sprechstundenhilfe mit weichen Knien. „Zimmer zwei", sagte sie.

Ich atmete noch einmal tief durch, bevor ich den Behandlungsraum betrat.

„Guten Morgen", empfing mich Dr. Jessen. „Setz dich doch", forderte sie mich mit ihrer hellen Stimme auf. Gehorsam nahm ich Platz. „Was gibt es denn?", fragte sie unverfänglich.

Sofort platzte ich mit meinen Neuigkeiten heraus: „Ich denke, ich bin schwanger. Gestern habe ich zwei Tests gemacht, die beide positiv waren, nachdem ich festgestellt habe, dass meine Periode ausgeblieben war. Und heute Morgen war mir übel."

Sie nickte und schaute auf ihren Computerbildschirm. „Du nimmst die Antibabypille seit knapp einem Jahr, richtig?"

„Ja, und ich bin mir sicher, sie regelmäßig eingenommen zu haben."

„Kein Durchfall oder Erbrechen?", erkundigte sich die Ärztin.

„Nein, ich habe auch keinerlei Medikamente genommen, die die Wirkung beeinflussen könnten", nahm ich die nächste Frage vorweg.

„Dann schauen wir mal nach, ob du tatsächlich schwanger bist", schloss sie das Gespräch und führte mich in einen kleineren Raum, in dem sie eine Ultraschalluntersuchung durchführen wollte. Ich legte mich auf die Liege und machte meinen Bauch frei.

„So können wir es am schnellsten und sichersten herausfinden", meinte sie und verteilte eine kalte Flüssigkeit auf der freigelegten Stelle.

Mein Herz raste, als die Ärztin das kleine Gerät an meinen Bauch hielt und ein Bild auf dem Monitor erschien. Ich erkannte einen kleinen weißen Fleck in dem schwarzen Kreis, der meine Gebärmutter darstellte.

Nach einem Blick auf den Bildschirm nickte Dr. Jessen und bestätigte: „Ja, du bist schwanger. Da ist der Embryo, siehst du? Die Übelkeit ist eines der ersten Anzeichen dafür."

Ich nickte und lächelte. Tränen traten in meine Augen und ich spürte, wie eine Wunde in meinem Herzen verheilte. Die Ärztin schaute mich verwirrt an, weil sie natürlich dachte, dass ich das Baby nicht wollte.

Schnell wischte ich mir die Tränen weg und schaute weiter auf das Ultraschallbild. „Es war ungewollt", erklärte ich. „Aber ich glaube, ich will es behalten."

Dr. Jessen sah überrascht aus. „Was sagt denn dein Freund dazu? Weiß er es?"

Ich schüttelte den Kopf. „Er hatte einen schweren Autounfall." Die Ärztin legte eine Hand aufs Herz, als hätte man sie erschreckt. Ich redete weiter, ohne ihre Reaktion zu beachten: „Er liegt im Koma. Ich kann ihn nicht fragen und die Ärzte wissen nicht, ob er es überhaupt schafft. Seine Wirbelsäule wurde verletzt und niemand weiß, ob er wieder laufen kann, sollte er aufwachen."

„Wurde er bei dem Unfall verletzt, von dem sie so viel im Fernsehen bringen? War das am Samstag?", wollte sie wissen.

„Ja."

„Das tut mir sehr leid. Doch ich verstehe, was du meinst." Sie nickte mir zu.

„Wäre ich in der Lage, das Kind zur Welt zu bringen?", erkundigte ich mich.

„Ja, auf jeden Fall. Deine Geschlechtsorgane sind vollständig entwickelt. Aber du musst dich fragen, ob du in der Lage wärst, dich um das Kind zu kümmern."

Ich ging nicht darauf ein, stattdessen bat ich sie: „Könnte ich das Bild haben?"

„Wenn du möchtest." Dr. Jessen wischte das Gel von meinem Bauch und schaltete den Monitor aus, nachdem sie die Aufnahme ausgedruckt hatte.

Ich zog mein T-Shirt zurecht. „Ab welcher Woche beginnt das Herz zu schlagen?"

„Etwa in der fünften. Du bist jetzt in der vierten."

„Also würde man mit der Abtreibung einen Menschen töten?", fragte ich erschrocken.

Sie holte tief Luft. „Ab dem Zeitpunkt der Befruchtung ist jedes Ungeborene ein Mensch. Seine Lebensgeschichte beginnt mit der Verschmelzung von Ei und Samenzelle, denn dann werden Geschlecht, Aussehen, Begabungen, Charakter und die mögliche Lebensdauer festlegt. Diesen Menschen hat es also in der Form noch nie gegeben und wird es auch nie mehr geben. Er ist einmalig und einzigartig wie du und ich." Bewegt von ihren eindrucksvollen Worten, nickte ich. Die Ärztin sprach weiter: „Der Embryo ist jetzt ungefähr zwei Millimeter groß, vergleichbar mit einem Mohnsamen. Nun beginnen sich die inneren Organe wie Leber, Lunge, Magen, Darm und Nieren zu bilden." Dr. Jessen stockte. „Die Antibabypille gilt als eines der sichersten Verhütungsmittel, kann aber unwirksam werden, wenn bestimmte Medikamente eingenommen werden oder man sie nicht verträgt. Dies trifft bei dir alles nicht zu. Trotz richtiger Einnahme werden laut Statistik in einem Jahr bis zu neun von tausend Frauen schwanger. Es ist also äußerst selten, aber nicht unmöglich."

Ich nickte überrascht. Dass es kein Verhütungsmittel gab, dass hundertprozentige Sicherheit garantierte, wusste ich natürlich, aber dass die Zahlen so aussahen, hätte ich nicht gedacht.

„Hast du schon mit deinen Eltern gesprochen?", wechselte Dr. Jessen das Thema.

„Nein. Aber ich werde es ihnen sagen, wenn der geeignete Zeitpunkt da ist."

„Natürlich. Wenn du die Schwangerschaft abbrechen wolltest, müsstest du eine fachkundige Beratung bei mir vorweisen. Zwischen dieser Beratung und dem Abbruch müssten mindestens drei Tage liegen und zwischen der Empfängnis und dem Schwangerschaftsabbruch dürften nicht mehr als zwölf Wochen verstrichen sein. Aber das Wichtigste ist, dass du den Abbruch selbst verlangst, denn niemand kann dich dazu zwingen. Ich gebe dir die Adresse einer Beratungsstelle mit, die nicht weit weg ist. Wenn du die Schwangerschaft doch abbrechen möchtest, könnte man das mit einer Abtreibungspille durchführen, ist die Schwangerschaft etwas weiter fortgeschritten, müsste ein kleiner Eingriff im Krankenhaus vorgenommen werden. Unabhängig davon, wie du dich entscheidest, kommst du am Montag noch einmal zu mir. Dann informiere ich dich noch einmal genau über die Abtreibungsmethoden oder wir klären alles Notwendige, wenn du das Baby behalten möchtest."

„In Ordnung. Vielen Dank." Ich gab der Ärztin die Hand und verließ das Zimmer. Dann ließ ich mir einen Termin für Montag geben und rief Verena an, sobald die Tür der Praxis hinter mir zugefallen war.

„Hallo, Diana, wie war's?", meldete sie sich aufgeregt.

„Ja!", rief ich glücklich und gleichzeitig immer noch etwas geschockt.

Die Umstehenden schauten empört zu mir her. Ich hatte wohl zu laut geschrien.

„Du bist wirklich schwanger?“, vergewisserte sich meine Freundin.

„Ja.“ Ich lachte, weil sie geschockter klang als ich.

„Hast du schon eine Entscheidung getroffen?“

„Nein. Ich muss am Montag noch mal zur Frauenärztin. Wenn ich die Schwangerschaft abbrechen will, muss ich vorher ein Beratungsgespräch führen. Ich werde es meinen Eltern heute Abend gestehen.“ Ich pausierte. „Ist Nadine bei dir?“

„Nein. Du musst sie wohl selbst anrufen.“

„Gut. Dann sehen wir uns heute Nachmittag?“

„Ja. Um drei Uhr am Strand, selber Treffpunkt wie immer“, antwortete sie.

„Okay, bis später.“ Nachdem ich aufgelegt hatte, rief ich Nadine an. Mit ihr verlief das Gespräch ähnlich.

Danach lehnte ich mich kurz an die Wand des Gebäudes und streichelte meinen Bauch. „Ich habe dich so lieb“, flüsterte ich. „Und ich bin froh, dass du da bist.“

Ich hatte noch eine Menge Zeit, bis Mama nach Hause kommen würde, also machte ich einen Umweg. Als ich das große weiße Gebäude betrat, sank meine Stimmung umgehend. Ich schwitzte wegen des warmen Wetters und der Bewegung. Vor der Tür musste ich mich zunächst sammeln. Nachdem meine Atmung wieder einigermaßen gleichmäßig war, klopfte ich an.

„Herein“, ertönte es von drin.

Entschlossen trat ich ein. „Guten Morgen, Dr. Böhmer.“

„Diana, hallo“, begrüßte mich der Arzt. „Setz dich doch.“

„Danke.“ Als ich Platz nahm, kamen die Erinnerungen an das Gespräch in mir hoch, in dem ich von dem Unfall erfahren hatte.

„Wie geht es dir?“ Der Arzt musterte mich prüfend.

„Ganz gut“, erwiderte ich ausweichend. „Ich wollte mich nach dem Befinden von John und Monika erkundigen.“

„Natürlich.“ Dr. Böhmer nickte eifrig, als hätte er das vorausahnen müssen, und wühlte in einem Fach seines Schreibtisches. Nachdem er fündig geworden war, legte er eine Akte auf den Tisch und begann zu sprechen. „Der Zustand der beiden hat sich kaum verändert. Er wird zwar nicht schlechter, aber auch nur minimal besser. Ich kann dir leider immer noch nicht sagen, ob sie es schaffen werden aufzuwachen. Aber dafür lief die Operation an Johns Wirbelsäule ohne Komplikationen ab. Sein Puls kam gestern für ein paar Sekunden zum Stillstand, aber wir haben sofort reagiert und konnten den Herzschlag wiederherstellen und normalisieren. Der Grund dafür ist möglicherweise, dass er sich in der Akutphase der Lähmung befindet, während der die Vitalfunktionen aussetzen können, weil das Blut nicht mehr ungehemmt zirkuliert. Aber vielleicht ist auch einfach sein schlechter Zustand dafür verantwortlich."

Ich war geschockt, als ich das hörte. John wäre gestorben, wenn die Ärzte nicht schnell genug gehandelt hätten. Ich glaube, diese Tatsache bestärkte mich in meiner Entscheidung. Ich wollte einen Teil von John bei mir haben, falls sein Herz für immer aufhören würde zu schlagen ...

Schnell verdrängte ich diesen schrecklichen Gedanken, als der Arzt hinzufügte: „Bei seiner Mutter traten keine größeren Probleme auf."

Ich nickte und traute mich zunächst nicht, diese Frage zu stellen, aber ich musste es wissen. „Wie lange dauert ein Koma im Durchschnitt?"

„Kein Arzt der Welt kann das beantworten. Manchmal liegen Patienten nur ein paar Tage im Koma, es kann aber auch Jahre dauern, bis sie wieder erwachen. Bei jedem Menschen verläuft das unterschiedlich."

Ich nickte bedrückt. „Dürfte ich Ihnen noch eine Frage stellen?"

„Natürlich."

Angestrengt überlegte ich, wie ich es formulieren sollte. „John wäre durch eine Lähmung nicht fähig, Kinder zu zeugen, oder?"

„Das ist bei jedem unterschiedlich. Manche Männer sind problemlos dazu in der Lage, andere nie mehr oder sehr selten. Die Chance, auf natürlichem Wege Kinder zu zeugen, ist gering, weil die Frau natürlich auch den richtigen Zeitpunkt erwischen muss. Es gibt heutzutage Möglichkeiten, gelähmten Männern ihren Kinderwunsch mit ärztlicher Hilfe zu erfüllen, aber ob diese Eingriffe wirklich funktionieren, kann niemand garantieren." Er stockte und runzelte die Stirn. „Wieso willst du das wissen?"

Da mir der Arzt sehr sympathisch vorkam und ich ihm vertraute, erzählte ich ihm von meiner Schwangerschaft und sagte schließlich: „Ich würde gerne Ihre Meinung hören."

Dr. Böhmer nickte. „Darf ich fragen, wie alt du bist?"

„Ich werde in drei Monaten sechzehn."

„In deinem Alter ist eine Schwangerschaft eher ungewöhnlich. Aber gerade in dieser Zeit, in der du emotional und psychisch gestresst bist, ist es wichtig, dass du etwas hast, das dich tröstet. Wenn du dein Baby liebst und schon eine starke Bindung zu ihm aufgebaut hast, kann man von dir nicht verlangen, dass du es abtreiben lässt. Das würde dich nur noch mehr verletzen und schwächen. Aber wenn du dich damit überfordert fühlst und das Kind nicht willst, kann dich gleichfalls niemand dazu zwingen, es zu behalten. Außerdem wissen wir nicht, ob John es schafft, aus dem Koma aufzuwachen, und du dich vielleicht allein um das Kind kümmern müsstest."

Erleichtert lächelte ich ihn an. „In Ordnung, danke für ihre Ratschläge."

„Ich werde dich sofort informieren, wenn sich am Zustand von Monika oder John etwas ändert. Du kannst jederzeit zu mir kommen, wenn du Fragen hast. Sollte ich nicht in meinem Büro sein, melde dich an der Rezeption und ich werde zu dir kommen."

„Vielen Dank. Das ist wirklich sehr nett von Ihnen."

Anschließend verließ ich das Büro und strebte auf Johns Zimmer zu. Leise drückte ich die Klinke herunter und schloss die Tür hinter mir. Eigentlich völlig unnötig, denn im Moment konnte ihn ohnehin niemand wecken, er musste von alleine aufwachen, also war es sinnlos, sich leise zu verhalten. Eigentlich sollte ich schreien und versuchen, ihn auf diese Weise zu wecken.

Ich zog einen Stuhl an sein Bett, der an einem kleinen Tisch in der Ecke stand, und setzte mich. Ausgiebig betrachtete ich sein Gesicht und legte meine Hand auf seine. Sofort traten mir Tränen in die Augen. Ich musste den Blick zunächst abwenden, starrte zu Boden. Verzweifelt stützte ich meinen Kopf auf die Hände, schloss die Augen und weinte leise. „Warum? Warum? Warum?" Das war das einzige Wort, das in meinem Kopf Platz fand. Ich schluchzte immer heftiger. Niemals hätte ich gedacht, dass es so schwer werden würde. Dass ich schon weinen müsste, wenn ich John nur ansah.

Nun stieg Wut in mir auf, weil dies alles so ungerecht war. Als ich die Augen öffnete, sah ich einzelne Tropfen auf dem Boden. Es waren meine Tränen. Meine Hände ballten sich zu Fäusten und begannen zu zittern. Ich biss mir auf die Unterlippe, um einen Schrei zu unterdrücken. Dann atmete ich tief durch. „Reiß dich jetzt zusammen!" Langsam kam ich zur Ruhe. Ich wollte mit ihm reden, ja, vielleicht half mir das.

„Tut mir leid, dass ich so lange nicht da war", entschuldigte ich mich als Erstes. Selbstverständlich wusste ich, dass er mich nicht hören, geschweige denn antworten konnte, dennoch sprach ich weiter. „Ich hatte ein Tief. Aber jetzt geht es mir besser, weil ich herausgefunden habe, dass ein Teil von dir stets bei mir ist. Ich meine, du warst ohnehin immer bei mir, auch wenn ich dich nicht sehen konnte. Hier drin." Ich legte eine Hand auf meinen Brustkorb. „Genauso wie du einen Teil von mir in deinem Herzen trägst. Aber nun befindet sich ein Stück von dir in meinem Bauch. Du wirst es nicht glauben, aber ich bin schwanger. Ich wünschte, du könntest mir helfen zu entscheiden, ob ich das Kind behalten soll oder nicht. So gerne würde ich deine Meinung hören. Ich liebe unser Baby, deswegen möchte ich, dass es gut betreut und versorgt wird, wenn es auf der Welt ist. Das ist vielleicht unsere einzige Chance auf ein Kind. Wenn ich doch nur wüsste, ob du wieder laufen kannst. Das wünsche ich mir so sehr. Es ist schrecklich, dass das alles passiert ist. Am Wochenende muss ich eine Entscheidung treffen. Ich würde mich schlecht fühlen, wenn ich es nicht behalte, aber du es wolltest. Heute Abend werde ich es meinen Eltern sagen. Schade, dass du mich dabei nicht unterstützen kannst, aber ich werde das schon hinbekommen. Ich hoffe, du wachst bald auf. Bitte, tu das für mich, für Ben und für deine Mutter. Für dich ist es noch nicht an der Zeit zu gehen. Bitte, komm zu uns zurück! Lass dein Herz weiterschlagen. Du musst kämpfen. Gib nicht auf, ich weiß, du schaffst das!", schluchzte ich. „Ich liebe dich." Sanft drückte ich seine Hand, bevor ich meine Tränen trocknete. Vorsichtig gab ich ihm einen Kuss auf die Stirn.

Dann verließ ich das Gebäude und machte mich auf den Heimweg. Dabei kam ich an Johns Zuhause vorbei, den Ersatzschlüssel der Hoffmanns hatte ich mitgenommen. Langsam ging ich zur Tür und schloss auf. Als sie hinter mir zufiel, blieb ich wie angewurzelt stehen und schloss die Augen. Ich atmete ein paarmal tief durch und nahm dabei Johns Geruch wahr. Diesen Duft hatte ich so sehr vermisst. In seinem Krankenzimmer wurde er von Desinfektionsmitteln übertüncht und ausgelöscht. Da ich mehr davon wollte, ging ich in Johns Zimmer und legte mich auf sein Bett. Unglaublich, welche Ruhe ich hier fand. Für ein paar Minuten schloss ich die Augen, um zu entspannen. Endlich konnte ich einen kurzen Moment abschalten und den Unfall vergessen.

Bevor ich wieder ging, nahm ich mir ein T-Shirt aus Johns Kleiderschrank. Ich brauchte seinen Duft um mich. Vielleicht konnte ich besser schlafen, wenn ich nachts dieses T-Shirt umklammerte. So fühlte ich mich John näher.

Als ich zu Hause ankam, war es schon Mittag. Nachdem Mama ebenfalls eingetroffen war, schoben wir uns eine Pizza in den Ofen.

„Wie war's auf der Arbeit?", wollte ich wissen.

„Ganz okay." Meine Mutter hatte eine Stelle in der Sparkasse. „Und was hast du heute Vormittag gemacht?"

„Ich war im Krankenhaus. Der Arzt hat mir erzählt, dass Johns Herz kurzzeitig stillstand, aber jetzt ist alles wieder in Ordnung. Er weiß nicht mehr als am Samstag."

„Oh, Schatz." Mama kam zu mir und umarmte mich. „Es tut mir so leid, dass du das alles durchmachen musst."

Sie hatte in diesem Moment keine Ahnung, was sie heute Abend erfahren würde. Sie wusste nicht, was auf sie zukam. Ich konnte mir nämlich schon denken, wie das alles ablaufen würde. Meine Eltern würden sich streiten, mich anschreien und schließlich vollends den Verstand verlieren. Aber ich wollte und konnte es ihnen nicht länger verschweigen.

Plötzlich schoss mir die Frage durch den Kopf, ob jemals wieder etwas normal sein würde. Doch ich versuchte, nicht weiter darüber nachzudenken.

Nach dem Essen packte ich meine Badetasche und fuhr mit dem Fahrrad in Richtung Strand. Es gab dort eine gewisse Stelle, wo wir uns immer trafen. Sie lag am Anfang des Strandabschnittes, gleich hinter dem Fahrradständer und der Imbissbude. Von da aus suchten wir uns immer einen Platz. Wir hatten großes Glück, so nah an der Küste zu wohnen. Es würde mir guttun, mich abzukühlen und einen Nachmittag unter Freunden zu verbringen.

Schnaufend kam ich an und stellte mein Fahrrad ab. Dann zog ich meine drückenden Schuhe aus, um barfuß durch den warmen Sand zu unserem Treffpunkt zu waten. Von Weitem sah ich schon die anderen und beobachtete, wie sie ihre Decke ausbreiteten. Sie mussten auch gerade erst angekommen sein. Verenas Freund Florian winkte mir zu.

Ich lächelte und winkte mit der freien Hand zurück, mit der anderen schleppte ich meine schwere Tasche.

Wir begrüßten uns wie immer mit einer Umarmung, aber Florian hielt mich diesmal einen kleinen Moment länger fest. „Es tut mir so leid, was passiert ist“, flüsterte er. Ich nickte nur.

Und Nadines Freund Tobias warf ein: „Das muss echt schlimm für dich sein.“

„Ja, aber für euch doch auch“, erwiderte ich. Die anderen nickten. „Aber ich habe eine Neuigkeit, die mich ein wenig aufgebaut hat“, fuhr ich fort, setzte mich auf die Decke und kramte in meiner Tasche.

„Ihr wisst es schon, oder?“, fragte Florian meine Freundinnen.

Ich sah die beiden vorwurfsvoll an.

„Wir haben ihnen nichts gesagt, wirklich“, versicherte mir Nadine hastig.

„Ehrlich“, bekräftigte Verena.

„Sie haben uns wirklich nichts gesagt, keine Sorge.“ Florian grinste. „Aber es ist doch klar, dass die beiden immer alles vor uns erfahren.“

Tobias lachte. „Stimmt, das ist immer so.“

Nadine und Verena warfen sich einen wissenden Blick zu. Seufzend strich ich mir die Haare aus dem Gesicht, die der heftige Wind immer wieder in die falsche Position brachte.

„Was gibt es denn nun für Neuigkeiten?“, wollte Tobias wissen.

Als Antwort holte ich das Ultraschallbild aus meiner Tasche und überreichte es ihm. Er runzelte schweigend die Stirn und betrachtete es eingehend.

„Was ist das? Ein Bild von der Untersuchung?“ Verena war ganz aufgeregt.

Ich schaute sie an und hielt den Zeigefinger an die Lippen, um zu sagen: „Sei still, verrate nichts!“

Tobias sagte noch immer kein Wort, nun grapschte sich Florian das Ultraschallbild und betrachtete es.

Ich lachte. „Wisst ihr nicht, was das ist?“

„Doch“, behauptete Tobias. „Ein Ultraschallbild.“

Ich fasste mir grinsend an den Kopf. „Und was siehst du darauf?“

„Du willst uns nicht ehrlich sagen, dass du schwanger bist, oder?“, fragte er ungläubig.

Ich schob mein T-Shirt ein Stück nach oben und fragte: „Ich weiß nicht. Sieht man schon was?" Spielerisch drehte ich mich nach allen Seiten. Verwirrt schauten die Jungen sich an. „Na klar bin ich schwanger", löste ich das Ganze auf und ließ den Stoff wieder über meinen Bauch gleiten.

Die Jungen waren sich nicht ganz sicher, ob sie sich freuen sollten, und gaben das Bild an die Mädchen weiter, die sich interessiert darüberbeugten und es betrachteten.

„Aber das war nicht geplant, oder?" Florian war geschockt.

„Nein, natürlich nicht. Aber ich glaube, ich behalte es. Ich muss heute Abend mit meinen Eltern reden, sie wissen es noch nicht."

„Weiß es sonst jemand?", fragte Tobias.

„Bis jetzt nur ihr."

„Das ist unglaublich", meinte Florian. „Als du gesagt hast, du hättest Neuigkeiten, hätte ich niemals daran gedacht."

„Was dann?"

„Ich weiß nicht. Vielleicht, dass der Arzt etwas gesagt hätte."

„Ich habe heute Morgen mit ihm gesprochen. Johns Herz ist gestern stehen geblieben, aber jetzt ist es wieder okay."

Alle machten erschrockene Gesichter und für einen Moment sagte niemand etwas.

Bis Nadine mir das Bild wiedergab und fragte: „Möchte jemand etwas essen?" Sie deutete auf ihre Kühltasche.

„Ich glaube, für Diana musst du demnächst die doppelte Menge einpacken", scherzte Tobias.

„Das kann gut sein", bestätigte ich.

„Wie wär's denn, wenn wir nächste Woche zelten?", schlug Verena vor. „Dann hättest du nach dem Gespräch mit deinen Eltern etwas Abstand von ihnen. Wir würden einen Mädelsabend machen, nur wir drei."

Dankbar schaute ich sie an. „Das klingt super." Auch Nadine nickte begeistert.

„Immer schließt ihr uns aus", jammerte Florian theatralisch.

„Willst du eine Runde Mitleid haben, oder was?" Nach dieser frechen Bemerkung küsste Verena ihren Freund auf die Wange, um ihm zu zeigen, dass sie das nicht ernst gemeint hatte.

„Aber wir könnten doch danach etwas zusammen machen", schlug ich vor.

„Vielleicht ins Kino?“, meinte Tobias aufgeregt. „Da läuft doch jetzt dieser coole neue Actionfilm.“

„Aber wir machen es nicht wie letztes Mal“, warf Nadine ein. „Diesmal einigen wir uns vorher auf den Film und gehen nicht getrennt in die Kinosäle.“

Bei dieser Erinnerung mussten wir alle lachen. An jenem Tag waren wir zu sechst spontan ins Kino gefahren. Deshalb hatten wir uns keine Gedanken über den Film gemacht und schließlich guckten wir Mädchen einen anderen Film als die Jungen.

„Ja“, pflichtete ich meiner Freundin immer noch kichernd bei. „Es wäre schön, sich diesmal zusammen einen Film anzusehen.“

„Aber ihr wollt sowieso nur kitschige Schnulzen gucken“, machte sich Florian über uns lustig.

„Das stimmt nicht“, entgegnete ich vehement. „Liebesfilme habe ich langsam satt.“

„Vielleicht suchen erst wir Mädchen uns einen Film aus und nächste Woche gucken wir den Streifen, den ihr Jungs sehen wollt“, schlug Verena vor.

„Keine schlechte Idee, aber dann hätten wir immer noch das Problem, dass eine Seite null Interesse an dem Film hat“, warf Tobias ein.

Ich stöhnte auf. „Am einfachsten ist es, wir suchen etwas aus, mit dem wir alle leben können.“

Tobias lachte auf. „Wir werden sehen, ob uns das gelingt.“

„Wetteinsatz, bitte“, verlangte Florian. Tobias rammte ihm seinen Ellenbogen in die Seite.

„Fünf Euro?“, fragte ich.

„Höher!“, rief Verena. „Wir werden uns sicher einigen.“

„Werden wir nicht!“, widersprach Florian entschieden.

„Nein“, stimmte ich zu und auch Tobias schüttelte den Kopf. „Abgemacht.“ Ich ergriff Florians Hand. „Fünf Euro für den, der recht hat.“

„Und jetzt?“, wollte Verenas Freund wissen. „Lust auf eine Runde Babyschwimmen?“

Ich schubste ihn zum Spaß von der Decke in den Sand. Dann stand ich auf und verkündete: „Wer zuerst im Wasser ist!“

Schnell begannen sich alle auszuziehen, denn wir hatten unsere Badesachen schon an. Schreiend rannten wir fast zur selben Zeit in das kalte, salzige Wasser. Das Wasser spritzte und wir wurden sofort nass.

Ich beobachtete, wie Verena und Florian versuchten, sich gegenseitig unterzutauchen, und wie Nadine und Tobias sich küssten. Ich wurde traurig, als ich daran dachte, dass John das vielleicht nie wieder tun könnte. Und ich fühlte mich allein, weil mir mein Partner fehlte. Nun waren wir vorerst – oder vielleicht für immer – nur noch zu fünft. Doch eigentlich waren wir nach wie vor zu sechst. Es war ein schönes Gefühl, immer jemanden bei mir zu haben, auch wenn ich ihn nicht sehen konnte. Aber spüren konnte ich mein Baby jeden Augenblick.

Entscheidung

„Viel Glück“, wünschten mir alle, als wir uns nach diesem schönen sonnigen, lustigen Nachmittag voneinander verabschiedeten.

„Danke“, sagte ich ehrlich und machte mich auf den Weg nach Hause.

Als ich dort ankam, begrüßte ich Papa und setzte mich an den gedeckten Tisch. „Wie war dein Tag?“, fragte er.

„Gut.“ Ich schmierte mir ein Brot. „Es war schön am Strand. Und deiner?“

Mein Vater seufzte. „Wir haben viel Stress bei der Arbeit. Auf unserer Baustelle geht alles drunter und drüber.“

„Oh.“ Ich begann zu essen. Während ich überlegte, wie ich ihnen die Neuigkeit beibringen sollte, unterhielten sich meine Eltern. Ich beschloss, ihnen meine Schwangerschaft erst nach dem Abendbrot zu offenbaren, denn ich glaubte, sonst würde niemand mehr etwas essen. Zunächst wären sie sicher geschockt, weil sie damit nicht gerechnet hatten. Ich musste mich Stück für Stück vorantasten und nicht gleich damit herausplatzen. Und vor allem würde ich nicht lügen, ich würde nicht sagen, ich hätte es erst seit heute Morgen vermutet oder Ähnliches. Das brachte nichts und am Ende würde ich mich doch verplappern.

Also aßen wir in Ruhe zu Ende und führten währenddessen die üblichen Tischgespräche. Als wir fertig waren, räumten wir zusammen den Tisch ab. Dann ging ich kurz in mein Zimmer, um das Ultraschallbild an mich zu nehmen und noch einmal tief durchzuatmen.

Meine Eltern saßen im Wohnzimmer und sahen fern. Ich setzte mich zu ihnen und verkündete: „Ich muss euch etwas sagen.“ Sofort wandten sie mir ihre besorgten Blicke zu. Schnell sprach ich weiter: „Ich bitte euch, mich ausreden zu lassen und mir in Ruhe zuzuhören.“

„Was ist passiert, Diana?“ Mama wurde ganz unruhig. Auch Papa machte ein sorgenvolles Gesicht.

„Ich weiß nicht, wie ich es euch sagen soll, also beginne ich einfach am Anfang."

Papa stellte den Fernseher leiser und die beiden blickten mich gespannt an, was mich noch unsicherer machte.

„Am Mittwoch habe ich festgestellt, dass ich meine Periode nicht bekommen habe."

Mama machte ein erschrockenes Gesicht, während Papa nicht zu verstehen schien, warum ich ihnen das erzählte.

„Ich bin sofort in die Stadt gefahren und habe mir zwei Schwangerschaftstests besorgt. Sie waren beide positiv, aber ich konnte nicht sicher sein, dass sie wirklich stimmten, denn ich habe die Antibabypille regelmäßig genommen. Heute Morgen war ich beim Frauenarzt und bekam die Bestätigung. Dr. Jessen hat mir erklärt, dass kein Verhütungsmittel zu hundert Prozent sicher ist. Man kann sogar bei richtiger Einnahme der Pille schwanger werden." Ich holte das Bild aus meiner Hosentasche und gab es Mama. Meine Hände zitterten.

Sie starrte den Ausdruck zweifelnd an, dann gab sie ihn an Papa weiter, der ihn erschrocken entgegennahm.

Meine Mutter atmete hörbar ein und aus. „Okay", sagte sie kopfschüttelnd. „Wir müssen uns etwas überlegen."

„Am Montag habe ich einen Termin. Die Frauenärztin hat gesagt, ich solle zu einer Beratung gehen. Wenn ich die Schwangerschaft abbrechen will, kann sie mir eine Abtreibungspille verschreiben." Es fiel mir schwer, dieses Wort in den Mund zu nehmen.

Papa legte das Ultraschallbild auf den Tisch. Nun waren beide sprachlos.

Also ergriff ich wieder das Wort: „Die Tatsache, dass ich schwanger bin, war das Einzige, was mich dazu gebracht hat, aus meinem Zimmer zu gehen und weiterzumachen wie vorher. Ich werde immer einen Teil von John bei mir haben, auch wenn er es nicht schaffen sollte. Und wenn er aufwacht, könnte dies unser einziges Kind bleiben. Darum möchte ich es behalten."

Beim letzten Satz sprang Papa von seinem Sessel auf und fuhr mich an: „Du bist erst fünfzehn, du bist noch ein Kind! Was geht dir eigentlich durch den Kopf?"

„Ich liebe mein Baby", schrie ich zurück und legte schützend eine Hand an meinen Bauch, als hätte ich Angst, er könnte mir mein Kind wegnehmen. „Außerdem werde ich in drei Monaten sechzehn und John ist schon achtzehn."

„Ich verstehe dich", erklärte Mama ruhig. „Aber ihr könnt auch auf andere Weise Kinder haben."

„Aber ich will ein Kind von ihm, ein leibliches Kind."

„Es wird dein eigenes sein", widersprach Mama.

„Das ist nicht dasselbe. Es wird nicht sein Kind sein und ich möchte von niemand anderem eins."

„Diana", rief Papa empört. „Du kommst in die zehnte Klasse, du wirst keine Zeit für ein Kind haben. Und John auch nicht."

„Nehmen wir an, er und seine Mutter schaffen es aufzuwachen. Vielleicht wäre das Kind ein Grund für sie, wieder einen Sinn in ihrem Leben zu sehen, wenn sie erfahren, dass sie einen geliebten Menschen verloren haben und John seine Beine womöglich nicht mehr gebrauchen kann. Meint ihr nicht, Monika wäre froh über ein Enkelkind, wenn ihr Mann nicht mehr da ist? Oder kann ich von euch keine Unterstützung erwarten?"

„Doch", erwiderte Mama. „Wir würden dir natürlich helfen. Aber du bist noch nicht bereit für ein Kind."

„Ich bin aber auch nicht bereit, es mir wegnehmen zu lassen. Denn wenn das geschähe, würde ich völlig verzweifeln. Ich kann nicht noch mehr Kummer ertragen, ich will nicht noch einen Menschen verlieren." Mir stiegen Tränen in die Augen.

„Es geht aber nicht!", schrie Papa.

Jetzt erhob ich mich ebenfalls, um nicht so klein und wehrlos zu wirken. „Außerdem könnt ihr mich zu nichts zwingen. Es war ungewollt, aber jetzt ist es gewollt. Es würde viele Menschen glücklich machen."

„Wir haben keinen Platz und keine Zeit für ein Kind", sagte Mama.

„Könntest du es?" Ich funkelte sie an. „Könntest du dir ein Baby wegnehmen lassen, nur weil du angeblich zu jung bist, einen Menschen umbringen und ihm die Chance auf ein glückliches Leben rauben?"

Sie antwortete nicht.

„Also nein", stellte ich fest. „Und ich soll es können?" Meine Wut war nicht mehr zu bändigen. „Wollt ihr mich zu einem Mörder machen?" Das war zwar übertrieben, aber im Grunde stimmte es.

Papa bat mich mit einer Handbewegung, mich wieder zu setzen.

Ich schüttelte den Kopf und blickte ihn zornig an. „Setz du dich lieber. Du bist als Erster aufgesprungen und hast die Situation ausarten lassen."

„Diana, setz dich bitte", forderte er mich auf.

Jetzt flossen die Tränen. „Ich werde nichts tun, was ich nicht will, nur weil ihr es für richtig haltet. Ich liebe das Baby und ich werde es behalten." Mit diesen Worten eilte ich in mein Zimmer und warf mich schluchzend auf mein Bett.

Am nächsten Morgen war meine Stimmung sofort im Keller, als ich mich an den vorhergehenden Abend erinnerte. Nach dem Aufstehen war mir noch übler als am Tag zuvor. Ratlos presste ich Johns T-Shirt an meine Brust. Kurz zog ich in Betracht, auf meine Eltern zu hören. Aber der Gedanke verflog im Bruchteil einer Sekunde, als ich erneut diese Wärme in meinem Bauch spürte, als wollte mein Baby mich trösten.

Ich bekam an diesem Vormittag mehrere Anrufe. Der erste war von Nadine. „Und?", fragte sie. „Wie ist es gelaufen?"

„Gar nicht gut." Mehr sagte ich zunächst nicht.

„Möchtest du darüber sprechen?", bot sie an.

„Möchtest du zuhören?", fragte ich zurück. Betroffen schwieg sie. „Im Ernst, ich will euch nicht ständig mit meinen Sorgen belasten."

Vehement widersprach sie: „Aber das tust du nicht. Dafür sind Freundinnen doch da. Außerdem beruht das auf Gegenseitigkeit, du hast auch immer ein offenes Ohr für uns, wenn wir Schwierigkeiten haben. Ich höre dir gerne zu."

„Danke." Ermutigt holte ich tief Luft und begann zu berichten: „Ich habe meinen Eltern in aller Ruhe erklärt, dass ich schwanger bin. Sie sind nicht vor Aufregung an die Decke gesprungen, so wie ich es mir vorgestellt hatte, sondern versuchten, eine Lösung zu finden. Aber als ich verkündet habe, dass ich das Baby gern behalten würde, hat Papa angefangen, mich anzuschreien, und alles ist aus den Fugen geraten. Ich hatte das letzte Wort, aber es war wirklich schrecklich. Ich weiß nicht, wie ich ihnen heute unter die Augen treten soll, was ich sagen soll ..."

„Aber, Diana, sie sind deine Eltern. Sie haben gestern mit Sicherheit nicht alles richtig gemacht, doch an einem Streit sind immer beide Parteien schuld. Sie werden dich genauso behandeln wie zuvor, du musst ihnen nur ein bisschen Zeit lassen, um deine Entscheidung zu akzeptieren. Eines Tages werden sie es verstehen und froh sein, dass du das Kind behalten hast.“

„Ja, vielleicht. Das habe ich ihnen auch schon gesagt.“

„Im Laufe des Tages werden sie sich bestimmt noch einmal Gedanken machen über das, was passiert ist, und mit dir reden.“

„Okay.“ Ich wollte sie nicht fragen, ob wir uns heute treffen würden, weil ich meine schlechte Laune nicht auf meine Freundin übertragen wollte. Außerdem wollte sie sich bestimmt mit Tobias verabreden, wenn sie das nicht schon getan hatte. Als ich an ihn dachte, erinnerte ich mich daran, dass wir ins Kino gehen wollten. „Hey, wann wollen wir eigentlich ins Kino?“

„Irgendwann nächste Woche, wir müssen die anderen fragen, wann sie Zeit haben. Doch wann wollen wir zelten?“, entgegnete Nadine.

„Ich habe nichts vor, außer am Montag, da muss ich noch mal zum Arzt.“

„Ist von Dienstag auf Mittwoch in Ordnung?“

„Klar. Das ist perfekt, wenn Verena das auch recht ist“, gab ich zu bedenken.

„Ja, ich habe sie schon gefragt“, antwortete Nadine.

„Wo wollen wir denn eigentlich zelten?“, fragte ich.

„Verena hat den Campingplatz beim Strand vorgeschlagen. Aber wir könnten auch in unserem Garten zelten. Schließlich ist der groß genug, und wenn wir ein Problem hätten, könnten wir kurz ins Haus gehen. Oder hast du eine bessere Idee?“

„Nein, eure Vorschläge sind gut. Wenn wir am Strand wären, könnten wir schwimmen gehen. Das wäre bestimmt schön. Wir haben ja die letzten Male schon in deinem Garten gezeltet.“

„Ja, das stimmt. Wir telefonieren einfach am Sonntag noch mal und besprechen, wann wir ins Kino gehen und wie unser Campingtrip genau ablaufen soll.“ Sie lachte.

„Okay, bis dann“, stimmte ich zu und legte auf. Danach ließ ich mich noch einmal für ein paar Minuten auf mein Bett plumpsen in der Hoffnung, dass die Übelkeit dadurch verschwand. Doch das passierte nicht. Vielleicht hatte ich einfach nur wieder Hunger. Also ging ich in die Küche, um zu frühstücken. Ich war gerade dabei, das Geschirr abzuwaschen, da klingelte erneut das Telefon. Eilig trocknete ich mir die Hände ab, nahm den Hörer ans Ohr und meldete mich.

„Hallo, Diana, hier ist Ben."
Ich war überrascht. „Hi."
„Ich wollte fragen, wie es dir geht", meinte er fürsorglich.
„Die ersten paar Tage waren grauenvoll. Aber ich habe mich wieder einigermaßen gefangen, und zwar aus einem ganz bestimmten Grund. Deswegen muss ich auch mal mit dir reden", erklärte ich.
„Ich komme morgen in die Stadt und kann dich besuchen."
„Nein, wir sollten alleine sein. Larissa kann es erfahren, das ist kein Problem. Soll ich einfach zum Haus deiner Eltern kommen? Ihr seid doch sowieso dort, oder?"
„Ja, genau. Dann machen wir es so. Was hältst du von vier Uhr?"
„Okay." Ich lächelte.
„Um was geht es denn?", wollte Ben wissen.
„Um etwas, das ich eigentlich dringend mit John besprechen müsste, und zwar noch dieses Wochenende. Da du sein Bruder bist, denke ich, du kannst am besten einschätzen, wie sein Rat lauten würde."
„Ich hoffe, dass ich das kann. Was ist denn los? Das klingt wirklich sehr ernst." Nun schien Ben besorgt zu sein.
„Ich glaube, es ist besser, dir das nicht am Telefon zu sagen."
„Okay ..."
Ich merkte, dass er sich damit nicht zufriedengeben wollte, also wechselte ich das Thema. „Wir haben die Einladung übrigens bekommen und werden vollzählig erscheinen."
„Das ist schön." Er stockte. „Ich habe ein schlechtes Gewissen, weil ich das einfach organisiert habe, ohne dass Mama und John dabei sein können."
„Das brauchst du nicht. Schließlich kannst du nicht warten, bis die beiden aufwachen und zur Beerdigung erscheinen können. Und selbst wenn das in den nächsten Tagen der Fall sein sollte, müssten sie bestimmt dennoch mehrere Wochen im Krankenhaus bleiben. Es ist sehr gut, wie du das geregelt hast."
„Danke", erwiderte er erleichtert.
„Aber wie geht es dir denn sonst?"
„Nicht gut. Aber wir werden es überstehen", meinte er tapfer.
„Ja", stimmte ich zu. „Das werden wir."
Der nächste Anruf kam von Verena, die sich ebenfalls erkundigen wollte, wie das Gespräch mit meinen Eltern gelaufen war.

Danach beschloss ich, ins Krankenhaus zu fahren, und schwang mich, immer noch deprimiert wegen des Streits mit meinen Eltern, auf mein Fahrrad. Ich würde ab jetzt jeden Tag herkommen, denn ich konnte nicht sicher sein, dass dies bald ein Ende hätte. Ich musste ihn wenigstens sehen und ihm erzählen, was vor sich ging, das tat mir irgendwie gut. Natürlich wusste ich, dass er mich nicht hörte und auch nicht antwortete, aber John war mit mir in einem Raum und ich konnte über meine Erlebnisse reden, die ich ihm auch erzählt hätte, wenn er bei Bewusstsein wäre.

Ich setzte mich also vor das Bett und nahm Johns Hand. Langsam streichelte ich sie mit meinen Fingern und begann zu sprechen: „Du kannst dir nicht vorstellen, wie das Gespräch mit meinen Eltern gelaufen ist. Es war wirklich schrecklich. Ich habe mein Bestes gegeben, aber Papa ist ausgeflippt. Nicht, weil ich schwanger bin, sondern weil ich unser Baby behalten möchte. So wie ich das sehe, ist das ihre größte Sorge. Ich weiß nicht, was ich tun soll. Würdest du ein Kind wollen?" Ich betrachtete sein Gesicht und machte eine Pause, als erwartete ich vergebens eine Antwort. „Würden wir das schaffen?" Ich stockte wieder. „Ich weiß, dass du Kinder mit mir haben möchtest, aber ich weiß nicht, ob du es jetzt schon willst. Ich würde es bereuen, diese Chance nicht wahrgenommen zu haben. Es muss doch einen Sinn haben. Ich glaube, es stand schon lange fest, dass ich schwanger werden würde, weil ihr einen Autounfall hattet. Das ist unser Schicksal. Ich meine, ich wüsste nicht, was passiert wäre, wenn es anders gekommen wäre. Das Baby hat mir meine Angst und meine Trauer zum Teil genommen und ich glaube, das wäre bei dir und bei deiner Mutter ähnlich. Das Kind würde uns glücklich machen. Morgen werde ich mit Ben darüber reden und heute Nachmittag zu der Beratung gehen." Ich versuchte, den Kloß in meinem Hals herunterzuschlucken. „Bitte wach auf! Ich will dich nicht verlieren, niemand will dich verlieren. Bitte, bitte!"

Heftig biss ich mir auf die Unterlippe, um das laute Schluchzen zu vermeiden, das sich seinen Weg nach draußen bahnte, doch es half nichts. Ich atmete tief durch und drückte seine Hand. „Bitte wach auf. Du kannst das. Ich liebe dich." Als ich mich beruhigt hatte, stand ich auf und ließ widerwillig seine Hand los.

Auf dem Weg durch die Krankenhausflure trocknete ich meine Tränen. Dann stieg ich auf mein Fahrrad, um nach Hause zu gelangen.

Dort erledigte ich eine Menge Hausarbeiten wie Putzen, Aufräumen und Abwaschen. Dann begann ich, meinen Lieblingsroman erneut zu lesen, bis Mama endlich kam. Ich fühlte mich schlecht und wusste nicht recht, wie ich mit ihr umgehen sollte.

Sie klopfte an meine Zimmertür und trat ein. „Hallo, Diana."

„Hallo", gab ich unsicher zurück.

Sie setzte sich auf mein Bett. „Es tut mir leid wegen unseres Streits. Wir hätten nicht so mit dir umgehen sollen. Papa hat das auch gesagt, als ich heute mit ihm telefoniert habe, und er möchte noch einmal mit dir sprechen, wenn er von der Arbeit kommt."

Mir fiel ein Stein vom Herzen. „Mir tut es auch leid, wie das Ganze gelaufen ist."

„Das sollte es aber nicht. Du hast dir Mühe gegeben, ruhig mit uns zu reden. Wir haben einen Fehler gemacht und das wissen wir. Aber trotzdem müssen wir dieses Thema noch einmal besprechen."

Ich nickte. „Ich muss heute zu dieser Beratungsstelle. Kannst du mich vielleicht hinfahren?"

„Natürlich. Aber erst mal koche ich uns etwas. Ich rufe dich dann." Mama verließ mein Zimmer und wenig später hörte ich, wie sie unten in der Küche lautstark mit Töpfen und Tellern hantierte.

Fürs Erste war ich beruhigt, aber heute Abend würde es erneut zur Sache gehen. Ich wollte meine Eltern davon überzeugen, dass ich es besser fand, das Baby zu behalten.

Am Abend umarmte mich Papa fest zur Begrüßung, als er nach Hause kam, und sagte: „Es tut mir so leid. Ich habe falsch reagiert."

„Mir tut es auch leid. Ist schon okay."

Danach setzten wir uns gemeinsam an den Tisch und begannen zu essen.

„Du möchtest das Baby also behalten", eröffnete Papa die Unterhaltung.

„Ja", sagte ich. „Aber ich will erst noch mit Ben reden, ich bin morgen mit ihm verabredet. Ich dachte, er könnte sich vielleicht am besten in seinen Bruder hineinversetzen und mir sagen, was er antworten würde."

„Das ist eine gute Idee", lobte Mama.

„Du musst dir jedoch die Frage stellen, ob ihr überhaupt in der Lage wäret, euch um ein Kind zu kümmern", meinte Papa. „Ein Baby muss rund um die Uhr versorgt werden. Natürlich können wir euch dabei helfen, aber wenn John und seine Mutter nicht überleben, wirst du alleine dastehen. Das Kind würde ohne einen Vater aufwachsen."

So hatte ich das noch gar nicht gesehen. Trotzdem verteidigte ich meinen Standpunkt. „Ja, das stimmt, aber ihr kennt meine Argumente bereits." Meine Eltern nickten.

„Wie war es denn eigentlich bei der Beratung?", fragte Papa.

„Ich durfte mit einer Frau reden, die sich hauptsächlich mit jungen Müttern und deren Rechten beschäftigt. Wir haben die Vor- und Nachteile einer Abtreibung besprochen. Es gibt sogar spezielle Vorbereitungskurse für junge Mütter und Verbände, die sie nach der Geburt unterstützen."

„Du hast recht mit dem, was du gestern gesagt hast", meinte Mama. „Letztendlich können wir dich zu keiner Entscheidung zwingen, mit der du nicht einverstanden bist. Unser Standpunkt hat sich trotzdem nicht geändert. Rede am besten erst mit Ben und am Sonntag treffen wir eine Entscheidung."

Ich nickte und war unheimlich froh, dass dieses Gespräch friedlich verlaufen war. Zunächst mal konnte ich aufatmen.

Am nächsten Morgen war mir merkwürdigerweise nicht übel. Ich nutzte das, um ausgiebig zu frühstücken. Danach fuhr ich ins Krankenhaus. Der lange Weg machte mir nichts aus, außerdem hatte ich sonst keine Pläne für den Vormittag. „Ich hoffe, Ben wird mir sagen können, wie du die Sache sehen würdest", begann ich die einseitige Unterhaltung mit meinem Freund. „Gestern habe ich noch einmal mit meinen Eltern geredet und es ist ziemlich gut gelaufen. Jetzt ist der Unfall schon eine Woche her. Ich frage mich, wie lange ich noch warten muss, bis du wieder aufwachst, oder ob das Warten überhaupt einen Sinn hat. Vielleicht bin ich verrückt geworden, weil ich hier jeden Tag sitze, mit dir rede und es nie schaffe, nicht loszuheulen." Ich wischte mir die Tränen weg und musste grinsen. „Aber ich glaube, das macht nichts, denn ich war schon immer ein bisschen merkwürdig. Du hast gesagt, ich wäre dein Engel, also bin ich mir sicher, dass ich dich vor dem Tod beschützen kann. Als der Unfall passiert ist, habe ich leider versagt. Es tut mir unendlich leid."

„Du hast keine Schuld daran“, flüsterte eine vertraute Stimme. Ich zuckte zusammen, als ich eine Hand auf meiner Schulter spürte.

„Ben“, rief ich überrascht aus.

Auch seine Freundin Larissa war da. Johns Bruder und ich hielten uns zur Begrüßung lange im Arm, denn er hatte bemerkt, dass ich weinte. Tröstend streichelte er mir über den Rücken. Doch er war selbst den Tränen nahe, das spürte ich. Larissa umarmte mich ebenfalls.

„Wie lange steht ihr denn schon da? Ich habe euch gar nicht gehört.“ Mir war es peinlich, dass sie meinen Monolog mitbekommen hatten.

„Nur ein paar Sekunden“, antwortete Larissa und schob zwei weitere Stühle heran. „Wir haben gemerkt, dass du redest, und wollten dich nicht stören. Aber Ben konnte seinen Mund schließlich doch nicht halten.“ Sie boxte ihn zum Spaß gegen die Schulter.

Dann setzten sich die beiden zu mir.

„Was für ein Zufall, dass wir uns hier treffen.“ Ich war erleichtert, Ben schon eher zu begegnen als abgemacht.

„Wir haben gerade mit dem Arzt gesprochen – aber es gibt leider keine Neuigkeiten. Zuerst waren wir bei Mama, danach sind wir hierhergekommen“, erzählte Ben.

„Was hattet ihr denn noch vor, bevor ich um vier zu euch gekommen wäre?“, wollte ich wissen.

„Wir wollten ins Krankenhaus und an die Unfallstelle, um dort ein Kreuz und Kerzen aufzustellen. Möchtest du mitkommen?“

Ich nickte. „Klar. Wenn das okay ist?“

„Ja, sonst hätte ich dich nicht gefragt. Ich würde mich freuen“, erwiderte Ben ehrlich.

„Mein Fahrrad steht aber vor der Tür.“

„Kein Problem, ich fahre dich später wieder her, damit du es nach Hause bringen kannst“, bot er an. „Warum willst du denn nun mit mir reden?“

Jetzt war es so weit, ich musste ihm alles erklären und überlegte angestrengt, wie ich das am besten angehen konnte. Aber anstatt von vorne zu beginnen, stellte ich die alles entscheidende Frage zuerst: „Meinst du, John würde ein Kind haben wollen?“

Larissa runzelte die Stirn und Ben zog überrascht die Augenbrauen hoch. „Ich möchte, dass du mir ohne weitere Fragen antwortest“, setzte ich hinzu.

„Okay.“ Er stützte den Kopf auf die Hände und dachte nach. Dann schaute er mich direkt an und sagte: „Ja, ich denke schon. Ich glaube, er würde ein Kind wollen.“

„Auch jetzt? In dieser Situation?“, bohrte ich nach.

„Das ist schwierig zu beantworten. Auf der einen Seite würde ihm das vielleicht helfen, besser mit dieser schrecklichen Situation klarzukommen. Auf der anderen Seite allerdings könnte es vielleicht ein bisschen zu viel für ihn sein.“

Ich nickte.

„Warum willst du das wissen?“, fragte er neugierig, während Larissa große Augen machte und mich von oben bis unten musterte.

„Ich glaube, deine Freundin weiß es schon.“ Ich musste grinsen.

Ben runzelte die Stirn und wechselte einen Blick mit Larissa. „Warum würde sie dich so etwas wohl aus heiterem Himmel fragen?“, versuchte sie ihm auf die Sprünge zu helfen.

Jetzt starrte auch er auf meinen Bauch. „Nein, oder?“

„Doch“, war alles, was ich erwiderte.

Nun schienen die beiden doch geschockt zu sein, obwohl meine Frage eigentlich nicht misszuverstehen gewesen war. Ich holte das Ultraschallbild aus meiner Tasche und zeigte es ihnen. Skeptisch wanderten ihre Blicke darüber.

„Es war natürlich nicht geplant. Für mich ist es ein Wunder. Die Pille hat bei mir versagt. Ich weiß nicht recht, ob ich es behalten soll oder nicht. Meine Eltern meinen, ich sollte es abtreiben.“

„Was willst du?“, fragte Larissa und gab mir den Ausdruck zurück.

„Ich will es behalten. Mir geht es besser, seitdem ich es weiß.“

„Es wäre euer Kind“, sprach Ben aus, was mir schon lange bewusst war.

„Und wenn er es nicht schaffen sollte, hätte ich immer einen Teil von ihm bei mir und ihr auch“, fügte ich hinzu. „Aber das Baby hätte dann keinen Vater.“

„Ich denke, John würde sich freuen und meine Mutter auch. Jeder hat doch vor, später Kinder zu bekommen, und wenn es bei euch nur jetzt möglich ist, dann soll es wohl so sein“, sagte Ben. „Aber niemand kann für dich entscheiden. Wir sagen dir bloß unsere Meinung, aber was du machst, ist deine Sache. Wir würden dir deine Entscheidung nicht vorwerfen. Deine Frage habe ich beantwortet, aber natürlich wissen wir, dass du noch sehr jung bist und es aus vielen Gründen besser wäre, das Kind nicht zu behalten. Wenn wir uns nicht in dieser außergewöhnlichen Situation befänden, würde es dir bestimmt leichter fallen, das Kind abzutreiben, weil ihr später immer noch genug Möglichkeiten hättet, Kinder zu bekommen. Aber nun ist das etwas völlig anderes. Du solltest auf dein Herz hören."

„Danke." Ich war berührt von Bens Worten. „Das hat mir sehr geholfen."

Gemeinsam verließen wir anschließend das Krankenhaus, um uns auf den Weg zur Unfallstelle zu machen. Ich hatte nicht gewusst, wo genau sie sich befand, zwar hatte ich die Bilder in den Nachrichten gesehen, aber so sahen viele Strecken hier aus. Kurz hinter Travemünde hielten wir am Straßenrand an und nahmen ein Holzkreuz, Blumen und Kerzen aus dem Kofferraum.

Ben zeigte mir die Stelle, wo ein Stock im Gras steckte. „Die Leitplanke wurde bereits erneuert. Am Sonntag habe ich den Platz markiert, damit wir ihn wiederfinden", sprach er über den Lärm der an uns vorbeirasenden Autos hinweg.

Wir kletterten über die Leitplanke und überquerten den Graben, in dem das Auto der Familie Hoffmann gelegen hatte. Das stellte sich als ziemlich schwierig heraus, aber wir halfen uns gegenseitig und hatten es schließlich geschafft. Hier war genügend Platz. Larissa zog den Stock aus dem Boden, woraufhin Ben das Kreuz mit einem Hammer in die weiche Erde stieß. Dann zündete jeder von uns eine Kerze an und stellte sie davor. Nun zückte Johns Bruder eine Schaufel und pflanzte eine Rose ein. Als wir unsere Arbeit beendet hatten, legten wir eine kurze Schweigeminute ein und betrachteten unser Werk. Ich hoffte, dass wir nicht noch weitere Kreuze setzen mussten.

„Ein Leben endet und ein neues fängt an", sagte Ben und legte seine Hand auf meinen Bauch.

Ungeduldig rutschte ich auf meinem Stuhl im Wartezimmer hin und her. Mama war ebenfalls etwas nervös, denn sie las nicht in den Zeitschriften wie sonst, sondern starrte ausdruckslos an die gegenüberliegende Wand. Ich erinnerte mich daran, wie ich gestern meinen Eltern Bens Meinung kundgetan hatte. Wir diskutierten nochmals darüber, wie es nun weitergehen würde, und schließlich traf ich meine Entscheidung. Meine Eltern wollten danach ins Krankenhaus, also fuhren wir zusammen dorthin, was den Nachteil hatte, dass ich nicht ungestört mit John „reden“ konnte. Dann hatte mich Verena angerufen, um alles Nötige für unseren Campingausflug zu planen.

Mama und ich sprangen sofort auf, als mein Name aufgerufen wurde, und betraten dasselbe Sprechzimmer, welches mir aus der letzten Woche bereits bekannt war.

Die Frauenärztin begrüßte uns und wirkte wie immer freundlich und ruhig. Sie bat uns, Platz zu nehmen, und fragte mich dann: „Wie geht es dir, Diana? Ist deine morgendliche Übelkeit verschwunden?“

Mama warf mir einen Blick zu, der bedeuten sollte: „Das wusste ich noch gar nicht, warum hast du mir das nicht gesagt?“

„Ja. Ich denke, es war vielleicht gar nicht wegen der Schwangerschaft, sondern weil ich so gestresst war“, antwortete ich, die stummen Vorwürfe meiner Mutter ignorierend.

„Ja, das ist möglich. Konntest du mit deinem Freund reden?“

„Nein, leider nicht. Er liegt immer noch im Koma. Aber ich habe mit seinem Bruder gesprochen. Letztendlich habe ich mich entschieden, das Baby zu behalten“, verkündete ich feierlich meinen Entschluss.

„In Ordnung. Wie sehen Sie das?“, wandte sich Dr. Jessen an Mama.

Diese zuckte langsam mit den Schultern. „Ich habe ihr davon abgeraten, aber wenn sie es so will, können wir sie nicht zwingen.“

Dr. Jessen nickte verständnisvoll. „Ich finde es dennoch gut und wichtig, dass Sie Ihre Tochter unterstützen. Wir führen also keine Abtreibung durch, da allein Dianas Entscheidung zählt. Falls es irgendwelche Probleme gibt oder du dich doch noch umentscheiden möchtest, könnte man bis zur zwölften Woche diesen Weg einschlagen. Das heißt, du hättest noch sieben Wochen Zeit.“

Ich nickte, meine Mutter hingegen sagte nichts.

Nun redete die Ärztin auf Mama ein. „Frau Schmidt, ich möchte Ihnen etwas erzählen. Meine Tochter stand auch einmal vor einer Entscheidung, die sehr schwierig war. Mein Mann und ich waren mit ihrer Meinung zu diesem Thema nicht einverstanden, ähnlich wie in diesem Fall. Zwar ging es um einen völlig anderen Sachverhalt, aber die Grundsätze stimmten überein. Damals habe ich begriffen, dass Eltern in ihrem Leben nur ein Ziel haben: Sie wollen, dass ihre Kinder glücklich sind. Und wenn Diana mit ihrer Entscheidung glücklich ist, dann sollten Sie damit zufrieden sein und sie ihren Weg gehen lassen.“

Blitze

„Ich habe heute eine Entscheidung getroffen. Hoffentlich bist du damit einverstanden. Am Samstag habe ich mit Ben gesprochen und er meinte, dass du dir bestimmt ein Kind wünschen würdest. Ich glaube, ich hätte es ohnehin nicht übers Herz gebracht, es mir wegnehmen zu lassen." Ich legte eine Hand auf meinen Bauch und die andere auf Johns Hand. „Ich werde es behalten. Das Kind wünscht sich einen Vater, also bitte wach auf, bevor es geboren wird. Es ist bedauerlich, dass du nicht miterleben kannst, wie unser Baby in mir wächst, dass du das erste Ultraschallbild nicht sehen oder dich mit mir freuen kannst. Man sieht zwar nur einen kleinen weißen Fleck, aber man kann es sehen. Es macht mir Angst, dass du vielleicht jahrelang im Koma liegen oder nie wieder aufwachen könntest. Ich vermisse dich, obwohl ich jeden Tag bei dir bin. Du schläfst so ruhig und ahnungslos, während ich zerbreche."

Nun klang meine Stimme beinahe wütend. „Es ist nicht richtig, dass das passiert ist. Warum? Wem nützt es? Womit haben wir das verdient?" Ich verbarg mein Gesicht in den Händen, um ein paar Minuten still dem Piepen des Apparates zu lauschen, der seine Herzschläge aufzeichnete. Es beruhigte mich, weil dies der Beweis dafür war, dass John lebte und es ihm gut ging. „Bitte, komm schnell zu mir zurück." Mit diesen Worten stand ich auf, gab John einen Kuss auf die Stirn und wisperte noch, bevor ich ging: „Ich liebe dich."

Am Dienstagmorgen wurde ich von meinem Hunger geweckt. Irritiert lief ich ohne Umwege in die Küche und wühlte in den Schränken und im Kühlschrank. Ich hatte großen Appetit auf Schokolade und entdeckte bei meiner Suche ein volles Glas Nutella. Gerade wollte ich das Toastbrot herausholen, als mein knurrender Magen mich umstimmte und ich stattdessen den Schokoladenaufstrich pur mit einem Löffel aus dem Glas aß.

Da meine Eltern wie immer schon auf der Arbeit waren und ich nicht wusste, was ich machen sollte, setzte ich mich aufs Sofa und schaute meinen Lieblingsfilm. Ich vermied es, durch das Fernsehprogramm zu zappen aus Angst, wieder einen Bericht über den Autounfall zu sehen.

Von dem Film abgelenkt, schaufelte ich mir eine Ladung nach der anderen in den Mund. Erst als ich mit dem Löffel am Boden des Glases anstieß, merkte ich, dass ich die gesamten 500 Gramm an Schokoladencreme hinuntergeschlungen hatte. Erschrocken betrachtete ich das leere Gefäß und wunderte mich, warum mir nun nicht schlecht war. Weil das Zeug so süß war, brannte mir der Hals, weshalb ich zurück in die Küche eilte und direkt aus der Milchflasche trank, bis diese ebenfalls leer war. Dann fragte ich an meinen Bauch gewandt: „Hast du solchen Hunger oder bin ich das?" Normalerweise hätte ich es nie geschafft, so viel Schokocreme auf einmal zu verschlingen, denn ich aß generell nicht viel.

Wahrscheinlich musste ich einiges nachholen, da ich in den letzten Tagen wegen der Übelkeit wenig zu mir genommen hatte. Also begann ich nun, richtig zu frühstücken. Ich staunte über mich selbst, aber als ich mir gerade das dritte Brötchen aufschneiden wollte, entschied ich mich dafür, lieber ein bisschen Obst zu essen, schließlich wollte ich mich ab jetzt gesund ernähren, meinem Kind zuliebe. Mir war gar nicht aufgefallen, dass ich eine knappe Stunde mit Frühstücken verbracht hatte, weil ich sehr langsam und genießerisch aß. Ich verstand nicht, wie manche – mein Vater zum Beispiel – eine derartig große Menge an Nahrung einfach so hinunterschlingen konnten. Ich meine, dabei schmeckt man doch nichts und außerdem wird man nicht richtig satt, wenn man zu schnell isst. Kopfschüttelnd stellte ich mir vor, wie ich in ein paar Monaten hochschwanger genauso viel und schnell essen würde wie Papa. Nun setzte ich mich wieder ins Wohnzimmer, um meinen Film zu Ende zu schauen. Danach räumte ich die Küche auf und erledigte die Hausarbeit, die Mama gestern nicht geschafft hatte. Erst dann zog ich meinen Schlafanzug aus und duschte mich.

Schließlich machte ich mich wie jeden Tag auf den Weg ins Krankenhaus und betrat Johns Zimmer. Als ich seine Hand nahm, bemerkte ich, dass sie eiskalt war. Verwundert befühlte ich die Heizung auf der anderen Seite des kleinen Raumes. Sie war warm. Ich würde später einem Arzt Bescheid sagen.

„Unser Baby scheint großen Hunger zu haben. Ich frage mich, von wem es das hat. Heute Morgen habe ich nämlich ein ganzes Nutella-Glas auf einmal gegessen. Du würdest mir das nicht glauben, oder?" Ich wartete einen Moment, als würde ich mit einer Antwort rechnen. „Heute Nachmittag werde ich mich mit Verena und Nadine treffen, weil wir am Strand zelten wollen. Das kann was werden. Du weißt ja, dass wir das schon öfter gemacht haben, aber immer nur im Garten und nicht so weit weg von zu Hause. Na ja, weit ist es auch diesmal nicht, aber wir können nicht einfach ins Haus gehen, wenn uns etwas fehlt. Aber wir werden das überleben und es wird bestimmt lustig. Es ist merkwürdig, dass du nie dabei sein kannst, wenn wir uns zusammen mit den Jungs treffen. Neulich am Strand hast du uns allen sehr gefehlt." Ein Kloß machte sich in meinem Hals bemerkbar. Schnell versuchte ich mich mit etwas Lustigem abzulenken. „Florian und ich haben eine Wette abgeschlossen, ob wir es schaffen werden, uns auf einen Film zu einigen, weil wir diese Woche zusammen ins Kino gehen wollen. Und zwar in einen Saal."

Schon konnte ich wieder lächeln. „Wir wetten um fünf Euro. Ich habe gesagt, dass wir es schaffen werden, aber Florian glaubt das nicht. Wir werden sehen."

Besorgt umschloss ich Johns Hand mit der meinen, um sie zu wärmen, und atmete tief durch.

Plötzlich ging die Tür auf und Dr. Böhmer kam herein. „Guten Morgen", sagte er und gab mir die Hand.

„Guten Morgen." Ich schaute ihn gespannt an. Warum war er hier? Wollte er mit mir reden? Gab es schlechte Nachrichten?

Der Arzt zog einen weiteren Stuhl heran und setzte sich umgekehrt darauf, sodass sich die Lehne mir zugewandt zwischen seinen Beinen befand. „Erst einmal möchte ich dich loben."

„Wofür?", fragte ich überrascht.

„Du bist noch sehr jung, Diana, und es ist bedauerlich, dass dein Freund im Koma liegt. Ich finde, du gehst tapfer damit um und bist sehr stark."

„Danke", sagte ich verlegen. „Aber die ersten drei Tage, nachdem der Unfall passiert war, ging es mir überhaupt nicht gut."

Er nickte. „Und wie geht es dir jetzt? Wirst du die Schwangerschaft abbrechen?"

„Jetzt geht es mir besser und ich glaube, dass das an dem Baby liegt. Ich werde es also behalten."

„Das ist eine mutige Entscheidung. Nicht jeder wäre bereit, in deinem Alter Verantwortung für ein Kind zu übernehmen, wenn er nicht wüsste, ob er Unterstützung vom Vater erwarten kann. Deshalb hoffe ich, dass John bald aufwacht. Könntest du damit umgehen, wenn die Lähmung bleibend wäre?"

„Ja. Ich fände es natürlich schrecklich, aber ich weiß, ich könnte es nicht ändern. Ich würde ihn weiterhin lieben, so wie er ist", erwiderte ich überzeugt.

„Das ist schön. Viele Rollstuhlfahrer haben es in der Gesellschaft nicht leicht und Schwierigkeiten, einen Partner zu finden." Er betrachtete John eine Weile, bevor er weitersprach. „Ich habe Neuigkeiten."

Sofort wurde ich nervös.

„Ich wollte gerade bei euch zu Hause anrufen, aber dann habe ich zuerst nachgesehen, ob du vielleicht hier bist. Schon am Freitag habe ich es vermutet, aber ich wollte sicher sein. Seitdem hat sich der Zustand von John und seiner Mutter deutlich verbessert. Ich denke, es besteht für beide keine Lebensgefahr mehr."

Erleichtert lächelte ich und musste Freudentränen unterdrücken. „Wie sicher sind Sie sich?"

„Zu neunundneunzig Prozent. Es kann immer ein Zwischenfall vorkommen, aber so wie es momentan aussieht, sind beide stabil. Du musst dir nicht mehr so viele Sorgen machen."

Ich konnte nicht glauben, was der Arzt mir soeben gesagt hatte. Damit hatte ich nicht gerechnet.

„Das muss nicht heißen, dass sie bald aufwachen werden. Theoretisch könnten die beiden noch viele Jahre im Koma liegen. Aber natürlich hoffe ich das Beste."

„Vielen Dank." Ich drückte unwillkürlich Johns Finger, die ich noch immer umklammert hielt. „Ich habe gemerkt, dass seine Hand ganz kalt ist. Er muss frieren."

Der Arzt stand auf, um seine Hand ebenfalls auf Johns zu legen, dann fühlte er seine Stirn. „Du hast recht. Als ich vor wenigen Minuten nach ihm gesehen habe, war noch alles in Ordnung. Ich werde gleich eine weitere Decke für ihn holen."

„Woran liegt das denn? Hier ist es doch eigentlich ganz warm."

„Sein Körper kann die Temperatur nicht mehr regulieren, weil durch die Lähmung Durchblutungsstörungen auftreten."

Ich nickte.

„Ich muss jetzt gehen, ich habe zu tun. Es wird gleich jemand kommen." Er stand auf und schob den Stuhl wieder an seinen Platz.

„Okay. Rufen Sie Johns Bruder an oder soll ich das tun?"

„Nein, danke. Ich habe ihn bereits benachrichtigt. Bis demnächst."

Als der Arzt gegangen war, konnte ich die Freudentränen nicht länger zurückhalten. „Hast du das gehört?", flüsterte ich. „Ihr werdet beide aufwachen!" Erst als ich mich beruhigt hatte, konnte ich weitersprechen. „Bitte braucht nicht zu lange. Ich wünschte, du könntest meinen Bauch streicheln, in dem sich unser Baby befindet. Ich habe dir noch gar nicht erzählt, wie ich gemerkt habe, dass ich schwanger bin. Das war an einem der Tage, als es mir so schlecht ging nach eurem Autounfall. Ich habe mich in meinem Zimmer eingeschlossen und es verdunkelt. Deshalb habe ich gefroren, aber plötzlich eine Wärme in meinem Unterleib gespürt. Das scheint das Baby von dir zu haben." Ich grinste. „Du hast mich auch immer in den Arm genommen und mich gewärmt, wenn mir kalt war. In Zukunft werde ich das wohl tun müssen." Abermals streichelte ich behutsam seine Hand.

„Erst dann habe ich gemerkt, dass meine Periode ausgeblieben war, und habe zwei Schwangerschaftstests gemacht, die beide positiv waren. Ich konnte das nicht glauben, weil ich die Pille regelmäßig genommen habe, und bin am nächsten Tag zum Arzt gefahren. Dort habe ich die Bestätigung bekommen. Ich bin damit glücklich und hoffe, du wirst es auch sein." Ich stand auf und gab ihm einen Kuss auf die Stirn. „Hoffentlich werden wir uns bald sehen. Ich liebe dich."

Plötzlich klingelte mein Handy und ich rannte aus dem Gebäude, um abnehmen zu können. „Hallo?"

„Hier ist Ben. Sie sind außer Lebensgefahr!" Ich konnte sein glückliches Lächeln beinahe vor mir sehen.

„Ich weiß, ich habe gerade mit dem Arzt gesprochen. Ich wollte dich auch anrufen, aber du bist mir zuvorgekommen."

„Dann können wir endlich wieder hoffen. Wie geht es dir? Hast du schon eine Entscheidung getroffen?"

„Ja, ich werde das Baby behalten. Ich hätte in den nächsten sieben Wochen noch die Möglichkeit abzutreiben, aber ich glaube nicht, dass ich das tun werde." Ich wartete Bens Reaktion ab, doch er war sprachlos. „Du wirst Onkel!", verkündete ich.

„Du wirst Mutter", äffte er mich nach. „Ich komme mir alt vor", fügte er ironisch hinzu.

„Ich mir auch", stimmte ich ihm zu.

„Das bist du auch", kam es wie aus der Pistole geschossen.

„Hey, soll das eine Beleidigung sein?" Ich war leicht eingeschnappt.

„Geistig bist du bestimmt schon Mitte zwanzig."

„Wie kommst du darauf?", fragte ich interessiert.

„Ich weiß nicht, du bist irgendwie anders", war sein Kommentar dazu.

„Du bist nicht der Erste, der das behauptet", verkündete ich. „Dein Bruder ist der gleichen Meinung."

Nun entstand eine Pause.

„Ich muss Schluss machen", sagte Ben. „Wir sehen uns am Samstag zur Beerdigung." Nachdem ich aufgelegt hatte, überlegte ich, meine Freundinnen anzurufen und ihnen die gute Nachricht zu erzählen, entschied mich aber schließlich doch dagegen, weil ich sie in ein paar Stunden sowieso sehen würde.

Als ich die Haustür gerade geschlossen hatte, hörte ich Mamas Auto in die Garage rollen. Schnell deckte ich den Tisch, bevor sie hereinkam, und bereitete alles zum Kochen vor.

„Hallo Diana", begrüßte sie mich. „Warum strahlst du denn so?"

Mein Lächeln wurde noch breiter. „Ich war im Krankenhaus und habe mit dem Arzt gesprochen. Er meinte, dass der Gesundheitszustand von John und seiner Mutter stabil sei, er aber nach wie vor nicht wüsste, wie lange es dauern wird, bis sie aufwachen."

Mama lächelte. „Das sind schöne Neuigkeiten." Sie kam zu mir und umarmte mich. „Ich freue mich so." Meine Situation war zwar nicht besser geworden, aber wenigstens musste ich nicht mehr um das Leben der beiden bangen, sondern nur noch darauf warten, dass sie aufwachten. Nun hatte ich wieder Hoffnung, dass John unser Baby eines Tages stolz in den Armen halten würde.

Ich stand bereits mit meiner Tasche vor der Haustür, als das Auto vorfuhr. Schnell verabschiedete ich mich von meiner Mutter und stieg ein.

„Hallo", begrüßte ich die Anwesenden.

„Hallo Diana, schön, dich zu sehen", sagte Nadines Mutter. „Wie geht es dir? Es tut mir sehr leid, was passiert ist. Ich habe tiefes Mitgefühl mit dir und deiner Familie."

„Danke", erwiderte ich aufrichtig, während ich mich anschnallte. Das Auto setzte sich in Bewegung und ich meinte: „Ich habe Neuigkeiten vom Arzt."

„Und?", fragten Verena und Nadine neugierig.

„John und seine Mutter befinden sich außer Lebensgefahr."

Die beiden kreischten los. „Wir freuen uns für dich."

Ich lächelte. „Aber er meinte auch, dass es ungewiss sei, wann sie aufwachen. Ein Koma kann Tage, aber genauso gut Jahre dauern."

Meine Freundinnen rissen geschockt die Augen auf.

„Ich kann mir einfach nicht vorstellen, so lange zu warten", gab ich zu.

„Wie lange liegen sie denn schon im Koma?", mischte sich Nadines Mutter ein.

Ich brauchte nicht darüber nachzudenken, sondern hatte die Antwort sofort parat. „Elf Tage."

„Das ist aber schon eine lange Zeit. Ich bin sicher, sie werden bald aufwachen", versuchte sie mich aufzumuntern.

Als wir auf dem Parkplatz am Strand anhielten, bepackten wir uns wie Esel mit unseren Sachen, verabschiedeten uns von Nadines Mutter und stapften los.

„Ich hoffe, du hast nicht einen ewig weit entfernten Zeltplatz reserviert", schnaufte ich unter dem Gewicht.

„Es war keine große Auswahl mehr. In der Ferienzeit sind die Plätze ständig besetzt. Wir hatten Glück, überhaupt einen zu bekommen. Er liegt etwa mittig zum Wasser und zum Parkplatz", antwortete Nadine.

„Wie hast du dich eigentlich entschieden? Behältst du das Baby?", fragte Verena.

„Ja. Ich habe mir verschiedene Meinungen eingeholt, von Johns Bruder, meinen Eltern, dem Arzt, und bin schließlich dabei geblieben. Die nächsten sieben Wochen könnte ich noch abtreiben, sollte ich mich umentscheiden."

„Und in welcher Woche bist du jetzt?", fragte Nadine.

„In der fünften." Als ich das aussprach, erinnerte ich mich daran, was meine Frauenärztin mir erzählt hatte. „Jetzt beginnt das Herz zu schlagen."

Meine Freundinnen strahlten mich an. „Dann bist du am Anfang des zweiten Monats."

„Genau."

„Wann sieht man denn was?", wollte Nadine wissen.

„Das ist bestimmt bei jeder Frau unterschiedlich. Ich glaube, ungefähr ab dem vierten Monat."

Langsam wurden die Taschen über meinen Schultern unerträglich schwer und ich blieb stehen, um sie abzusetzen. „Ich brauche eine Pause", verkündete ich und setzte mich in den Sand, um meine Schuhe auszuziehen.

Meine Freundinnen schnauften ebenfalls vor Erschöpfung und taten es mir gleich.

„Unser Thermometer hat heute Mittag zweiunddreißig Grad angezeigt", murmelte Nadine, legte sich hin und beschirmte mit einer Hand ihre Augen, um nicht von der Sonne geblendet zu werden.

„Ja, das ist wirklich heftig", meinte Verena. „Nur gut, dass wir uns entschieden haben, hier am Strand zu zelten. Ich freue mich schon, wenn wir gleich ins Wasser springen. Aber der Nachteil ist, dass uns mein Vater nicht helfen kann, das Zelt aufzubauen."

Ich musste grinsen. „Erinnert ihr euch noch daran, als wir das das letzte Mal versucht haben?"

„Ja, ich wüsste nicht, was wir ohne seine Hilfe gemacht hätten", gab Verena zu.

„Wir werden das schon hinbekommen", sagte Nadine hoffnungsvoll.

Wir standen auf, um uns den Sand von den Klamotten zu klopfen und weiterzugehen. Als wir den Campingplatz endlich erreicht hatten, mussten wir die uns zugewiesene Stelle erst einmal suchen, was sich als ziemlich schwierig erwies. Überall befanden sich Menschen, Zelte, Wohnwagen, Sonnenschirme und Grillplätze. Ständig hörte man Kinder schreien, Eltern rufen und laute Musik. Wie immer schwebte der Geruch von Meersalz in der Luft, aber auch der von Sonnencreme und Essen.

Schließlich hatten wir unseren reservierten Platz gefunden, der nicht sehr groß war, und stellten erleichtert unsere Taschen ab. Zuallererst öffnete Verena ihre Kühltasche und wir machten uns gierig über eine Flasche Wasser her. Danach verschnauften wir noch eine Weile, bevor wir begannen, das Zelt aufzubauen. Das hatten wir zwar schon öfter probiert, aber doch immer wieder Hilfe benötigt. Zunächst ordneten wir die einzelnen Teile und bemerkten, dass etwas fehlte.

„Wo ist denn der Bauplan?", fragte ich.

Verena zuckte mit den Schultern und suchte ihn vergebens. „Mist", schimpfte sie. „Wenn er hier nicht ist, muss er wohl bei mir zu Hause sein."

„Das ist ja super." Nadines Sarkasmus war nicht zu überhören.

„Moment mal." Verena sah nachdenklich aus. „Hatten wir überhaupt schon einmal einen Bauplan? Oder haben wir – beziehungsweise mein Vater – das immer ohne gemacht? Ich meine, ich habe das Zelt so mitgenommen, wie es eingepackt war."

„Doch", sagte ich. „Als wir das Zelt zum ersten Mal benutzt haben, hatten wir einen Plan, aber danach nicht mehr."

„Vielleicht haben ihn meine Eltern weggetan. Aber es kann auch sein, dass ich ihn selbst verloren habe. Ich weiß es nicht. Tut mir leid."

„Ist schon okay. Wir werden das hinkriegen", entgegnete ich.

„Soll ich zu Hause anrufen? Vielleicht finden meine Eltern den Plan und können ihn uns bringen. Oder mein Vater kommt sofort her und hilft uns", schlug Verena vor.

„Nein", protestierte Nadine. „Lasst es uns wenigstens versuchen. Wenn alles nichts nützt, können wir uns immer noch Hilfe holen. Wir müssen mal etwas alleine schaffen und außerdem hat, glaube ich, keiner von uns Lust, wieder zum Parkplatz zu laufen."

„Finde ich auch", gab ich ihr recht.

Verena nickte ebenfalls.

Also setzten wir unsere Arbeit fort und versuchten uns zu erinnern, wie das Zelt sonst immer ausgesehen hatte. Wir diskutierten oft, welches Teil wohin gehörte, und probierten die verschiedensten Möglichkeiten aus. Die Sonne schien dabei unbarmherzig auf uns herab und brachte uns nur noch mehr ins Schwitzen. Wir waren froh, als das Zelt nach einer Dreiviertelstunde einigermaßen ordentlich und stabil vor uns stand.

„Wir haben es geschafft", stieß Verena überrascht hervor.

„Kaum zu glauben, oder?", meinte Nadine.

Plötzlich vernahmen wir einen lauten Schrei, zuckten zusammen und kreischten. Geschockt drehten wir uns nach allen Seiten um, bis wir Tobias und Florian sahen, die lachend auf uns zukamen. Sie hatten Badehosen an und waren klatschnass.

„Und? Haben wir euch erschreckt?“, fragte Tobias frech.

„Und wie.“ Ich versuchte, wieder gleichmäßig zu atmen, und legte eine Hand auf meinen Bauch, weil ich mich fragte, ob das Baby meinen Schrecken mitbekommen hatte.

Meine Freundinnen warfen den Jungs einen Haufen Schimpfwörter an den Kopf. Doch dann vertrugen sie sich wieder und küssten sich zur Begrüßung.

„Es war wirklich eine Kunst, euch zu finden, wenn man nicht weiß, wo euer Platz ist“, meinte Florian. „Vor lauter Menschen sieht man hier recht wenig.“

„Warum habt ihr uns denn eigentlich gesucht?“, fragte Nadine.

„Wir sind schon länger hier und wussten ja, dass ihr heute zelten wollt. Wir dachten, wir könnten vorbeischauen und unsere Diskussion über den Film starten.“ Tobias grinste.

„Hat denn jemand ein Kinoprogramm dabei? Wir nämlich nicht“, sagte Verena.

„Wir aber.“

Da lösten sich die Haken des Zeltes aus dem Boden, die es zusammengehalten hatten, flogen in alle Richtungen davon und das ganze Gerüst klappte in sich zusammen. Die Jungen prusteten los vor Lachen, aber wir Mädchen fluchten und schrien.

„Das finde ich überhaupt nicht lustig“, maulte Verena.

„Es war doch abzusehen, dass das passieren würde“, ärgerte Florian uns.

„Jetzt müssen wir das alles noch mal machen und ich bezweifele, dass es dann halten wird“, meckerte Nadine frustriert.

Auch ich war genervt, ich hatte nämlich Hunger, mir war warm und ich wollte mich einfach nur noch in den Schatten setzen. Ich glaube, für meine geringe Belastbarkeit war zum Teil meine Schwangerschaft verantwortlich.

„Wir helfen euch“, versprach Tobias.

Wir begannen, die Teile zusammenzusuchen, die nun überall verstreut herumlagen, und befolgten die Anweisungen der Jungen. Es dauerte keine zwanzig Minuten und das Zelt war aufgebaut. Es sah völlig anders aus als vorher, nachdem wir Mädchen es konstruiert hatten. Wir applaudierten unseren Rettern und setzten uns hin, um etwas zu essen. Verena hatte Obst, Schokolade und Brötchen für uns eingepackt. Schnell aß ich eine ganze Tafel Schokolade alleine auf und danach ein Brötchen mit demselben Aufstrich, den ich heute Morgen komplett ausgelöffelt hatte.

Meine Freunde schauten mich verwundert an, was Florian zu folgender Frage brachte: „Hast du das Baby eigentlich behalten?"

„Ja", sagte ich.

„Deine Essgewohnheiten verändern sich schon jetzt."

„Ich weiß." Ich grinste. „Heute Morgen habe ich ein ganzes Nutella-Glas pur gegessen. Außerdem zwei Brötchen und einen Apfel."

Alle verzogen die Gesichter, mussten aber gleichzeitig lachen.

Ich wechselte das Thema. „John und seine Mutter sind außer Lebensgefahr. Ich habe es heute Morgen erfahren." Die Jungen stießen Freudenschreie aus. „Aber der Arzt kann mir nicht sagen, wann sie aufwachen werden. Er meinte, ein Koma könne Tage oder Jahre dauern."

Nun wurden ihre Mienen wieder besorgt.

„Dann sollten wir weiter warten und froh sein, dass sie überhaupt aufwachen werden. Nur das zählt", äußerte Tobias.

„Ja. Vielleicht hast du recht", stimmte ich ihm zu.

„Wollen wir ins Wasser?", lenkte Nadine ab. „Ich ertrage diese Hitze nicht mehr."

Also streiften wir unsere kurzen Sachen ab und machten uns auf den Weg. Je näher wir kamen, desto deutlicher konnte man das Rauschen der Wellen vernehmen. Der Strand war überfüllt. Viele Menschen befanden sich im Wasser, andere lagen faul unter ihren Sonnenschirmen auf einer Decke oder einer Liege und lasen eine Zeitschrift oder schliefen. Dieses Mal mied ich es, ins Wasser zu rennen, da mein Körper enorm erhitzt war und ich keinen Schock erleiden wollte. Langsam glitt ich Stück für Stück hinein, bis ich untertauchte, während die anderen schon weiter draußen herumschwammen.

Heute gab es Wellen, die sich bis zu einem Meter auftürmten. Ich ließ mich darin treiben, bis ich schließlich meine Freunde einholte. Es war ein schönes Gefühl, meinen Körper zu kühlen, vor allem meinen Kopf. Deshalb tauchte ich mehrmals unter und so schwammen wir gemeinsam weiter hinaus, bis wir eine Boje erreichten. Dahinter konnte man in großer Entfernung Boote sehen. Dann paddelten wir langsam zurück, bis uns das Wasser wieder bis zur Hüfte reichte. Ich sah zu, wie die anderen sich gegenseitig auf den Schultern trugen und versuchten sich umzuwerfen, und musste lachen, weil man nie mit ihnen baden gehen konnte, ohne dass sie herumalberten.

Nach einer Weile rannten Tobias und Florian los, um ihre Surfbretter zu holen. Die Wellen waren zwar nicht besonders hoch, aber sie konnten sich trotzdem auf die Bretter stellen und sich auf ihnen treiben lassen. Ich erinnerte mich daran, wie John mir beibringen wollte zu surfen, weil er das sehr gut konnte und es immer machte, wenn wir zusammen an den Strand gingen. Zuerst hatte ich mich alleine auf das Surfbrett gestellt, während er mich festhielt, doch es nützte nichts, immer wieder verlor ich das Gleichgewicht und fiel gnadenlos ins Wasser. Dann stellten wir uns zusammen darauf, was aber auch nicht viel brachte. Wir übten trotzdem weiter, bis ich es sogar schaffte, mich über fünf Minuten aufrecht zu halten. John hatte mich daraufhin glücklich geküsst. Ein leichter Schmerz durchfuhr meinen Körper, als ich mich mit der schrecklichen Tatsache auseinandersetzte, dass er vielleicht nie wieder surfen konnte, geschweige denn schwimmen. Doch ich versuchte mich von diesem Gedanken abzulenken.

Wir verbrachten über eine halbe Stunde im Wasser, bis wir zu dem Badeplatz der Jungen gingen und Tobias das Kinoprogramm zückte. „Wann wollen wir denn ins Kino gehen?"

„Morgen?", schlug Verena vor.

„Morgen können wir nicht. Wir sind mit ein paar Freunden verabredet", erklärte Florian.

„Dann übermorgen?", fragte ich.

Nachdem alle zugestimmt hatten, stellte Nadine fest: „Bleibt nur noch die Frage, welchen Film wir angucken."

„Ich glaube, ich vertrage zurzeit nichts Trauriges", meinte ich.

Wir studierten das Kinoprogramm.

„Florian und ich sind uns einig. Der letzte Teil von *Batman* ist gerade angelaufen", warf Tobias ein.

„Der ist ab sechzehn. Da kommen wir nicht rein, außer Tobias, es sei denn, wir nehmen unsere Eltern mit", entgegnete Verena. Jeder wusste, dass sie das nur sagte, weil sie den Film nicht sehen wollte.

„Meinst du ehrlich, dass das halbe Jahr auffällt? Ich finde, wir sehen alle aus, als könnten wir locker sechzehn sein", äußerte sich Florian.

„Aber wir haben die anderen Teile nicht gesehen. Deshalb glaube ich kaum, dass wir den Anschluss finden werden", hielt ich dagegen.

„Nein, ich glaube, das geht. Wir erzählen euch eben, was vorher passiert ist, oder gucken die anderen beiden Filme morgen Nacht bei mir", wandte Tobias ein.

„Nein, danke", beendete Nadine das Thema.

„Ich glaube, wir wären alle für *Cosmopolis*, diesen neuen Film mit dem süßen Robert Pattinson", schwärmte Verena.

Nadine und ich nickten bekräftigend.

Die Jungen stöhnten genervt. „Dann bleiben wir zu Hause."

„Du willst doch bloß deine Wette gewinnen, Florian", fauchte ich ihn an. „Es war eine schlechte Idee zu wetten. Ich meine, nun gebt ihr euch doch mit Absicht keine Mühe für einen Kompromiss."

„Das könnte sein", gab Florian zu.

„Ihr müsst euch überlegen, ob euch Geld wichtiger ist oder einen schönen Abend zu erleben", funkte Nadine dazwischen.

Um eine Lösung zu suchen, holte ich tief Luft und studierte erneut das Kinoprogramm. „Die einzigen Filme, die übrig bleiben, wenn man unsere Vorschläge außer Acht lässt, die blöde Altersfreigabe toleriert und nichts Trauriges aussucht, sind eine Komödie namens *Moonrise Kingdom* und ein deutscher Film, der *Ausgerechnet Sibirien* heißt. Beide laufen übermorgen." Ich gab das Kinoprogramm herum, damit die anderen sich die Filmbeschreibungen durchlesen konnten.

Wir diskutierten nicht lange, denn wir waren alle derselben Meinung, bis auf Florian, der schließlich jedoch nachgab.

„Also werden wir die Komödie gucken?", hakte Nadine nach und erntete von allen Seiten ein zustimmendes Nicken. „Nun haben wir es doch geschafft, uns zu einigen", stellte sie fest.

Ich schaute Florian verschmitzt an.

„Dein Geld bekommst du aber erst morgen, wenn wir wirklich gemeinsam im Kino sitzen", sagte er.

Ich lachte. „Warum? Musst du es dir erst zusammensparen oder etwa noch verdienen?"

Er rollte mit den Augen. „Nein, aber es könnte möglich sein, dass wir uns doch noch trennen und verschiedene Filme schauen."

Verena ging sofort auf ihn los. „Das werdet ihr nicht! Jetzt haben wir es endlich geschafft, uns zu einigen, das könnt ihr nicht machen!"

„Das werden sie nicht", beruhigte ich sie.

Zufrieden mit unserer Entscheidung sonnten wir uns ein paar Minuten. Anschließend gingen wir noch einmal ins Wasser und danach zum Kiosk, um uns jeweils eine Portion Pommes frites mit Currywurst zu kaufen. Wir aßen an einem der vielen Holztische vor dem Verkaufsstand.

„Wann müsst ihr eigentlich los?", fragte Nadine die Jungen.

„Wieso?", gab Florian verschmitzt zurück. „Wollt ihr uns loswerden?"

Ich musste grinsen.

Meine Freundin seufzte. „Nein, natürlich nicht. Ich frage bloß aus Interesse. Vielleicht bin ich auch eure Erinnerung, damit ihr nicht zu spät nach Hause kommt. Schließlich ist es schon nach sieben."

„Spätestens um acht sollen wir zurück sein. Wir werden gleich fahren, wenn wir fertig gegessen haben", erklärte Tobias. „Was habt ihr denn noch vor?"

Wir schauten uns an.

„Wir werden wahrscheinlich als Erstes unsere Schlafplätze herrichten und später noch einmal ins Wasser gehen, wenn es dunkel und niemand mehr am Strand ist", antwortete Verena.

Nadine und ich nickten.

„Und ihr meint, ihr übersteht das alles ohne Fernseher, Internetzugang und ein eigenes Badezimmer?", neckte uns Florian grinsend.

„Klar", antwortete ich. Ich hatte damit nie Probleme gehabt, sondern fand es zur Abwechslung ganz gut, wenn einem diese Luxusdinge fehlten, ausgeschlossen Letzteres vielleicht. „Aber ihr würdet das sicher nicht schaffen."

„Da kennst du uns aber schlecht", behauptete Tobias.

„Doch, ich kenne euch sehr gut. Ihr hockt doch mindestens drei Stunden am Tag vor dem Computer."

„Woher willst du das denn wissen?", regte Florian sich gespielt auf.

„Das weiß ich einfach", meinte ich und tat so, als würde ich mich voll und ganz auf mein Essen konzentrieren.

„Habt ihr euch etwa über uns beschwert?", wandte sich Tobias an Nadine und Verena und schob dabei die Augenbrauen nach oben.

„Nein", warf ich sofort ein. „Die beiden haben nichts gesagt, aber jeder zweite Junge macht das doch so." Meine Freundinnen nickten.

„Ich hoffe, ihr fliegt heute Nacht in eurem Zelt davon", murmelte Florian grimmig.

„Warum sollten wir?", wollte Verena verwirrt wissen. „Gab es eine Unwetterwarnung?"

„Nein, aber es könnte doch möglich sein, dass euer Zelt bei einem kleinen Windstoß auseinanderbricht oder sich die Haken aus dem Boden lösen und ihr damit abhebt."

„Oder der Blitz trifft euch", fügte Tobias grinsend hinzu.

„Jetzt kommt ihr euch aber toll vor, wenn ihr versucht, uns Angst einzujagen", spottete Nadine.

„Das stimmt. Deshalb kommt ihr wohl nie mit uns zelten", meinte ich. „Ihr habt selbst Angst."

„Wir haben einfach keine Lust, die ganze Nacht mit euch zu verbringen. Ihr würdet uns nicht schlafen lassen, sondern ununterbrochen quatschen." Florian grinste.

„Ihr könntet in einem anderen Zelt schlafen, wenn ihr das so wollt. Auf diese Idee wärt ihr von alleine nun wieder nicht gekommen." Verena grinste hämisch zurück.

„Außerdem wäre es eure Schuld, wenn das Zelt zusammenbricht", fügte Nadine hinzu.

Jetzt waren die Jungs ruhig. Ich war stolz darauf, dass wir das letzte Wort gehabt hatten. Wir schwiegen ein paar Minuten und aßen unseren Imbiss auf, doch jeder wusste, dass dieser Streit nicht ernst gemeint war. Schließlich standen wir auf und liefen den Strand entlang, um die beiden noch ein Stück bis zu Tobias' Auto zu begleiten und uns dort von ihnen zu verabschieden.

„Dann sehen wir uns am Donnerstag im Kino?", wollte Verena sichergehen.

„Ja", antwortete Florian.

„Und wehe, ihr kommt nicht", mahnte sie. „Dann können wir euch nicht mehr leiden und wollen euch nie wiedersehen."

„Das bezweifele ich." Florian küsste sie.

Tobias und Nadine taten es ihnen nach. Dann kamen die Jungen zu mir, umarmten mich kurz und sagten: „Pass gut auf unsere Mädchen auf."

„Mache ich." Ich grinste und winkte ihnen nach.

Nun machten wir uns auf den Rückweg zu unserem Zelt, wir schlenderten dabei so nah am Wasser entlang, dass es immer wieder unsere Knöchel umspülte.

„Mal sehen, ob das Zelt noch steht." Nadine lachte.

„Wenn es das nicht tun sollte, rufe ich die beiden an. Dann können sie etwas erleben." Auch Verena musste kichern.

Man konnte spüren, wie die Luft sich langsam abkühlte und die Sonne ab und zu hinter einer Wolke verschwand. Der Strand leerte sich.

„Habt ihr am Freitag schon etwas vor?", fragte ich. „Wollen wir in die Stadt gehen? Wir könnten ein Eis essen und uns ein paar neue Sachen kaufen."

„Das wäre toll", stimmte Nadine begeistert zu.

„Ich brauche ohnehin neue Oberteile", meinte Verena.

„Super. Bei wem treffen wir uns?", wollte ich wissen.

„Nadine und ich holen dich gegen drei Uhr ab", bestimmte Verena.

Ich nickte zustimmend.

Das Zelt stand tatsächlich noch so, wie wir es zurückgelassen hatten, und sah auch nicht so aus, als hätte es vor, seine Form zu verändern. Wir trugen unsere Taschen hinein und packten unsere Schlafsäcke aus. Dann startete unsere gewöhnliche Diskussion darüber, wer wo schlafen würde, aber das ließ sich schnell regeln. Als wir fertig waren, setzten wir uns in einen Kreis und unterhielten uns.

„Wir haben niemandem erzählt, dass du schwanger bist, weil wir nicht wussten, ob wir es verraten dürfen", meinte Nadine.

„Ihr könnt es euren Eltern ruhig sagen, aber ich möchte nicht, dass es sonst jemand weiß. Ich meine das nicht böse, aber wenn ihr es jemandem erzählt, der auf unsere Schule geht, wird er es weitertratschen und irgendwann weiß es jeder. Wenn die Schule wieder losgeht, möchte ich den anderen das selbst sagen. Das mit dem Unfall wird jeder durch die Medien erfahren haben, aber ich glaube nicht, dass jemand weiß, dass John betroffen ist. Ich finde, das können sie erfahren, weil sie es spätestens am ersten Schultag merken werden, wenn er nicht kommt", erklärte ich.

„Wir werden einfach niemandem etwas erzählen außer unseren Familien", meinte Verena. „Du hast ja recht."

„Danke." Ich stockte. „Ich habe Angst, wie alle reagieren werden, wenn sie erfahren, dass ich schwanger bin und John vielleicht nicht mehr laufen kann, falls er bis zum Schulstart überhaupt aufwacht."

„Das brauchst du nicht. Du hast Gründe für deine Entscheidung und nun ist es eben so. Niemand kann etwas an dem ändern, was passiert ist", bestärkte mich Nadine.

„Aber am meisten Angst habe ich davor, dass er jeden Moment aufwachen könnte und ich nicht dabei bin. Ein Arzt kann es ihm bestimmt nicht so schonend beibringen wie ich oder jemand anderer, den er kennt. Und falls er aufwachen sollte, wenn ich da bin, wüsste ich nicht, wie ich ihm alles erklären sollte. Und was ist, wenn er in einem Jahr noch nicht aufgewacht ist? Ich kann das nicht ertragen. Ich vermisse ihn so sehr." Krampfhaft hielt ich die Tränen zurück.

„Du darfst nicht verzweifeln, Diana." In Nadines Stimme schwang Mitleid mit.

„Es ist unwahrscheinlich, dass du dabei sein wirst, wenn er aufwacht, aber das wäre nicht schlimm. Schließlich kannst du nicht jeden Tag im Krankenhaus verbringen und darauf warten. Aber wenn es so sein sollte, musst du ihm alles in Ruhe erklären. Du wirst das gut machen, das weiß ich. Und du solltest die Gedanken daran verdrängen, wann er aufwachen wird, denn das kannst du nicht steuern. Du solltest froh darüber sein, dass er das überhaupt tun wird, und so weitermachen wie zuvor", meinte Verena. „Du musst stark bleiben."

Dankbar nickte ich.

„Ich bin sicher, er spürt, dass du jeden Tag bei ihm bist, und wird dir zuliebe bald aufwachen." Nadine lächelte mich aufmunternd an.

„Danke." Gerührt von ihren Worten kramte ich in meiner Tasche und zeigte ihnen stolz den Mutterpass, den ich gestern zusammen mit der Frauenärztin ausgefüllt hatte.

„Ich glaube, John hatte einen guten Grund, dir einen Teil von ihm zu schenken, bevor der Unfall passiert ist", behauptete Verena.

Ich runzelte die Stirn, musste aber grinsen. „Auf den Gedanken bin ich auch schon gekommen." Glücklich legte ich eine Hand auf meinen Bauch.

Je später es wurde, desto ruhiger wurde es auf dem Campingplatz. Die meisten Leute schienen sich in ihre Wohnwagen oder Zelte zurückgezogen zu haben, außer einigen wenigen, die sich noch auf dem

Grillplatz befanden, denn wir vernahmen den Geruch von gebratenen Würstchen und Fleisch. Es war zwar etwas kühler geworden, aber dafür war die Luft noch immer schwül und erschwerte uns das Atmen.

Wir hatten über eine Stunde Flaschendrehen gespielt und Musik von unseren Handys gehört. Danach hatten wir uns an den Strand gesetzt und uns noch ein bisschen unterhalten. Gegen Mitternacht lagen wir immer noch im Sand und betrachteten den klaren Sternenhimmel, der sich über uns erstreckte und sich im Meer spiegelte. Die Wellen waren verschwunden, aber man konnte sehen, dass das Wasser sich noch immer leicht bewegte. Es war nun so dunkel, dass wir eine Taschenlampe benötigten. Wir waren die Einzigen, die sich nun am Strand befanden, lediglich in weiter Ferne konnten wir ein paar andere Besucher erkennen. Sie mussten sich am Ende des Strandes niedergelassen haben und hatten ebenfalls Lichter angeknipst. Unsere Worte hörten sich in der Stille einsam und verloren an.

„Wollen wir ins Wasser?", fragte ich. Meine Freundinnen schauten mich verblüfft an. „Ihr habt doch vorhin selbst gesagt, dass wir noch einmal baden werden, wenn hier niemand mehr ist", fügte ich verständnislos an.

„Aber hast du denn keine Angst, bei dieser Dunkelheit ins Wasser zu gehen?", fragte Nadine.

„Warum?", entgegnete ich. „Hier gibt es doch keine Haie in der Nähe und die Dunkelheit wird uns nicht beißen."

„Außerdem sind wir nicht allein." Verena deutete mit einer Kopfbewegung in Richtung der fernen Silhouetten.

Ich rollte mit den Augen. „Wir können die doch selbst kaum sehen. Außerdem waren wir den ganzen Tag am Strand und im Wasser, als wesentlich mehr Leute hier waren. Was ist denn dein Problem? Oder meinst du, ich habe vor, nackt zu baden?"

Verena grinste und zuckte mit den Schultern.

Ich stand auf und zog mein T-Shirt aus, das ich mir vorhin über meinen Bikini gezogen hatte, um der Sonne nicht zum Opfer zu fallen. Weil ich so helle Haut hatte, bekam ich schnell einen Sonnenbrand. „Kommt ihr nun mit oder nicht?" Die beiden wechselten einen zweifelnden Blick. „Ihr habt Angst." Das amüsierte mich.

Sofort widersprachen sie vehement, rührten sich aber nicht vom Fleck.

„Wovor denn?“ Belustigt nahm ich ihre Hände und versuchte, meine Freundinnen auf die Beine zu ziehen. Natürlich machten sie sich mit Absicht schwer. Schließlich gab ich auf und watete allein ins Wasser hinein, bis es mir zur Hüfte reichte. Ich fragte mich, wann die beiden nachkommen würden. Das Wasser kühlte meine heiße, verschwitzte Haut und ließ mich wohlig seufzen. Langsam ließ ich mich fallen und tauchte kurz unter. Erst danach drehte ich mich um und sah, dass Nadine und Verena ratlos am Strand standen. „Nun kommt doch endlich rein! Es ist schön hier.“

Zögernd setzten sie sich in Bewegung und kamen im Schneckentempo zu mir. Währenddessen betrachtete ich staunend die Wasseroberfläche, auf der sich funkelnd die Sterne spiegelten. Mit der Hand ließ ich kleine Wellen entstehen und sah mir das Muster an, welches dadurch entstand. Als Nadine und Verena schließlich bei mir angelangt waren, tauchten auch sie mit den Köpfen unter. Zu meiner Überraschung verhielten sie sich ruhig und tobten nicht herum. Gemeinsam betrachteten wir den Mond und schwiegen.

Irgendwann verließen wir das Wasser und gingen zurück. Im Gemeinschaftsbadezimmer des Campingplatzes duschten wir uns, um unsere Haut vom Salz des Meeres zu befreien. Danach kuschelten wir uns müde in unsere Schlafsäcke. Eine Weile waren wir ganz ruhig.

Als ich dachte, meine Freundinnen wären bereits eingeschlafen, begann Verena plötzlich zu sprechen: „Leise schlich sie durch den Keller des Hauses, um heimlich an den Kühlschrank zu gehen und sich eine Tafel Schokolade aus dem Vorrat zu stibitzen. Sie war mitten in der Nacht aufgewacht, weil sie Hunger hatte. Plötzlich kletterte eine große Spinne auf ihre Schulter und in diesem Moment öffnete sich die Falltür unter ihren Füßen.“

Ich musste lachen, bevor mit einem Mal Nadine fortfuhr: „Sie landete schreiend in einem dunklen Raum, wo ihr ein Zombie den Kopf abriss.“

Erneut brach ich in schallendes Gelächter aus. „Ihr seid verrückt“, prustete ich. „Aber ich auch. Ich glaube, jeder ist auf seine Weise ein bisschen daneben.“

„Da hast du wohl recht.“ Nadine kicherte.

Nachdem wieder Stille eingekehrt war, hörte ich Nadine als Erste gleichmäßig atmen, woraus ich schloss, dass sie eingeschlummert war.

Nach ein paar Minuten tat Verena es ihr nach, nur ich konnte nicht einschlafen, obwohl es keinen ersichtlichen Grund dafür gab. Ich hatte heute einen schönen Tag mit meinen Freuden gehabt und war den Umständen entsprechend zufrieden und glücklich. Aber ich glaube, mein Herz hatte gemerkt, dass diese eine geliebte Person trotzdem den ganzen Tag über gefehlt hatte, und ich wusste, ohne John konnte unsere Clique nicht komplett und mein Tag nicht perfekt sein.

Sehnsüchtig holte ich mein Handy aus der Tasche und schaute meine Bildergalerie durch. Das schönste Foto von John behielt ich auf dem Display, legte so das Handy auf meinen Brustkorb und zählte eine lange Zeit meine Herzschläge, bis ich schließlich einschlief.

Am nächsten Morgen wurden wir von einem lauten Knall geweckt und fuhren erschrocken aus unseren Schlafsäcken hoch. Schnell legte ich mein Handy beiseite, welches immer noch auf meinem Herzen gelegen hatte und nun „Akku schwach“ anzeigte.

„Was war das?“, kreischte Nadine panisch.

Es hörte sich an, als würden Kieselsteine auf unser Zelt niederprasseln.

„Es regnet“, stellte Verena außer Atem fest.

Da ertönte wieder ein Knall und kurz danach drang ein heller Lichtstrahl durch den dünnen Stoff des Zeltes, welches im vorbeirauschenden Wind zappelte.

„Ein Gewitter?“, fragte ich. „Hatten die Jungen eine Vorahnung?“

„Anscheinend schon.“ Verena nickte immer noch geschockt.

„Hoffentlich hält das Zelt das aus.“ Nadine machte ein besorgtes Gesicht. Verena stand unerwartet auf. „Wo willst du hin?“ Pure Angst stand Nadine ins Gesicht geschrieben.

Doch da hatte Verena schon das Zelt einen Spaltbreit geöffnet, um hinauszuschauen. Regen wurde vom Wind hereingetragen. Schnell zog sie am Reißverschluss, um die Öffnung zu verkleinern. Ich stellte mich neben sie und wagte ebenfalls einen Blick nach draußen. Einige Camper schauten sich das Gewitter an oder retteten ihre Gartenmöbel und Sonnenschirme vor dem Sturm, die sie wegen des guten Wetters nicht weggeräumt hatten. Andere versuchten verzweifelt, ihre Zelte wiederaufzubauen.

„Wir haben Glück, dass unser Zelt standhält“, meinte ich.

„Bis jetzt.“ Verena nickte.

„Wollen wir rausgehen?“, fragte ich.

„Bist du wahnsinnig?“, schrie Nadine hinter mir.

Immer mehr Blitze zuckten über den Himmel, laute Donnerschläge ertönten und der Regen wurde stärker.

„Das wäre doch der totale Kick.“ Ich grinste. „Willst du in ein paar Jahren nicht sagen können: Ich war beim heftigsten Gewitter in Travemünde dabei und stand im Regen unter der blitzenden Himmelsdecke?“

Ich erkannte ein Glimmen in Verenas Augen, das mir sagte, sie hatte verstanden, was ich meinte.

„Wir werden klatschnass sein.“ Nadine war empört. „Ist das euer Ernst?“

Ich zuckte mit den Schultern. „Vorhin waren wir auch nass.“

„Was ist, wenn wir vom Blitz getroffen werden?“

„Wir sind längst nicht am höchsten Punkt des Strandes, er wird hier nicht einschlagen. Ich will das einfach tun. So eine Chance bekommen wir nie wieder“, beteuerte ich.

„Eine Chance wofür?“ Nadine hatte es immer noch nicht verstanden.

„Um so etwas sehen zu können.“ Ich war schon dabei, meinen Bikini überzustreifen.

„Wir gehen alle.“ Verena zog sich ebenfalls um. „Komm schon, Nadine.“

Sie starrte uns unsicher an. Erst als wir zu zweit nach draußen schlüpfen wollten, entschied sie sich, doch mitzukommen. Bei drei öffneten wir das Zelt und rannten hinaus. Sofort zogen wir den Verschluss wieder zu und nahmen uns an den Händen. Schreiend rannten wir quer über den Campingplatz bis zum Strand und versuchten, nicht auf die entgeisterten Blicke der anderen Leute zu achten. Am Meer blieben wir stehen und beobachten mit weit aufgerissenen Augen die meterhohen Wellen, die der Wind aufgetürmt hatte. Ständig blitzte der mit Wolken übersäte Himmel hell auf und ließ laute Donnerschläge ertönen. Der Regen war so stark, dass er mir auf der Haut brannte, und der Wind ließ mich frösteln.

„Da könnten die Jungen aber gut surfen“, schrie Verena über die tosenden Wellen hinweg. Wir lachten.

Nun bekam ich doch ein bisschen Angst und legte eine Hand auf meinen Bauch, weil ich mich fragte, ob mein Baby das auch spüren konnte.

„Das ist wirklich ein geiles Erlebnis!", schrie Nadine. Ich war froh, dass wir sie umgestimmt hatten.

Gemeinsam machten wir ein paar Schritte Richtung Wasser und ließen die Wellen gegen unsere Beine branden, wobei wir uns anstrengen mussten, das Gleichgewicht zu halten, doch wir hielten uns aneinander fest und stützten uns.

Nachdem wir dieses spektakuläre Naturschauspiel noch eine Weile beobachtet hatten, rannten wir zurück in unser Zelt und trockneten uns hastig ab. Diese Situation erinnerte mich an meinen Albtraum, in dem ich im strömenden Regen auf der Straße gestanden hatte.

Als wir später wieder in unseren Schlafsäcken lagen, fragte ich mich, ob dieses Gewitter vielleicht die Engel hervorgerufen hatten, die heute Nacht um Johns Leben gekämpft hatten, und ich hoffte von ganzem Herzen, sie hatten gewonnen.

Am Morgen wurde ich als Erste munter. Ich rieb mir meine vor Müdigkeit brennenden Augen und richtete mich auf. Da merkte ich, dass meine Haare immer noch nass vom Regen waren. Ich legte mich noch einmal hin und versuchte vergebens, erneut einzuschlafen, weil die anderen noch nicht wach waren. Da mein Handyakku leer war und ich meine Armbanduhr zu Hause gelassen hatte, wusste ich nicht, wie spät es war. Nach einer Weile gab ich das Einschlafen auf und setzte mich hin.

Nun sah ich, dass Nadine gerade die Augen öffnete. Verschlafen gähnte sie ausgiebig und setzte sich ebenfalls auf. Ihre Haare standen in alle Richtungen ab. Erst jetzt bemerkte sie mich und fuhr zusammen. „Wie lange bist du schon wach?", fragte sie geschockt.

„Keine Ahnung, schätzungsweise seit einer halben Stunde."

„Du hättest uns doch wecken können." Sie schaute auf ihr Handy und verkündete: „Es ist elf Uhr."

Ein Schreck durchfuhr mich. „Wann wollte uns Verenas Mutter abholen?"

„Ich glaube um zwölf."

„Wir müssen sie wecken", stellte ich fest.

Nadine nickte und spielte an ihrem Handy herum. „Ich habe auch schon eine gute Idee, wie." Sie grinste und krabbelte zu unserer schlummernden Freundin.

„Was hast du vor?", fragte ich.

„Wirst du gleich sehen." Sie fummelte noch einmal an ihrem Handy herum, bevor sie es Verena ans Ohr hielt.

Ich zuckte zusammen, als das Lied *Highway to Hell* von *AC/DC* auf höchster Lautstärke ertönte.

Sofort schreckte Verena hoch, schrie und fluchte. „Spinnt ihr?"

Nadine tat so, als würde sie E-Gitarre spielen, und nachdem Verena sich von ihrer Wut und ihrem Schreck erholt hatte, hielt sie sich ein imaginäres Mikrofon vor den Mund und sang lauthals und völlig schief mit.

Und ich saß in meiner Ecke des Zeltes und hatte vor Lachen Tränen in den Augen.

Dunkelheit

„Gestern war ein schöner Tag." Ich stockte. „Aber du hast mir die ganze Zeit über gefehlt, egal, wie viel Spaß wir hatten." Ich streichelte Johns Hand und begann nun wie ein Wasserfall zu reden. Ich erzählte ihm alles, was wir gestern gemeinsam erlebt hatten, von dem langen Marsch bis zum Zeltplatz, der Kabbelei mit den Jungen und dem ausgelassenen Toben im Meer.

„Als es schon dunkel war, haben wir uns wieder an den Strand gesetzt und um Mitternacht herum waren wir ein letztes Mal im Wasser. Ich musste Nadine und Verena ganz schön bearbeiten, bis sie endlich mit reingekommen sind." Ich lachte. „Aber es war ein tolles Gefühl, im Dunkeln zu baden. Danach sind wir zurück ins Zelt und erst spät eingeschlafen." Erst als ich das aussprach, merkte ich, wie müde ich war, und zog meinen Stuhl näher an John heran, um meinen Oberkörper auf die Bettkante neben ihn legen zu können. Ich versuchte, ein Gähnen zu unterdrücken, und bettete meinen Kopf auf meinen ausgestreckten Arm. Es fiel mir schwer, die Augen offen zu halten. Ich zwang mich aber, meinen bewusstlosen Freund weiterhin anzuschauen und meine Erzählung fortzusetzen.

„Am frühen Morgen wurden wir von einem schrecklichen Gewitter geweckt. Ich wollte es mir ansehen und habe die anderen überredet, mit mir aus dem Zelt zu gehen. Wir haben uns an den Händen gefasst, damit wir uns nicht verlieren, und sind schreiend zum Strand gerannt. Die Besucher des Campingplatzes haben uns vielleicht Blicke zugeworfen! Aber das war mir in diesem Moment egal. Das Meer hat meterhohe Wellen geschlagen und der Himmel war übersät von schwarzen Wolken und Blitzen. Immer wieder hat man den lauten Donner gehört und es hat nicht lange gedauert, bis wir klatschnass waren, aber wir haben uns vorher unsere Bikinis angezogen. Ich habe also nicht viel geschlafen und ich denke, das werde ich nachholen, sobald ich wieder zu Hause bin. Ein weiterer Grund, weshalb ich dauernd so müde bin, ist vermutlich die Schwangerschaft. Außerdem kann ich nicht schlafen, wenn du nicht da bist."

Ich begann zu weinen. Doch ich erzählte einfach weiter, um mich abzulenken. „Heute Morgen waren Nadine und ich als Erste munter und haben Verena mit einem lauten Lied von AC/DC geweckt." Ich musste lachen, als ich diese Bilder vor mir sah. „Dann haben wir festgestellt, dass wir bald abgeholt wurden, zogen uns schnell an und packten alles zusammen. Es blieb uns nicht mal Zeit zu frühstücken. Deshalb habe ich heute Mittag drei Teller Suppe gegessen. Erst als Verenas Mutter uns abgeholt hat, habe ich erfahren, dass uns unsere Eltern die ganze Nacht über versucht haben zu erreichen, weil sie wissen wollten, ob alles in Ordnung sei. Aber keine von uns hatte unbeantwortete Anrufe auf ihrem Handy, vermutlich gab es wegen des Gewitters keinen Empfang. Unsere Eltern und auch die Jungs haben sich große Sorgen gemacht, aber es ist ja zum Glück nichts passiert. Ehrlich gesagt bin ich selbst überrascht, dass unser Zelt das alles ausgehalten hat. Ich werde jetzt nach Hause fahren, um zu schlafen." Langsam stand ich auf. „Junge mit den blauen Augen, wach bitte bald auf, dein Engel ist bei dir." Ich küsste wie immer seine Stirn, bevor ich den Raum verließ, und sagte: „Ich liebe dich."

Nachdenklich blieb ich im Flur stehen, nachdem ich Johns Krankenzimmer verlassen hatte. Mir kam in den Sinn, dass ich bis jetzt noch nie bei seiner Mutter gewesen war, weil mir die Kraft dazu gefehlt hatte. Nun bekam ich deswegen ein schlechtes Gewissen, obwohl Monika es sowieso nicht merkte, ob ich da war oder nicht. Trotzdem machte ich auf dem Absatz kehrt und versuchte mich an die Zimmernummer zu erinnern, die uns der Arzt am Tag des Unfalles genannt hatte.

Stirnrunzelnd ging ich auf den Raum zu, den ich für den richtigen hielt, und öffnete leise die Tür, weil ich Angst hatte, im falschen gelandet zu sein. Doch zu meiner Erleichterung erblickte ich Johns reglose Mutter im Bett. Ich betrachtete sie eine Weile und biss mir auf die Lippe, als ich schon zu reden beginnen wollte, so wie ich es bei John jeden Tag machte. Ich fragte mich manchmal, ob er vielleicht doch merkte, dass ich bei ihm war, und mich hören konnte. Realistisch betrachtet hielt ich das allerdings für unwahrscheinlich, da ein schlafender Mensch Derartiges nicht wahrnehmen konnte, es sei denn, man sprach laut, um ihn zu wecken.

Plötzlich erinnerte ich mich an Nadines Worte: „Ich bin sicher, er spürt, dass du jeden Tag bei ihm bist, und wird dir zuliebe bald aufwachen."

Nun konnte ich mich nicht länger zurückhalten und begann zu sprechen: „Tut mir leid, dass ich noch nie hier war. Dafür bin ich jeden Tag bei deinem Sohn. Es ist eine Menge passiert, seitdem ihr beide ... schlaft." Ich fand diesen Ausdruck sanfter, denn ich wollte „im Koma liegen" nur aussprechen, wenn es absolut nötig war. „Du wirst nämlich bald Oma, weil ich schwanger bin. Die Antibabypille hat bei mir nicht gewirkt. Ich habe mich entschieden, das Kind zu behalten. Es wird euch helfen, über den Tod von Alexander hinwegzukommen, da bin ich mir sicher. Ich hoffe, du wirst uns helfen, das Kleine großzuziehen. Ich wäre dir sehr dankbar dafür. Es tut mir so leid, dass der Autounfall passiert ist, aber nun können wir nichts mehr ändern. Wacht beide bitte bald auf."

Nach diesem Besuch verließ ich nun endgültig das Krankenhaus und ärgerte mich darüber, dass ich schon wieder zu weinen begonnen hatte.

Am nächsten Tag machte ich mich für den Kinobesuch fertig. Nachdem ich mich umgezogen hatte, entdeckte ich den Schminkkoffer auf meinem Schreibtisch und hielt inne. Ich hatte mich absichtlich nicht mehr geschminkt, seit der Unfall passiert war, weil es keinen Sinn hatte, wenn ich jeden Tag weinte. Außerdem wollte ich Johns Wunsch erfüllen, denn er hatte immer gesagt: „Warum schminkst du dich? Man schminkt sich doch nur, um Makel zu überdecken. Aber du hast keinen einzigen. Außerdem kann ich dich viel mehr lieben, wenn du es nicht tust, weil du nur dann du selbst bist."

Also ignorierte ich meinen Schminkkoffer, verabschiedete mich von meiner Mutter und schwang mich auf mein Fahrrad. Heute war die Luft dank des Gewitters zum Glück nicht mehr so schwül und ich konnte leichter atmen als die Tage zuvor. Aber die Sonne hatte ihren Standpunkt am wolkenlosen Himmel nicht verändert. Es war ein schönes Gefühl, als der Fahrtwind mir die Haare aus dem Gesicht wehte.

Es fühlte sich mittlerweile ganz normal an, dieses Gebäude zu betreten, sich vor Johns Bett niederzulassen und ihm etwas zu erzählen.

„Heute Nachmittag werden wir ins Kino gehen. Wir haben uns entschieden, getrennt hinzufahren. Nadine und Tobias wollen sich vorher am Strand treffen und ich fahre gleich von hier aus dorthin. Ich wollte vorher unbedingt noch bei dir vorbei und bin deshalb schon eher losgefahren. Wir haben uns für eine Komödie entschieden, mal sehen, ob ich lachen werde. Ich weiß nicht, wie ich dir das alles erklären soll, wenn du aufwachst. Es wird nichts mehr so sein wie zuvor. Es macht mich traurig, dass dein Vater tot ist, dass du vielleicht nicht mehr laufen kannst, dass deine Mutter ebenfalls schläft und dass das alles überhaupt passiert ist. In dieser Situation macht mich nur unser Baby glücklich und die Hoffnung, dass du bald aufwachen könntest." Ich wischte mir die Tränen weg, die erneut flossen. „Ich bin froh, mich nicht geschminkt zu haben. Ich hätte wieder wie ein Monster ausgesehen, genauso wie an dem Tag, als ich diesen schrecklichen Albtraum hatte, nachdem ich erfahren habe, dass ihr einen Autounfall hattet. Du wärst stolz auf mich, wenn du sehen könntest, dass ich mich seit Tagen nicht mehr geschminkt habe." Ich stockte und streichelte seine Hand.

„Wenn ich länger über diesen Traum nachdenke, passt eigentlich alles zusammen. Der Regen sollte das Gewitter darstellen, das losbrach, als wir gezeltet haben. Und dass ich auf der Straße stand, sollte mir zeigen, dass ich die Unfallstelle bald besuchen werde, an der ich mit Ben und Larissa ein Kreuz, Kerzen und Blumen aufgestellt habe, um deines Vaters zu gedenken. Die Babyschreie sollten mich auf meine Schwangerschaft hinweisen. Ich habe deine Augen in diesem Wald auf der anderen Straßenseite erspäht, weil ich sie so gerne wiedersehen möchte, und vielleicht sollte das außerdem deinen Zustand symbolisieren. Du bist in einem tiefen Schlaf gefangen wie im Dunkel eines Waldes. Ich wurde von einem Auto angefahren, weil ich euren Autounfall verarbeitet habe. Ausgerechnet meine Beine wurden getroffen, da du deine vielleicht nie wieder bewegen kannst. Und die Schmerzen, die ich dabei fühlte, verdeutlichen die Schmerzen, die ich tatsächlich in meinem Herzen spüre."

Ich musste laut schluchzen und bettete meinen Kopf in meine Hände. Dann lauschte ich schweigend dem Piepen seiner Herzschläge, bis ich mich beruhigt hatte, seine Stirn küsste und zum Abschied sagte: „Lass mich nicht mehr so lange warten. Ich liebe dich."

Nun stand ich vor dem Kino und hielt Ausschau nach den anderen. Wenn wir uns trafen, war ich meistens die Erste. Es war ein seltsames Gefühl, John nicht bei mir zu haben, der sonst stets mit mir zusammen gewartet hatte. Doch schon nach wenigen Minuten fuhr Tobias' Auto auf den Parkplatz und er stieg mit Nadine aus.

„Sollen wir reingehen?", fragte sie. „Wir könnten die Karten schon mal kaufen."

Nachdem ich zugestimmt hatte, betraten wir das Kino und kauften Karten, Popcorn sowie Getränke, dann setzten wir uns auf ein paar Stühle vor dem Saal.

„Der Film fängt in ..." Tobias schaute auf die Uhr über uns. „Er läuft schon seit fünf Minuten", sagte er genervt.

„In den ersten fünfzehn Minuten wird doch sowieso nur Werbung gezeigt", versuchte ich die Situation zu lockern.

„Wollen wir nicht trotzdem schon mal reingehen?", fragte Nadine.

„Verena und Florian wissen aber nicht, dass wir schon Karten für sie gekauft haben", entgegnete ich. Nadine seufzte. Plötzlich durchfuhr mich ein schrecklicher Gedanke. „Vielleicht ist ihnen etwas zugestoßen!" Mir kam diese Situation bekannt vor, auf jemanden zu warten, der nicht erschien ... Ich bekam eine Gänsehaut.

„Bestimmt nicht", meinte Tobias. „Die beiden kommen doch meistens zu spät."

„Soll ich Verena kurz anrufen?", schlug ich vor.

„Nein, lass uns noch ein bisschen warten", bestimmte Nadine.

Zehn Minuten verstrichen, bis ich doch anrief.

„Hallo?", fragte Verena und keuchte.

„Ich bin's, Diana. Wo seid ihr?"

„Schau mal geradeaus."

Ich folgte ihren Anweisungen und sah die beiden das Kino betreten. Erleichtert legte ich auf.

„Wo wart ihr denn?", beschimpfte Nadine die beiden Neuankömmlinge.

„Verena wusste nicht, was sie anziehen sollte, und hat die Zeit vergessen", erklärte Florian belustigt.

„Halt doch die Klappe", fuhr sie ihn an. „Du hast doch gesagt, ich würde in dem pinken Oberteil dick aussehen." Wir konnten ein Lachen nicht unterdrücken, während Verena ihren Freund grimmig anguckte.

„Im Kino ist es dunkel, da sieht sowieso keiner, was du anhast", meinte Florian.

„Noch ein Wort und ..." Verena holte mit ihrer Handtasche aus, als wollte sie ihn damit schlagen. Ihr Freund duckte sich instinktiv und grinste.

„Hört jetzt auf damit! Los, rein da, der Film läuft schon!", forderte Nadine die beiden Streithähne auf.

Nachdem unsere Karten kontrolliert worden waren, betraten wir den dunklen Kinosaal. Der Film lief bereits und der laute Sound dröhnte durch den Raum. Die Plätze waren kaum besetzt, was daran liegen musste, dass nachmittags nicht viele Leute ins Kino gingen. Hier drin war es deutlich kühler und der Geruch von Süßigkeiten lag in der Luft. Jeder von uns hatte mindestens ein Getränk und eine Tüte Popcorn in der Hand, was schwierig zu balancieren war. Außerdem war es so dunkel, dass wir die Stufen kaum erkennen konnten.

Langsam bahnten wir uns einen Weg zu unseren Plätzen. Die Blicke der anderen Kinobesucher machten mich nervös. Plötzlich vernahm ich das Geräusch von klirrendem Glas, das von einer unserer Flaschen stammen musste, deren flüssiger Inhalt in alle Richtungen spritzte. Gleichzeitig fiel eine Popcorntüte zu Boden, die gerösteten Maiskörner flogen in die Luft und verteilten sich im ganzen Saal. Aber am auffälligsten waren das Poltern auf der dunklen Treppe und der darauffolgende Schrei, soweit man ihn über den Lärm des Films hinweg vernehmen konnte. Irritiert blieb ich stehen. Erst als Florian eilig einige Stufen hinunterrannte und Verenas Namen rief, begriff ich, dass sie gefallen war.

Schnell stellte ich meine Popcorntüten ab und lief zu der Stelle, wo Verena jammernd am Boden lag. Sie heulte wie ein kleines Kind und war bedeckt von Popcorn und Cola. Panisch flüsterten wir beruhigende Worte, die niemand sonst verstehen konnte. Es dauerte einige Sekunden, bis ich verstand, dass die Besucher des Kinos nicht wegen uns, sondern wegen des Films lachten. In der Dunkelheit konnte ich nur erkennen, dass Florian Verena vorsichtig auf die Beine zog und sie sich auf den Rückweg machten.

Sofort setzte ich mich ebenfalls in Bewegung, um den Anschluss nicht zu verlieren. Als wir schließlich vor der Tür standen, vergingen noch ein paar Sekunden, bis wir die Türklinke fanden und sie öffnen konnten. Verenas Gesicht war schmerzverzerrt und tränenüberströmt.

„Was tut dir weh?“, fragte Florian besorgt.

Seine Freundin setzte sich. „Mein rechter Arm“, jammerte sie. „Ich glaube, er ist gebrochen.“

Nadine holte ihr Handy aus der Tasche. „Soll ich den Krankenwagen rufen?“

„Nein“, warf Tobias ein. „Sie kann doch noch laufen.“ Nadine zögerte unsicher.

„Er hat recht“, presste Verena mühsam hervor. „Der Krankenwagen wird für dringendere Fälle gebraucht.“

„Dann fahren wir mit meinem Auto ins Krankenhaus.“ Tobias zückte den Schlüssel, während Florian einen Arm um Verenas Taille legte und wir uns gemeinsam auf den Weg nach draußen machten.

„Was ist denn passiert?“, sprach uns die Frau an der Kasse an.

„Sie ist die Treppe hinuntergefallen“, antwortete ich anstatt meiner verletzten Freundin.

Die Dame blinzelte erschrocken. „Ihr hättet doch etwas sagen können, dann hätte ich das Licht angemacht.“ Sie stockte. „Soll ich einen Arzt anrufen?“

„Nein, danke. Wir fahren jetzt ins Krankenhaus“, gab ich zurück.

Sie nickte. „Soll ich dir etwas zum Kühlen holen?“, fragte sie Verena. Diese nickte ergeben, sie stand immer noch unter Schock. Eilig verschwand die nette Frau hinter einer Tür. Genauso schnell, wie sie davongeeilt war, kam sie wieder und überreichte Verena eine kalte Kompresse.

„Danke“, erwiderte sie und legte den Kühlbeutel vorsichtig auf ihren verletzten Arm.

Nachdem wir uns von der hilfsbereiten Kinomitarbeiterin verabschiedet hatten und im Auto saßen, schimpfte Verena los: „So ein Mist! Schaut euch doch bloß an, wie ich aussehe. Das wird nie mehr aus meinen Klamotten rausgehen.“

„An deiner Stelle wäre mir mein Arm wichtiger.“ Tobias fuhr kopfschüttelnd los.

„Aber ich habe Angst, Ärger von meinen Eltern deswegen zu bekommen“, grummelte unsere verletzte Freundin.

„Das wirst du nicht“, war sich Nadine sicher. „Das wird ihnen egal sein, wenn sie merken, dass du Schmerzen hast.“

„Es tut mir so leid“, sagte Florian. „Ich habe noch versucht, dich aufzufangen.“

„Es ist nicht deine Schuld. Mir tut es leid. Wären wir nicht zu spät gekommen, wäre es nicht so dunkel gewesen, ich wäre nicht gefallen und hätte euch auch nicht den Tag verdorben.“

„Das hast du nicht“, beteuerte ich. „Niemand ist schuld. Jetzt ist es passiert und wir können nichts mehr ändern.“

Wenige Minuten später betraten wir das Krankenhaus. Da ich mich hier mittlerweile ganz gut auskannte, wusste ich, wo sich die Notaufnahme befand, und wies den anderen den Weg. Verena und Florian verschwanden im Behandlungsraum, während ich mit Nadine und Tobias auf dem Flur wartete. Eigentlich hätten wir währenddessen John besuchen können. Zum Glück schlugen die anderen das nicht vor, weil es mir peinlich gewesen wäre, vor ihnen hemmungslos in Tränen auszubrechen.

„Da musst du wohl bis Sonntag auf dein Geld warten.“ Tobias grinste.

Ich zuckte mit den Schultern. „Na und?“

Direkt vor uns hing eine Uhr, die ich, ohne den Blick abzuwenden, anstarrte, seitdem wir hier waren. Es war überraschend, wie langsam die Zeit verging, obwohl man nicht selten gesagt bekam: „Das Leben zieht so schnell an einem vorbei.“

Aber ich glaube, wenn man auf etwas wartet, kommt es einem so vor, als würde die Zeit unbeschreiblich langsam vergehen, so wie das Warten auf Johns Erwachen. Ich bekam einen Kloß im Hals, als ich daran dachte, und versuchte, ihn hinunterzuschlucken.

Jetzt ging die Tür des Zimmers auf, welches Verena und Florian vor einer halben Stunde betreten hatten. Unsere verletzte Freundin winkte uns leicht lächelnd mit einem eingegipsten Arm. „Er ist tatsächlich gebrochen, sonst fehlt mir nichts. Ich verspreche euch, nie wieder zu spät zu kommen.“

Wir lachten, wussten wir doch, dass sie dieses Versprechen ohnehin nicht einhalten konnte.

„Es spielt keine Rolle, was du anhast. Die Hauptsache ist, dass es dir gut geht.“ Florian nahm sie erleichtert in den Arm und küsste sie zärtlich.

Schwarze Kleidung

„Ich hasse es, schwarze Sachen zu tragen. Du weißt, ich habe nur wenige davon im Schrank. Ich wollte nie Klamotten in derselben Farbe wie meine Haare tragen, weil sie dann erst richtig zur Geltung kommen, dabei sind sie doch so hässlich. Du würdest mir sofort widersprechen, das ist mir klar. Aber in schwarzen Sachen sehe ich aus, als wollte ich Halloween feiern. Mit meiner blassen Haut könnte ich als Hexe oder Vampir durchgehen. Morgen werde ich schwarz tragen müssen. Wer hat sich das überhaupt ausgedacht? Die Angehörigen werden bei Beerdigungen doch nur noch deprimierter, wenn sie im wahrsten Sinne des Wortes schwarzsehen." Über diesen Wortwitz musste ich grinsen. „Zu meiner Beerdigung würde ich mir wünschen, dass jeder in seiner Lieblingsfarbe erscheint." Ich stockte.

„Es ist schade, dass du dich nicht von deinem Vater verabschieden kannst. Aber vielleicht hätte dir die Kraft dazu gefehlt. Manche wollen schließlich allein sein, um zu trauern." Nun ließen sich die Tränen nicht länger zurückhalten. „Darüber nachzudenken, macht mich nur noch trauriger. Ich möchte dir lieber erzählen, was gestern im Kino passiert ist. Verena und Florian haben sich zwanzig Minuten verspätet. Der Film hatte schon begonnen und der Saal war dunkel, als wir hineingegangen sind. Verena ist die Treppe hinuntergefallen und hat sich den Arm gebrochen. Tobias hat uns sofort ins Krankenhaus gefahren. Am Sonntag wollen wir noch mal ins Kino, um uns den Film wirklich anzusehen. Verena hat jetzt einen Gips um ihren Arm. Es ist ausgerechnet derjenige, mit dem sie schreibt. Aber es sind zum Glück noch über zwei Wochen, bis die Schule wieder losgeht. Bist du bis dahin wohl schon wach?" Ich wartete.

„Wenn du mir doch nur ein Zeichen geben könntest", jammerte ich. „Mit der Zeit habe ich mich damit abgefunden, dass du schläfst, du nicht bei mir sein kannst und ich warten muss, aber diese Ungewissheit über den genauen Zeitpunkt deines Erwachens treibt mich in den

Wahnsinn.“ Ich krallte die Finger in meine Haare. „Wird es vor der Geburt unseres Kindes sein? Vor deinem Geburtstag? Vor Weihnachten? Vielleicht schon nächste Woche? Oder sogar morgen?“ Wieder erwartete ich frustriert eine Antwort. „Ich werde auf dich warten, ich bin hier.“ Vorsichtig stand ich auf und küsste Johns Stirn. „Ich liebe dich.“

Ich versuchte, wieder gleichmäßig zu atmen, als ich in das Zimmer von Johns Mutter ging und mich vor ihr Bett setzte. „Kann ein Mensch so viel ertragen? Jede Frau würde zusammenbrechen, wenn sie erführe, dass ihr Mann tot ist und ihr Sohn vielleicht nicht mehr laufen kann. Keine Ahnung, wie du damit umgehen wirst, aber es wird sicherlich alles andere als einfach sein. Ein Sprichwort heißt: Zeit heilt Wunden. Aber ich glaube, das stimmt nicht. Keine Zeit der Welt könnte uns die Trauer um einen geliebten Menschen vergessen lassen oder jemanden wieder vollends glücklich machen, wenn er den Rest seines Lebens im Rollstuhl sitzen muss. Hoffentlich muss John das nicht, denn noch kann niemand sagen, ob die Lähmung bleibend ist. Warum musste euch dieses Schicksal ereilen? Ihr habt es nicht verdient, so viel Unglück zu erfahren. Niemals habt ihr etwas Schlechtes getan. Es ist ungerecht. Man sagt immer, dass alles seinen Grund hätte, aber ich glaube, das stimmt ebenfalls nicht. Was soll das hier für einen Grund haben? Wem nützt es etwas? Ich verstehe das nicht. Ich glaube, niemand kann das verstehen oder meine Frage beantworten. Vielleicht werden wir den Grund irgendwann erfahren, vielleicht auch niemals.“ Nachdenklich stand ich auf. „Hoffentlich sehen wir uns bald.“ Mit diesen Worten verließ ich das Zimmer und machte mich auf den Weg nach Hause.

Am Nachmittag stand ich bereits vor unserer Haustür und schaute in die Richtung, aus der Nadine und Verena kommen mussten. Sie erschienen fünf Minuten zu spät, was ich aber nicht schlimm fand, denn ich nutzte diese Zeit, um mein Gesicht mit geschlossenen Augen der Sonne zuzuwenden. Als ich die Stimmen der beiden in der Ferne vernahm, schlenderte ich unsere Einfahrt hinunter und wartete auf der Straße auf meine Freundinnen. Nachdem wir uns mit einer Umarmung begrüßt hatten, machten wir uns auf den Weg in die Stadt.

„Unsere Fahrräder stehen immer noch am Kino“, bemerkte Nadine.

„Ich habe meines heute Morgen abgeholt, bevor ich ins Krankenhaus gegangen bin“, sagte ich.

„Ich kann meines gar nicht holen", meinte Verena. „Mein Vater will es mir heute Abend mit dem Auto mitbringen."

„Tut dein Arm denn noch sehr weh?", fragte ich.

„Im Moment geht es, aber gestern Abend konnte ich nicht einschlafen, weil ich solche Schmerzen hatte. Ich habe schon überlegt, ob ich heute lieber zu Hause bleibe, aber ich dachte mir, dass es bestimmt besser wäre, wenn ich mich ablenke. Doch viele Sachen werde ich heute nicht anprobieren können. Manche Ärmel sind zu schmal für den Gips." Sie lächelte. „Hoffentlich falle ich am Sonntag nicht noch einmal die Treppen hinunter, wenn wir wieder ins Kino gehen." Unglaublich, wie Verena es schaffte, über sich selbst zu lachen.

„Anfang nächsten Jahres muss ich mich nach Umstandsmode umsehen", äußerte ich grinsend.

„Ich kann es kaum erwarten, dich mit einem dicken Bauch zu sehen", meinte Nadine.

Wir überquerten eine Straße und sahen schon das Rathaus auf dem Marktplatz vor uns. Die Stadt war überfüllt mit Menschen, die hektisch von einem Laden zum anderen liefen.

„In den Ferien zieht es die Menschen bei schönem Wetter in die Stadt", stellte Nadine fest.

„Ich verstehe nicht, warum es sie nicht eher zum Strand zieht", meinte ich.

„Vermutlich brauchen viele neue Sommerkleidung."

„Wo wollen wir anfangen?", fragte Verena voller Tatendrang.

„Hier", antwortete Nadine. „Wir könnten von hier aus die Geschäfte der Reihe nach abklappern und anschließend gemütlich zurückschlendern."

„Gemütlich zurückschlendern? Ich wette, jede von uns hat eine Menge Einkaufstüten auf dem Rückweg zu schleppen." Ich grinste.

„Ich muss mich heute von meiner Kaufsucht verabschieden, weil ich nur einen Arm freihabe." Verena schmollte theatralisch.

„Und auf dem Rückweg essen wir ein Eis?", wollte Nadine wissen.

„Auf jeden Fall. Ich brauche eine Abkühlung." Verena strahlte.

Voller Elan betraten wir den ersten Modeladen und teilten uns auf, um die Reihen der Kleiderständer durchzuschauen. Nach und nach schob ich die Bügel mit den Sachen weiter und entschied, was mir gefiel, um dann nach meiner Größe Ausschau zu halten. Meine Freundinnen hatten bereits mehrere Kleidungsstücke in den Händen. Energisch arbeitete ich mich weiter und fand schließlich einen hübschen Rock. Dazu entdeckte ich sogar ein passendes Oberteil. Ich ging zu meinen Freundinnen.

„Sieht der gut aus?“ Ich hielt den roten Rock in die Höhe.

„Ja, ich finde, der ist schön“, antwortete Nadine.

Gemeinsam begaben wir uns in die Umkleidekabinen. Ich war als Erste fertig mit dem Umziehen und wartete auf die anderen.

Nadine kam als Nächste heraus und blieb staunend vor mir stehen. „Du siehst klasse aus.“

„Danke. Du auch.“ Sie trug eine kurze Jeans und ein gelbes Top. „Steht dir beides gut.“

Schließlich trat auch Verena aus ihrer Kabine. Wir mussten lachen, als wir bemerkten, dass sie und Nadine dasselbe Oberteil trugen.

„Hast du dir das abgeguckt?“, fragte Verena.

„Nein, und du?“, gab Nadine neckend zurück.

„Ich auch nicht. Dann haben wir wohl denselben Geschmack.“

„Nehmt es doch beide. Ihr dürft es einfach nicht am selben Tag anziehen“, schlug ich vor.

Die beiden warfen sich einen Blick zu und schienen sich ohne Worte zu verstehen. Dann zogen sie den Vorhang ihrer Kabinen wieder zu, um die anderen Sachen anzuziehen, während ich mich weiter umsah. Wie meine Freundinnen probierte ich weitere T-Shirts an. Wir äußerten gegenseitig unsere Meinungen und entschieden uns schließlich, was wir kaufen wollten. Als wir später an der Kasse standen, hatte ich drei Sachen in der Hand, Nadine und Verena jeweils mindestens sechs.

„Verena, denk daran, du wolltest heute nicht so viel kaufen“, erinnerte ich sie ironisch. „Hast du nicht gesagt, dass du nur Schuhe bräuchtest?“

„Ja.“ Sie seufzte. „Aber du kennst mich.“

Nachdem wir bezahlt hatten, stürmten wir sofort in die nächsten Läden und später in ein Schuhgeschäft, um Verena zu beraten. Nach einiger Zeit hatte sie auch die passenden Schuhe gefunden und all unsere Wünsche waren erfüllt. Als wir uns anschließend auf den Weg zum Eiscafé machten, stellte ich mit einem Blick auf meine Armbanduhr fest, dass wir bereits drei Stunden unterwegs waren. Ich war froh, als ich mich endlich setzen durfte und wir unsere Eisbecher bestellten.

„Wir bewundern dich", verkündete Nadine auf einmal. Ich schaute die beiden interessiert an. „Ich meine, wie du mit dieser schwierigen Situation umgehst. An deiner Stelle wären wir vermutlich durchgedreht. Wir können uns gar nicht vorstellen, wie es wäre, wenn Florian oder Tobias solch einen schlimmen Unfall gehabt hätte. Aber du bist stark, du bist wirklich eine Kämpferin."

„Danke." Ich lächelte meine Freundinnen an. „Aber in Wirklichkeit bin nicht ich es, die sich entschieden hat zu kämpfen, sondern das Baby." Ich deutete auf meinen Bauch und begann ihn zu streicheln. „Erst nachdem ich erfahren habe, dass ich schwanger bin, konnte ich aufhören zu trauern, zu weinen und mir Sorgen zu machen. Ich glaube, diese Kraft kommt nicht von mir, sondern von meinem Baby. Ich weiß, das klingt verrückt."

Verena schüttelte den Kopf. „Es ist ganz und gar nicht verrückt. Vermutlich lässt dich die Bindung zu deinem Baby stärker werden. Wir verstehen gut, warum du es nicht verlieren möchtest."

Unvermittelt stellte die Bedienung unsere Bestellungen auf den Tisch. Nachdem wir uns bedankt hatten, begannen wir langsam, unser Eis zu löffeln.

„Ich habe Angst, dass nichts mehr so sein wird wie zuvor, nachdem John aufgewacht ist. Wird er mich noch lieben können, wenn er erfährt, dass er vielleicht nie wieder laufen kann und sein Vater tot ist? Ich werde ihn immer noch lieben, denn das merke ich jeden Tag, besonders jetzt, wo er schläft", sprach ich weiter.

„Das wird er", entgegnete Nadine. „Ich bin sicher, eure Beziehung wird wieder so werden wie vorher. Vielleicht braucht ihr ein bisschen Zeit, aber das wird schon. Ich finde, darüber solltest du dir keine Sorgen machen. Bestimmt wird das Baby ihm genauso helfen wie dir."

„Vielleicht hast du recht." Ich genoss das süße, kalte Eis auf meiner Zunge.

„Das habe ich immer." Nadine grinste.

Nachdem wir unser Eis aufgegessen hatten, kramte Verena mit ihrem unverletzten Arm in ihrer Handtasche und holte mehrere farbige Filzstifte heraus. „Ihr dürft etwas auf meinen Gips schreiben, wenn ihr wollt. Vielleicht bloß euren Namen oder ihr malt etwas. Mir ist das egal. Lasst eurer Fantasie freien Lauf." Sie rückte mit ihrem Stuhl näher zu uns und legte ihren eingegipsten Arm auf den Tisch.

Ich fing an, schrieb mit roter Farbe meinen Namen auf ihren Gips und malte eine bunte Blume daneben. Danach verzierte Nadine die weiße Fläche ebenfalls mit ihrem Namen und zeichnete eine Sonne daneben.

Grinsend betrachtete Verena unsere Werke. „Danke."

Eine Weile blieben wir noch im Café sitzen und genossen die Sonne. Als wir uns später auf den Weg nach Hause machten, mussten Nadine und ich Verena helfen, ihre Einkaufstüten zu tragen.

Abschied

„Heute werden wir deinen Vater beerdigen." Ich streichelte Johns Hand, als wollte ich ihn trösten. „Ich trage ein schwarzes Kleid und passende Schuhe. Mama hat mir heute Morgen die Haare hochgesteckt. Es ist tragisch, einen geliebten Menschen verabschieden zu müssen." Ich stockte. „Heute ist wieder Samstag, was bedeutet, dass ich in der sechsten Schwangerschaftswoche bin und deine Mutter und du nun schon zwei Wochen schlafen."

Meine Stimme brach weg. „Wärst du wütend, weil wir deinen Vater ohne dich verabschieden? Ben hat deswegen nämlich ein schlechtes Gewissen. Aber ich verstehe, warum er das so geplant hat. Niemand kann wissen, wann ihr aufwachen werdet. Wenn das erst in einem Jahr passiert, könnte man nicht so lange mit der Beerdigung warten. Ihr werdet immer einen Ort haben, wo ihr seiner gedenken könnt." Ich wischte mir die Tränen weg. „Ich hoffe, ich werde gleich die Kontrolle über mich behalten und nicht die ganze Kirche mit meinen Tränen unter Wasser setzen. Schließlich kann ich mir hier schon nicht abgewöhnen zu weinen. Doch vermutlich wird es keinem auffallen, weil alle traurig sind. Dein Vater war so ein guter Mensch."

Nachdenklich betrachtete ich für eine Weile Johns Gesicht. „Für alles gibt es einen Grund", sagte ich zu mir selbst. „Vielleicht hat sein Tod wirklich einen Zweck. Er hätte sich vorgeworfen, dem anderen Auto nicht rechtzeitig ausgewichen zu sein, und sich die Schuld für alles gegeben. Möglicherweise sollte es deswegen so sein." Ich schüttelte den Kopf. „Aber ich bezweifele meine Vermutung. Sein Tod hatte keinen Grund, so wie alles andere, was durch den Unfall ausgelöst wurde. Was hat es für einen Grund, dass du vielleicht nie wieder laufen kannst?" Ich wartete auf eine Antwort, die mir schließlich selbst in den Sinn kam. „Vielleicht hätte ich sonst das Baby nicht behalten. Euer Unfall ist der Grund für meine Schwangerschaft und nicht andersherum." Ich runzelte die Stirn. „Es klingt kompliziert. Wenn das so wäre, bliebe jedoch die Frage offen, warum ich jetzt schwanger bin. Warum nicht später, wenn wir wirklich bereit dafür wären?"

Ich hörte Schritte auf dem Flur. „Meine Eltern haben deine Mutter besucht. Vor der Beerdigung wollte ich noch einmal zu dir. Zum Glück sind sie jetzt nicht hier, denn sonst hätte ich nicht in Ruhe mit dir reden können. Aber ich glaube, sie kommen gleich."

Wenig später betraten meine Eltern auch schon den Raum. Sie schlossen leise die Tür hinter sich und stellten sich neben mich.

„Er wird bestimmt bald aufwachen." Mama legte eine Hand auf meine Schulter. „Wir sind stolz auf dich, weil du so gut damit umgehen kannst."

„Nur deswegen kann ich es." Ich führte ihre Hand zu meinem Bauch.

Mama lächelte nur leicht, ich glaube, sie hatte sich immer noch nicht mit meiner Entscheidung abgefunden.

„Ich sage es ungern, aber wir müssen los." Papa deutete auf seine Armbanduhr und richtete nervös seine Krawatte.

Ich nickte und stand auf, um Johns Stirn zu küssen und kaum hörbar zu flüstern: „Ich liebe dich und unser Baby auch."

Danach verließen wir das Krankenhaus und setzten uns ins Auto, um zum Friedhof zu fahren. Als wir ausstiegen, sahen wir ein schwarzes Meer von Menschen, die mir bis auf einige wenige fremd waren. Obwohl ich John schon seit drei Jahren kenne, hatten wir nie richtig Kontakt mit seiner Verwandtschaft gehabt, außer mit seinen Großeltern, die einmal bei ihm zu Besuch gewesen waren, und natürlich mit Ben und Larissa. Unsicher stellten wir uns zu den anderen auf dem Parkplatz.

„Warum versammeln sich alle hier?", fragte Papa. „Müssten wir nicht zum Friedhof laufen?"

„Ich weiß es nicht." Ich stellte mich auf die Zehenspitzen und hielt Ausschau nach Ben oder Larissa.

„Die Trauerfeier beginnt in zehn Minuten", bemerkte Mama.

Da sah ich Ben auf uns zukommen und ging ihm ein paar Schritte entgegen. Wir umarmten uns länger als gewöhnlich.

„Wie geht es dir?" Sofort ärgerte ich mich darüber, diese Frage gestellt zu haben. Natürlich musste es ihm schlecht gehen, wenn ihm in wenigen Minuten die Beerdigung seines Vaters bevorstand.

„Ganz okay“, antwortete er. „Und dir?“

„Mir auch.“ Ich zuckte mit den Schultern, denn mir ging es nicht besser.

„Und ihm?“ Ben legte seine Hand auf meinen Bauch.

„Dem geht es sehr gut, denke ich.“ Ich lächelte. Es war verblüffend, wie sehr er John ähnelte. Ben hatte ebenfalls blaue Augen, aber seine leuchteten nicht so intensiv wie die Johns.

„Wo ist Larissa?“, fragte ich.

„Dort.“ Er zeigte mit dem Finger in ihre Richtung, aber ich konnte sie nicht entdecken.

„Dahinten sind meine Eltern. Wollen wir zu ihnen gehen?“, bot ich an.

Er erklärte sich einverstanden und ich ging voraus, um Ben den Weg zu zeigen. Meine Eltern starrten noch immer ratlos und verwirrt in großem Abstand zu den anderen Gästen in die Luft. Bei diesem Anblick musste ich grinsen. Sie entdeckten uns und sprachen Ben ihr ehrlich empfundenes Beileid aus.

„Es ist schön, Sie wiederzusehen“, meinte Mama. „Schade, dass wir uns nicht schon früher kennengelernt haben als neulich im Krankenhaus.“

„Finde ich auch“, erwiderte Ben. „Sie können mich ruhig duzen.“

„Du uns auch“, verlangte Mama daraufhin.

Nun kam Larissa herbei, um uns ebenfalls zu begrüßen.

„Wir werden jetzt zur Kapelle gehen“, verkündete Ben und führte die Gästeschar über den Friedhof.

Traurig betrachtete ich die verschiedenen Grabsteine und las unwillkürlich die Namen der Verstorbenen. In der Mitte des Friedhofes befand sich eine kleine Kapelle, vor der der Pfarrer auf uns wartete. Als alle dort angekommen waren, führte er uns hinein und wir nahmen auf den Bänken Platz. Ich betrachtete das kirchenähnliche Gebäude von innen mit seinen alten Wänden und den vielen Kerzen, die überall verteilt waren. Als ich den Sarg erblickte, spürte ich, wie ein Messer in mein Herz gerammt wurde. Für einen Augenblick nahm es mir die Luft. Ich versuchte, tief durchzuatmen, fühlte jedoch nur den Kloß in meinem Hals. Der Sarg war schwarz und reichlich verziert. Auf ihm befand sich ein Bukett weißer Blumen. Mir wurde mulmig, als ich daran dachte, dass Alexander so nah bei uns war und doch so fern.

Als ich mich etwas beruhigt hatte, schaute ich mich weiter um: Es waren so viele Trauergäste erschienen, dass die Sitzplätze nicht für alle reichten, obwohl man sich auf den Bänken bereits eng aneinanderdrängte. Viele lehnten sich deshalb stehend gegen die Wände. Die Stille war unbeschreiblich laut. In meinem ganzen Leben habe ich noch nie erlebt, dass so viele Menschen in einem derart kleinen Raum so ruhig sein können.

Während der gesamten Trauerfeier spürte ich das Messer in meinem Herzen und in dem der anderen Trauergäste. Wir fühlten alle denselben unerträglichen Schmerz. Die Kälte in der Kapelle tat mir gut, denn draußen schien die Sonne und strahlte sarkastisch vom klaren blauen Himmel herab. In Filmen regnet es schließlich immer, wenn ein trauriger oder dramatischer Augenblick gezeigt wird, aber im echten Leben trifft das selten zu. Es roch ein bisschen feucht und modrig, so wie man das von alten Gebäuden kennt. Während die Musik der Orgel erklang, legte ich meine kleine Handtasche auf meinen Schoß und versuchte, eine halbwegs gemütliche Position einzunehmen. Ich atmete tief durch, hörte auf die schönen Klänge und beobachtete den Pfarrer, der umringt von Kerzen auf einem Podest mit angeschlossenem Mikrofon stand. Die Musik spielte mehrere Minuten.

Dann begann der Pfarrer zu sprechen: „Wir haben uns heute hier versammelt, um den geliebten Vater, Sohn und Bruder Alexander Hoffmann zu verabschieden. Er starb am sechsten August durch einen tragischen Verkehrsunfall, nachdem er ins Krankenhaus eingeliefert worden war." Wieder ertönte leise eine Orgelmelodie, bevor der Pfarrer weiterredete. „Geboren wurde Alexander Hoffmann am 3. Mai 1968 in Lübeck. Er wurde nur vierundvierzig Jahre jung. Alexander besuchte die Gesamtschule in Lübeck und lernte dort im Frühling 1984 seine zukünftige Frau Monika Brahmst kennen. Nach seinem Schulabschluss begann er eine Lehre zum Industriekaufmann und übte diesen Beruf bis zu seinem Tode erfolgreich aus." Die Orgelmusik setzte wieder ein, nun klang sie fröhlicher. „Am 15. Juni 1988 heiratete er seine geliebte Frau Monika Brahmst. 1990 kam ihr erster Sohn Ben zur Welt, vier Jahre später vervollständigte ihr zweiter Sohn John das Familienglück."

Die Musik klang nun nicht mehr traurig genug, um hierher zu passen, aber sie war gleichzeitig nicht zu fröhlich, um nicht in diesem Moment eingesetzt werden zu können.

„Seine Freizeit verbrachte Alexander am liebsten mit seiner Familie oder er ging angeln oder joggen. Sein Lieblingslied werden wir nun anhören." Der Pfarrer griff unter sein Podest, in dem eine Stereoanlage versteckt sein musste.

Zunächst erschienen mir die Klänge fremd, aber als der Refrain einsetzte, wusste ich, wie es hieß und wer es sang: Robbie Williams mit *Angels*. Krampfhaft versuchte ich, den Kloß in meinem Hals hinunterzuschlucken und die Tränen zurückzuhalten.

Was war das für ein Zufall: Wieso gerade ein Lied mit dem Titel *Engel*? Ich wusste, dass Alexander Musik von vielen verschiedenen Künstlern mochte, doch Ben hatte dieses gewählt. Die Melodie war traurig und dramatisch, ich bewunderte das klar erkennbare Gefühl in der Stimme von Robbie Williams. Sogar der Text passte zu dieser traurigen Situation.

I sit and wait, does an angel contemplate my fate
– ich sitze und warte ab, sinniert ein Engel über mein Schicksal?

Das fragte ich mich in diesem Augenblick auch: Wer hatte über Alexanders Tod entschieden? War es Gott? Ein Engel? Oder war er einfach zur falschen Zeit am falschen Ort gewesen? Als der Refrain begann, Robbie Williams zum Höhepunkt des Liedes kam und noch mehr Gefühl in seine Stimme hineinlegte, obwohl ich dachte, das sei gar nicht mehr möglich, konnte ich meine Tränen nicht länger zurückhalten.

And through it all she offers me protection a lot of love and affection
– und bei all dem bietet sie mir Schutz, viel Liebe und Zuneigung.

Würde auch ich John in dieser schweren Zeit unterstützen können, nachdem er aufgewacht war? War ich dazu in der Lage? Da sang Robbie Williams:

When I come to call she won't forsake me
– wenn ich nach ihr rufe, wird sie mich nicht im Stich lassen.

Ich würde immer für John da sein, wenn er mich brauchte, so viel stand fest.

Nachdem das Lied verstummt war, redete der Pfarrer weiter: „Alexander Hoffmann war ein guter, fröhlicher, hilfsbereiter, anständiger und liebenswerter Mensch. Sein Verlust ist zu bedauern. Doch diese Zeit der Trauer werden wir gemeinsam überstehen. Seine Seele wird in den Himmel übergehen und dort gut aufgehoben sein."

Als wir nach einem gemeinsamen Gebet wieder Platz genommen hatten, verkündete der Pfarrer: „Nun haben einige Angehörige die Chance, noch ein paar Worte zu sagen." Er wandte sich ab und verließ das Podest.

Ein älteres Ehepaar erhob sich und ging nach vorne. Es waren Johns Großeltern, die ich schon kannte. Die beiden nahmen den Platz des Pfarrers ein.

Zuerst sprach Johns Oma: „Ich kann nicht beschreiben, was es für ein Gefühl ist, wenn ein Sohn so jung von einem geht. Aber schließlich hat man keinen Einfluss darauf. Wenn jemand in hohem Alter stirbt, dann sagt man: Es war an der Zeit, dass er geht. Und wenn jemand jung stirbt, dann sagt man: Er ging zu früh. Obwohl ich der Meinung bin, dass Alexander zu früh gegangen ist, gibt es etwas, das mich tröstet. Er hatte alles in seinem Leben, was er sich schon als Jugendlicher gewünscht hatte. Er durfte seine große Liebe heiraten und eine Familie mit ihr gründen, durch die er viel Glück erfahren hat. Mehr wollte er nicht. Aber es ist seltsam und traurig, sein eigenes Kind zu Grabe zu tragen. Eigentlich sollte es andersherum sein. Wir Eltern sollten vor unseren Kindern gehen." Die Frau begann zu schluchzen. „Wir werden ihn immer in unserem Herzen tragen."

Jetzt übernahm ihr Mann das Reden, während er seiner Frau liebevoll und beruhigend über den Rücken strich: „Es gibt nicht viel zu ergänzen, aber ich möchte doch noch etwas sagen. Wir können nicht verstehen, warum Alexander uns bereits so früh genommen wurde. Seine Söhne und seine Frau müssen nun ohne ihn leben. Das ist schrecklich, aber wir können leider nichts mehr daran ändern. Wir werden ihn immer lieben, auch wenn er nicht mehr bei uns ist." Die Augen von Johns Opa glänzten nun ebenfalls vor Tränen. Das Ehepaar nahm sich an der Hand und setzte sich wieder auf seinen Platz.

Als Nächstes standen ein Mann und eine Frau auf, die ich nicht kannte. Sie mussten ungefähr so alt sein wie Alexander. Mit traurigem Blick stellen sie sich wie Johns Großeltern an das Podest.

Der Mann begann zu sprechen: „Alexander war für mich einer der wichtigsten Menschen dieser Welt. Schließlich war er mein Bruder. Ich könnte Tausende Seiten beschreiben, um zu erzählen, was ich alles mit ihm erlebt und geteilt habe. Zusammen mit unserer Schwester sind wir aufgewachsen und haben jeden Tag etwas Neues gelernt. Dass ich heute hier stehe, habe ich nur ihm zu verdanken. So oft hat er auf mich aufgepasst, wenn ich Blödsinn gemacht habe. Er hat mich von der Straße gezogen, wenn Autos kamen, mich festgehalten, wenn ich beinahe tief gefallen wäre. Weil er mich so oft beschützt hat, dachte ich immer, er würde hundert Jahre alt werden. Ich bin unendlich traurig darüber, dass es nicht so gekommen ist."

Er wandte sich vom Mikrofon ab, damit seine Schwester weitersprechen konnte. „Alexander war ein sehr lieber kleiner Bruder. Er hat mir immer geholfen, nicht den Verstand zu verlieren, weil ich oft auf die beiden Jungen aufpassen musste und Boris im Kindesalter sehr schwierig war." Sie warf ihrem Bruder einen Blick zu und lächelte leicht. Auch einige der Trauergäste konnten schmunzeln. Man spürte, wie sie für einen Moment aus ihrer Starre erwachten. „Wir werden ihn sehr vermissen."

Nun sprachen die beiden Geschwister gleichzeitig: „Wir lieben dich, Alexander. Wir werden dich nie vergessen." Dann setzten auch sie sich wieder hin und rieben sich die verweinten Augen.

Ich holte das erste Taschentuch aus meiner Handtasche. Es ärgerte mich, dass ich mir die Haare hochgesteckt hatte, denn so konnte ich mein Gesicht nicht verbergen.

Als Nächstes stand Ben auf. Er schaute in die Menge wie ein trauriger Hund. „Zuerst möchte ich etwas sagen, das noch niemand angesprochen hat, obwohl alle Anwesenden es bereits wissen. Ich möchte zum Ausdruck bringen, wie traurig ich darüber bin, dass meine Mutter und mein Bruder nicht an der Verabschiedung teilhaben können, da sie wegen des Unfalls immer noch im Koma liegen. Außerdem möchte ich ansprechen, dass mein Vater nicht an diesem Autounfall schuld war, sondern ein anderer betrunkener Fahrer. Das macht mich sehr wütend." Überraschenderweise sprach er genau die Gedanken aus, die ich seit dem Unfall im Kopf hatte. „Ich kann den Tod meines Vaters weder verstehen noch ertragen. Zwar mache ich mit meinem Leben weiter, denn ich muss zur Arbeit, muss mich um meine Pflichten kümmern, aber im Herzen trauere ich. Er war der beste Vater, den man sich wünschen kann. Vermutlich würde das jeder behaupten, aber ich könnte mir wirklich keinen besseren Vater vorstellen. Ich bin sicher, John würde dasselbe sagen. Und Mama würde hinzufügen, dass er der beste Mann war, den sie sich jemals wünschen konnte. In so einer Situation weiß man nicht, an was man glauben soll oder ob man überhaupt noch an irgendetwas glauben sollte, wenn Leben so ungerecht verteilt wird. Aber ich kann die Engel dort oben im Himmel nur bitten: Kümmert euch gut um Papa und macht es möglich, dass Mama und John bald aufwachen."

Ben schaute nach oben, als könnte er durch das Dach der Kapelle bis in den Himmel blicken. „Ich spreche nun auch für Mama und John: Wir lieben dich, Papa."

Unwillkürlich musste ich nach diesen bewegenden Worten aufschluchzen. Erst als Ben sich wieder hinsetzte, begann auch er zu weinen.

Nun trat der Pfarrer wieder an sein Pult und sagte: „Wenn noch jemand ein paar Worte sagen möchte, dann kann er jetzt gerne nach vorne kommen." Doch niemand meldete sich.

Es war mir peinlich, vor so vielen Menschen zu weinen, die ich nicht kannte. Der erste Eindruck ist schließlich immer der wichtigste. Aber als ich zum ersten Mal hochschaute und mich umsah, merkte ich, dass jeder weinte. Also musste ich denselben Eindruck von diesen Leuten haben wie sie von mir. Und was hielt ich von ihnen? Obwohl wir alle so verschieden waren, unterschiedlich alt und einen anderen Bezug zu Alexander gehabt hatten, waren wir in diesem Moment gleich. Wir taten alle dasselbe: trauern und weinen. Wir fühlten dasselbe: Verlust und Schmerz. Und wir sahen alle gleich aus: schwarz. Ich konnte mir also keine Meinung über diese Menschen bilden, genauso wenig wie sie sich über mich. Doch eines konnte ich bei jedem Anwesenden fühlen: tiefe, ehrliche Trauer.

Der Pfarrer öffnete gerade die Tür der Kapelle. Wir folgten ihm und den vier Männern, die den Sarg trugen, hinaus. Vor einem Loch in der Erde, das sich inmitten vieler anderer Gräber befand, blieben wir stehen.

Ein schwarzer glänzender Grabstein war dort aufgestellt worden.

Hier ruht in Liebe
Alexander Hoffmann
03.05.1968 – 06.08.2012

„Wir werden seinen Körper nun mit der Erde vereinen, aus der er entstanden ist, während seine Seele in den Himmel übergehen wird", sprach der Pfarrer.

Langsam wurde der geschlossene Sarg in die Grube hinabgelassen. Alle hatten einen großen Halbkreis drum herum gebildet.

Als der Sarg auf dem Grund angekommen war, sagte der Pfarrer: „Möge er in Frieden ruhen." Dann nahm er eine kleine Schaufel, warf mit ihr etwas Erde von dem Haufen neben dem Loch auf den Sarg und gab sie weiter.

Nachdem jeder von uns dasselbe getan hatte, ließen einige zusätzlich Rosen auf den Sarg niederregnen. Dann durften wir Blumen und Kerzen aufstellen und zusehen, wie die Männer das Loch zuschaufelten.

„Ich spreche Ihnen hiermit mein tiefstes Beileid aus und wünsche Ihnen für die Zukunft alles erdenklich Gute." Mit diesen Worten verabschiedete sich der Pfarrer von uns und ging mit seinen Männern davon.

Nun wandten sich die Trauergäste den Angehörigen zu und sprachen ihnen ihr Beileid aus.

Als ich dies zuletzt bei Johns Großeltern tat, fragte mich seine Oma: „Wir kennen uns doch, oder?"

„Ja." Ich nickte noch immer weinend. „Wir haben uns kennengelernt, als sie bei den Hoffmanns zu Besuch waren."

„Du bist Johns Freundin", stellte sein Opa fest.

„Genau." Ich nickte.

„Wie hübsch und erwachsen du geworden bist", schwärmte die Oma. „Es ist bestimmt schon ein oder zwei Jahre her, dass wir uns das letzte Mal gesehen haben. Und eure Liebe hat gehalten. Alle Achtung. Es tut mir schrecklich leid für dich, dass John im Koma liegt."

„Danke. Aber für Sie ist es bestimmt noch schlimmer", erwiderte ich.

„Du kannst uns duzen. Wir sind Anne und Reinhold. Leider haben wir deinen Namen vergessen", bedauerte Johns Oma.

„Ich weiß noch, dass er mit einem D anfing", bemerkte Reinhold.

„Diana“, stimmte ich zu. Ich erwiderte das freundliche Lächeln des alten Ehepaares und wischte mir die Tränen weg.

Es dauerte noch einige Minuten, bis alle ihre Rituale beendet hatten, und Ben verkündete: „Wir werden nun in den Gasthof fahren und treffen uns dort wieder. Diejenigen, die nicht wissen, wo sich das Ziel befindet, können unserem Auto folgen.“

Also verließen wir den Friedhof und gingen zurück zum Parkplatz, wo wir getrennt in unsere Wagen stiegen. Ich nutzte die Fahrt, um mich in meinem kleinen Spiegel zu betrachten, den ich stets bei mir führte, und meine Haare zu ordnen. Ich musste sicherstellen, dass ich nicht so verheult aussah, wie ich mich fühlte.

In der Gaststätte war eine lange Tafel aufgebaut worden, auf der Tee, Kaffee, verschiedene Torten und Kuchen standen. Wir nahmen in der Nähe von Ben, Larissa und Johns Großeltern Platz.

Nun erhob sich Johns Bruder und schlug leicht mit seinem Löffel gegen die Tasse, um die Aufmerksamkeit der Gäste zu bekommen. „In stillem Gedenken an meinen wunderbaren Vater werden wir nun gemeinsam Kaffee trinken. Ich hoffe, trotz dieser Situation hat jeder ein bisschen Hunger mitgebracht. Ich wünsche allen einen guten Appetit.“

Sofort nahm ich mir ein Stück Schokoladentorte. Beim Essen legte ich unauffällig eine Hand auf meinen Bauch, weil ich an mein Baby denken musste. Seinetwegen hatte ich Heißhunger auf Schokolade. Dass es eine Vorliebe für Süßigkeiten besaß, hatte mir mein Kind schon bei der Nutella-Attacke deutlich gemacht. War es Einbildung, dass es mir durch die Schokolade besser ging? Angeblich soll sie glücklich machen. In diesem Moment erfüllte sie ihren Zweck zwar nicht, aber dafür minderte sie meine Traurigkeit ein klein wenig und schützte mich davor, erneut in Tränen auszubrechen.

Das unangenehme Schweigen am Tisch war mir bis jetzt nicht aufgefallen. Nur ab und zu hörte man jemanden leise etwas sagen. Alle schienen ziemlich mitgenommen zu sein oder trauten sich nicht, die Stille zu durchbrechen.

Bevor ich mir das zweite Stück Kuchen nahm, beugte ich mich schräg über den Tisch, um Ben etwas zu fragen: „Meinst du, ich sollte es den anderen sagen? Würde das die Stimmung vielleicht heben oder wäre das nicht angebracht?“

Ben und Larissa wechselten einen Blick. Dann antwortete er: „Ich habe keine Ahnung. Wenn du möchtest, kannst du es ihnen gern sagen, denn spätestens in acht Monaten werden sie es sowieso erfahren."

Ich nickte und setzte mich wieder normal hin. Nachdem ich mich kurz gesammelt hatte, sprach ich seine Großeltern an: „Ich habe Neuigkeiten." Interessiert wandten die beiden sich mir zu. Ich konnte es kaum erwarten, meine Freude mit anderen zu teilen. „Ich bin schwanger."

Die älteren Leute schauten mich erschrocken an und meine Eltern warfen mir einen Blick zu, der zu bedeuten hatte: „Warum erzählst du es ihnen jetzt?"

„Ich habe mich entschieden, das Baby zu behalten", fügte ich hastig hinzu.

Die Oma legte eine Hand auf ihr Herz. Ich bekam Angst, sie würde gleich umkippen. „Hast du das gehört, Reinhold? Das Mädchen ist schwanger!" Nun blickten auch Alexanders Geschwister zu uns her, die neben den Großeltern saßen.

„Wie alt bist du denn?", fragte der Opa.

„Ich werde in drei Monaten sechzehn."

„Wir wissen natürlich, dass Diana noch sehr jung ist, aber wir konnten sie nicht davon abbringen, das Baby zu behalten", mischte sich Papa ein.

„Ich finde es seltsam, dass Diana vor mir schwanger ist", warf Larissa grinsend ein. „Du bist schließlich acht Jahre jünger als ich."

„Vielleicht werden wir auch eher heiraten als ihr. Schließlich soll unser Kind einen Nachnamen haben." Ich lächelte.

Mama trat unter dem Tisch mit Absicht gegen mein Bein. Ich schaute sie fragend an, obwohl ich genau wusste, warum sie das getan hatte.

„Wie weit bist du?", fragte Alexanders Bruder.

„In der sechsten Woche", verkündete ich stolz. Durch unser Gespräch waren auch die anderen Gäste ermutigt worden, sich zu unterhalten. „Ich heiße übrigens Diana", stellte ich mich vor.

„Ich bin Boris", meinte er. „Und das ist meine Frau Petra." Sie gab mir die Hand.

„Und ich heiße Nora", fügte Boris' Schwester hinzu. „Das ist mein Mann Bernhard." Er nickte mir zu. „Du willst das Kind wirklich behalten? Aber es war sicherlich nicht geplant, oder?", wollte sie wissen.

„Nein, es war reiner Zufall, dass es zu diesem Zeitpunkt passiert ist."

Oder Schicksal. „Aber ich bin froh darüber, dass es nun so ist. John und ich wollen später Kinder haben, und wenn es nur jetzt geht, dann ergreife ich diese Chance."

„Ihr scheint euch wirklich zu lieben", stellte Nora fest.

„Ja", sagte ich. „Das werden wir immer tun."

Als ich am Sonntag Johns Zimmer betrat, fielen mir als Erstes die vielen Briefumschläge auf, die sich auf einem weiteren Tisch in der Ecke des Raumes stapelten. Ich nahm ein paar davon in die Hand. Es mussten Genesungskarten sein, die seine Verwandten zurückgelassen hatten.

„Ich hoffe, diese guten Wünsche werden hier nicht mehr lange ungelesen herumliegen." Ich setzte mich vor sein Bett. „Die Beerdigung gestern war sehr schön, soweit man eine Beerdigung als schön bezeichnen kann. Ich will eigentlich damit sagen, dass es eine würdevolle, gelungene Verabschiedung von deinem Vater war. Du hast mir sehr gefehlt. Ich habe deinen Großeltern und deinen Tanten und Onkeln gesagt, dass ich schwanger bin. Sie haben unterschiedlich darauf reagiert, aber sie waren alle sehr interessiert. Ben hat eine bewegende Rede gehalten und ein paar Worte für dich und deine Mutter mitgesprochen. Das hat mich sehr berührt. Er hat gesagt, er hoffe, dass sich die Engel im Himmel gut um euren Vater kümmern und es möglich machen, dass du und deine Mutter bald aufwachen werden. Du hast gesagt, ich wäre ein Engel, also müsste ich diese Aufgabe doch übernehmen, oder?" Ich hatte mir angewöhnt, vergebens auf eine Antwort zu warten.

„Ich befinde mich zwar nicht im Himmel, aber hoffentlich kann ich diese Aufgabe trotzdem erfüllen." Ich streichelte seine Hand. „Jedenfalls habe ich mich gut mit deiner Verwandtschaft verstanden und wir haben sogar unsere Telefonnummern ausgetauscht." Ich lächelte. „Wir alle haben viele Tränen vergossen. Nach der Beerdigung war ich mit meinen Eltern an der Unfallstelle. Papa hat eine Blume gepflanzt und Mama und ich haben neue Kerzen aufgestellt." Ich stockte. „Ich hoffe, ich kann bald wirklich mit dir reden, sodass du mich verstehen und mir antworten kannst." Ich stand auf und küsste seine Stirn. „Ich liebe dich."

Dann ging ich in das Zimmer von Johns Mutter. „Gestern haben wir deinen Mann beerdigt. Ich habe vieles über Alexander erfahren, das ich noch nicht wusste. Es ist schön, dass ich jetzt mehr über ihn weiß. Ich habe mich gut mit allen verstanden. Einigen habe ich erzählt, dass ich schwanger bin. Ich überlege schon, wie ich es euch beibringe, wenn ihr aufwacht. Es wird komisch sein, euch all das noch mal zu erzählen, was ich euch eigentlich bereits gesagt habe." Ich stockte. „Ben meinte, dass Alexanders Leben zu Ende ging und dafür das Leben unseres Kindes anfängt." Ich legte eine Hand auf meinen Bauch. „Ich glaube, ich habe einen Grund gefunden. Vielleicht bin ich schwanger, weil Alexanders Leben zu Ende ging oder andersherum. Ein Teil seiner Seele ist hier auf der Erde geblieben und in unser Baby übergangen. Und bald werden wir ihn kennenlernen."

Blauer Schimmer

„Gestern waren wir erneut im Kino. Ich habe die Wette gewonnen und Florian hat mir meine fünf Euro gegeben. Der Film war schön und ich konnte sogar lachen." Ich schmunzelte, als ich mir die lustigsten Szenen wieder ins Gedächtnis rief. „Es war wirklich ein Wunder, dass die Jungen nicht kurzerhand in den anderen Kinosaal gegangen sind, in dem Batman lief. Sie wollten diesen Film unbedingt sehen, deshalb werden sie ihn sich nächste Woche mit ein paar Freunden angucken. Heute Nachmittag werde ich mich mit Nadine und Verena treffen. Wir wollen einfach ein bisschen Zeit in unserem Garten verbringen, weil Verena mit ihrem Gips ohnehin nicht viel unternehmen kann. An den Strand kann sie jetzt sechs Wochen nicht, zumindest nicht ins Wasser. Sie tut mir ziemlich leid." Ich machte eine Pause.

„Es sind zwar noch acht Monate bis zur Geburt unseres Babys, aber ich habe mir schon Namen überlegt. Natürlich nehmen wir sie nur, wenn du damit einverstanden bist. Ich hoffe, dass du überhaupt bis dahin aufgewacht bist, sonst muss ich diese Entscheidung alleine treffen." Ich atmete tief durch und versuchte, nicht daran zu denken, wie es wäre, wenn das tatsächlich so lange dauern würde. „Wenn es ein Mädchen ist, dann würde ich es Joana nennen. Das ist eine Mischung aus unseren Namen: John und Diana. Es ist wirklich seltsam, dass dabei ein Name herauskommt, den es wirklich gibt. Wenn es ein Junge ist, würde ich ihn nach deinem Vater benennen. Ich fände es schön, wenn sein Name in eurer Familie nicht verloren gehen würde und wir uns so an ihn erinnern könnten. Wir würden Alexander damit eine große Ehre erweisen. Was meinst du? Was hättest du für Vorschläge?" Wieder wartete ich kurz. „Natürlich, ich bekomme keine Antwort."

Ich weinte aus Verzweiflung. „Bitte, John. Ich vermisse dich so sehr und ich bin sicher, unser Baby spürt das auch. Bitte, wach auf, dein Engel ist bei dir." Ich schluchzte und betrachtete liebevoll sein Gesicht. Als ich mich wieder etwas beruhigt hatte, trocknete ich meine Tränen und lauschte eine Weile dem rhythmischen Piepen seiner Herzschläge, während ich seine Hand streichelte.

Plötzlich blinzelte er.

„John?", fragte ich aufgeregt.

Hatte ich mir das bloß eingebildet? Doch da blinzelte er wieder und öffnete langsam die Augen. Mein Herz setzte einen Schlag aus. Ich konnte nicht fassen, dass er aufwachte, nachdem ich ihn darum angefleht hatte. Ich wusste nicht, wie ich reagieren sollte. Ratlos betrachtete ich den roten Knopf neben seinem Bett, mit dem man einen Arzt rufen konnte. Doch ich benutzte ihn nicht. Ein blauer Schimmer drang durch seine halb geöffneten Lider.

Ich rückte näher zu ihm heran und sagte: „John? Kannst du mich hören? Kannst du meine Hand drücken?" Mein Herz raste vor Aufregung. „Es ist alles gut, sieh mich an." Nun spürte ich einen leichten Druck an meiner Hand und lächelte. Langsam wandte er den Kopf in meine Richtung und sah mir direkt in die Augen. Aber ich spürte keine Schmetterlinge bei seinem Anblick, so wie es sonst immer gewesen war. Ich war viel zu angespannt, denn jetzt würde ich ihm alles erzählen müssen. Das fühlte sich an wie die schwerste Aufgabe meines Lebens.

„Diana?" Es war seltsam, seine Stimme nach so langer Zeit zu hören. Sie klang schwach und leise.

„Ja, ich bin hier." Ich musste ein Schluchzen unterdrücken, denn das würde ihn nur noch verwirrter machen.

„Ich spüre meine Beine nicht mehr."

Das Messer in meinem Herzen konnte ich deutlich spüren, als er das sagte. Natürlich merkte er es. Wo sollte ich jetzt anfangen?

„Was ist passiert? Wo bin ich?" Er schien sich an nichts erinnern zu können.

Ich rang nach Luft und war unfähig zu antworten. Eigentlich war es gut, dass ich es ihm nun erzählen würde. Meine Befürchtung war ohnehin gewesen, dass er die Neuigkeiten nicht so gut verkraftet hätte, wenn ein Arzt sie ihm überbracht hätte.

„Diana, was ist mit meinen Beinen?" Er schaute mich panisch an.

Ich zwang mich ruhig zu sprechen, obwohl ich einen dicken Kloß in meinem Hals spürte. „Soll ich einen Arzt rufen?" Wenn er Schmerzen hatte, musste ich selbstverständlich einen Doktor dazuholen.

„Nein. Sag mir einfach, was los ist", verlangte er.

Um ihn nicht länger auf die Folter zu spannen, bemühte ich mich, einen Anfang zu finden. „Nachdem deine Eltern dich von Michael abgeholt haben, hattet ihr einen schweren Autounfall. Du hast sechzehn Tage hier im Krankenhaus im Koma gelegen."

John schaute mich nachdenklich an, als würde er krampfhaft versuchen, sich an etwas zu erinnern.

Nun musste ich die Worte aussprechen, die unvermeidlich waren und mir doch unheimlich schwer über die Lippen kamen. „Bei dem Unfall wurde deine Wirbelsäule verletzt und dadurch dein Knochenmark geschädigt. Die Ärzte wissen nicht, ob die Lähmung deiner Beine bleibend ist. Das wird man erst in ein paar Wochen sehen können."

Ich konnte seinen Blick nicht deuten, aber ich erkannte, dass er den Tränen nahe war. Er konnte es nicht ertragen, so viel Schlechtes auf einmal zu erfahren.

„Es tut mir so leid." Ich sammelte mühsam ein paar Worte zusammen, um ihn zu trösten. „John, ich werde dich immer lieben, und zwar genauso wie du bist. Für mich würde es keine Rolle spielen, wenn du nicht mehr laufen könntest. Ich liebe dich."

„Ich liebe dich auch." Er streichelte sanft meine Hand, die seine noch immer festhielt. „Was ist mit meinen Eltern?", fragte er als Nächstes.

Ich hatte gewusst, dass das kommen würde. „Deine Mutter liegt immer noch im Koma, aber sie befindet sich in einem stabilen Zustand, das heißt, sie wird auch bald aufwachen." Ich stockte. Es kostete mich unendlich viel Kraft, den nächsten Satz hervorzubringen. „Die Ärzte haben alles für deinen Vater getan, was in ihrer Macht stand, aber dein Vater ist gestorben." Ich biss mir auf die Unterlippe und versuchte weiterhin, die Tränen zurückzuhalten.

John wandte sein Gesicht ab, er ließ meine Hand los, um es zu verdecken, und begann still zu weinen.

Ich konnte es nicht ertragen, ihn so zu sehen. „Du kannst dir nicht vorstellen, wie leid es mir tut", schluchzte ich. „Und wie froh ich bin, dass du endlich aufgewacht bist. Auch wenn du es nicht gemerkt hast, ich war jeden Tag bei dir, außer an den ersten drei Tagen, weil es mir da so schlecht ging."

Immer mehr Tränen strömten mir über die Wangen. Doch ich wischte sie mir schnell weg. Dann setzte ich mich halb auf Johns Bett, dicht neben ihn, und nahm ihn in die Arme. Noch nie hatte ich ihn so traurig gesehen. Und ich konnte nichts tun, außer ihn festzuhalten. Vorsichtig streichelte ich seinen Rücken, bis er sich einigermaßen beruhigt hatte.

„Ich werde dich, so oft es geht, besuchen, wir stehen das zusammen durch", flüsterte ich.

Er nickte bloß und nahm wieder meine Hand. „Ich habe gespürt, dass du da warst."

Ich schaute ihn verwundert an. „Was?"

„Ich habe gemerkt, dass du da warst."

„Du hast meine Stimme gehört?", fragte ich ungläubig.

„Ich habe dich in meiner Nähe gespürt und gemerkt, dass du meine Hand gehalten und mir einen Kuss auf die Stirn gegeben hast. Manchmal habe ich deine Stimme gehört, doch ich konnte nie verstehen, was du gesagt hast. Aber kurz bevor ich wieder zu Bewusstsein kam, da habe ich dein Flehen gehört, dass ich aufwachen soll, und bin deiner Stimme gefolgt."

Ich lächelte. „Das ist unglaublich." Ich stockte. „Aber wie geht es dir jetzt? Hast du Schmerzen?"

„Ja, mein Kopf und mein Rücken tun weh."

„Ich werde einen Arzt holen und Bescheid sagen, dass du wach bist." Er nickte. „Bis gleich." Sobald ich die Tür geschlossen hatte, brach ich im Flur erneut in Tränen aus. Nun konnte ich ihnen freien Lauf lassen. Ich weiß nicht, ob ich aus Freude weinte, weil John endlich aufgewacht war, oder ob das Mitgefühl und die Aufregung dafür verantwortlich waren. Doch als ich mich einigermaßen im Griff hatte, ging ich zügig zum Büro von Dr. Böhmer und klopfte mehrmals laut an. Es öffnete niemand. Natürlich hätte ich auch einfach auf den roten Knopf in Johns Zimmer drücken können, damit jemand kam, aber ich wollte zuerst mit dem Arzt alleine sprechen und keine Panik auf der Station auslösen.

Also eilte ich eine Etage tiefer zur Rezeption und fragte die Frau, die sich dahinter befand: „Können Sie bitte Dr. Böhmer zur Intensivstation rufen? Es geht um einen Patienten."

„Natürlich, einen Moment, bitte", antwortete die Schwester. Nachdem sie ihn angerufen hatte, meinte sie: „Er kommt sofort."

„Danke."

Ich ging zurück zur Station, auf der John lag, und ließ mich auf den ersten Stuhl plumpsen, den ich entdeckte. Um mich für das Gespräch mit dem Arzt zu wappnen, atmete ich tief durch.

Es dauerte nicht lange, bis ich ihn entdeckte. „Hallo, Diana", rief er mir von Weitem durch den Flur zu. Als er bei mir angekommen war, gaben wir uns die Hand. Beim Aufstehen fühlte ich mich unsicher, weil meine Knie vor Aufregung noch immer zitterten. „Was gibt es?", fragte er.

„John ist vor ein paar Minuten aufgewacht."

„Das freut mich." Er lächelte. „Hast du schon mit ihm gesprochen?"

„Ja, ich habe ihm alles erzählt. Ich denke, er steht unter Schock."

„Und du?" Ich schaute ihn irritiert an. „Stehst du unter Schock?", verdeutlichte er seine Frage.

Ich sog scharf die Luft ein. „Ein bisschen." Das war untertrieben. „Es war nicht einfach, ihm so viele schlechte Nachrichten zu überbringen."

„Ich bin sicher, du hast das gut gemacht." Dr. Böhmer versuchte mich zu beruhigen. „Wie geht es ihm denn?"

„Er hat Kopf- und Rückenschmerzen."

„Das kommt durch die Gehirnerschütterung und den Wirbelbruch." Der Arzt setzte sich in Bewegung.

Ich folgte ihm. „Er hat gesagt, dass er meine Anwesenheit gespürt hätte und dass ich seine Hand gehalten habe. Ist das möglich?"

„Ja, das ist es. Viele Komapatienten erzählen von Begegnungen, die tatsächlich stattgefunden haben. Manche Menschen spüren nichts, wenn sie bewusstlos sind, andere können fast alles wahrnehmen. Es ist auch möglich, während eines Komas zu träumen, denn im Grunde schläft man ja nur", erklärte er.

Ich erschrak. „Das würde bedeuten, dass er auch mitbekommen haben könnte, wie man ihn behandelt hat, als sein Herz aussetzte?"

„Das kann ich dir nicht sagen."

Als wir vor der Tür zu Johns Zimmer ankamen, erklärte mir Dr. Böhmer sein weiteres Vorgehen: „Ich werde ihn jetzt untersuchen und gegebenenfalls Medikamente verabreichen. Das könnte einige Minuten dauern. Wenn du später noch einmal zu ihm willst, kannst du so lange draußen warten."

Ich nickte. „Ich werde unterdessen Johns Bruder benachrichtigen."

„In Ordnung, dann muss ich ihn nicht anrufen."

Als der Arzt im Zimmer verschwunden war, rannte ich aus dem Krankenhaus und wählte mit zittrigen Fingern Bens Nummer. „Hi, hier ist Diana. Wie geht's dir?"

„Hey, es geht so. Und dir?" Ben klang erschöpft.

„Danke, ziemlich gut. Und gleich wird es dir auch besser gehen", versprach ich. „John ist nämlich aufgewacht."

Ein erleichterter Seufzer drang durch den Hörer. „Bin ich froh, da fällt mir ein Stein vom Herzen. Wann ist das passiert und wie hat er reagiert?"

„Erst vor wenigen Minuten. Er ist geschockt und hat sofort gemerkt, dass er seine Beine nicht mehr spüren kann", erzählte ich.

„Das kann ich mir vorstellen. Aber was hat er dazu gesagt, dass du schwanger bist?"

„Das ist das Einzige, das ich ihm bis jetzt verschwiegen habe. Er hat erst mal genug zu verarbeiten und morgen geht es ihm bestimmt ein bisschen besser. Dann werde ich es ihm sagen."

„Ich versuche ab jetzt, jeden Abend ins Krankenhaus zu fahren."

„Also werden wir uns in den nächsten Tagen sehen? Um welche Uhrzeit wirst du kommen?"

„Etwa gegen sechs. Früher schaffe ich es nicht wegen der Arbeit. Es wäre schön, wenn wir uns sehen."

„Ja, klar. Ich werde da sein. Bis demnächst."

„Ja, bis dann."

Ich legte auf und schaute noch ein paar Minuten der Sonne entgegen. Heute hatte sie zum ersten Mal seit sechzehn Tagen wieder einen Grund zu scheinen. Nun wählte ich Nadines Nummer.

„Ich habe eine gute Nachricht", verkündete ich.

„Es sind Zwillinge?", riet sie.

Ich musste lachen. „Nein, John ist wach", verkündete ich freudestrahlend.

Es dauerte einen Moment, bis meine Freundin die richtigen Worte fand. „Warst du dabei?"

„Ja, es war gerade eben. Und es war so schlimm, ihm das alles beizubringen. Ich will auch gleich wieder zu ihm, ich erzähle euch alles heute Abend ausführlich. Könnten wir uns etwas später treffen? Ich möchte noch ein bisschen bei John bleiben."

„Klar, schreib mir einfach eine Nachricht, wenn du wieder zu Hause bist. Ich freue mich so für euch." Nachdem ich das Telefonat beendet hatte, betrat ich wieder das Krankenhaus und wartete vor Johns Zimmer. Ich wusste nicht, was ich gleich sagen sollte, wenn ich wieder bei ihm war. Mir fiel in meiner Aufregung nichts ein, aber ich hoffte, das würde sich ergeben.

Da kam der Arzt aus dem Zimmer und erklärte: „Es geht ihm den Umständen entsprechend gut. Er wird eine lange Bettruhe einhalten müssen, damit der Bruch heilen kann."

Erleichtert atmete ich auf. „In Ordnung, danke."

Der Arzt nickte und verabschiedete sich, da er noch andere Patienten hatte.

Nach einem kurzen Zögern drückte ich die Türklinke leise hinunter und betrat das Krankenzimmer. Dabei versuchte ich, entspannt auszusehen, doch wir beide waren unsicher und befangen. Ich setzte mich neben sein Bett und nahm reflexartig seine Hand.

„Bist du sehr müde?", fragte ich. „Soll ich gehen? Ich werde jeden Tag wiederkommen."

„Nein, es geht", antwortete er.

„Ben und Larissa wollen heute Abend vorbeikommen, sie wollen dich ab jetzt jeden Tag besuchen. Ich habe gerade mit deinem Bruder telefoniert."

„Das ist schön", war alles, was er erwiderte.

„Dein Engel hat seine Aufgabe nicht richtig erfüllt", meinte ich. „Er konnte dich nicht davor beschützen, hier zu landen und dieses Unglück zu erleben."

„Doch, ich finde, er hat ziemlich gut funktioniert. Vielleicht war er der Grund, weshalb ich überhaupt überlebt habe."

Langsam ließ die Anspannung nach, als ich John beim Schlafen zusah. Der Arzt hatte ihm Schmerzmittel gegeben und nun schlummerte er schon seit einer halben Stunde. Ich hatte meinem Freund gesagt, er solle ruhig die Augen schließen, wenn er müde sei, und kurz darauf war er auch schon eingeschlafen. Es war merkwürdig, ihn jetzt wieder schlafen zu sehen. Denn ich wusste, dass ich ihn jederzeit wecken konnte. Das beruhigte mich sehr.

Diesmal verließ ich das Krankenhaus mit einem völlig anderen Gefühl. Ich war nicht frustriert, noch länger warten zu müssen, und ich hatte keine Angst mehr. Einerseits machte es mich glücklich, dass John endlich aufgewacht war, andererseits spürte ich Schmerz, Sorge und Ratlosigkeit in mir. Was sollte ich sagen, wenn ich ihn morgen wieder besuchte? Wie sollte ich ihm erklären, dass ich schwanger war? Ich nahm mir vor, mir darüber nicht länger den Kopf zu zerbrechen, aber den gesamten Heimweg über tat ich unwillkürlich nichts anderes.

Als ich zu Hause ankam, war meine Mutter noch nicht von der Arbeit zurück. Also kochte ich das Mittagessen.

Nach einer halben Stunde öffnete sie die Tür. „Hier riecht es aber gut“, lobte Mama mich.

„Danke.“ Ich konnte mich nicht zurückhalten, sondern musste es ihr sofort erzählen. „Als ich heute Morgen im Krankenhaus war, ist John aufgewacht.“

„Was?“, schrie Mama und umarmte mich herzlich. „Ich freue mich so!“ Ich lächelte wegen ihrer Begeisterung. „Und was hat er dazu gesagt, dass er Vater wird?“

Ich schüttelte den Kopf. „Ich habe es ihm noch nicht gesagt. Ihm geht es sehr schlecht wegen seines eigenen Zustands und Alexanders Tod.“

Mama nickte mitfühlend.

Nach dem Essen stellte ich Stühle, Liegen und den Sonnenschirm auf die Terrasse und bereitete gekühlte Getränke vor. Meine Freundinnen klingelten pünktlich an der Tür und umarmten mich zur Begrüßung. Anschließend setzten wir uns in den Garten.

„Nun erzähl“, sagte Verena neugierig.

Ich zuckte mit den Schultern. Wo sollte ich anfangen? „Ich weiß nicht recht, wie ich mit ihm umgehen soll. Es fühlt sich nicht mehr so unbeschwert wie früher an, wenn ich mit ihm rede.“

„Das ist doch normal“, erwiderte Verena. „Nach allem, was passiert ist, braucht ihr etwas Zeit, um wieder miteinander warmzuwerden. John ist bestimmt noch verwirrter als du. Aber ich bin mir sicher, das wird besser werden, je öfter ihr zusammen seid.“

„Vermutlich hast du recht“, stimmte ich zu. „Ich habe ihm noch nicht einmal gesagt, dass ich schwanger bin. Ich habe Angst davor, wie er reagieren wird.“

„Das wird bestimmt gut gehen. Vielleicht hilft ihm diese Neuigkeit sogar, sich besser zu fühlen“, meinte Nadine. „Wir werden ihn auch bald besuchen, gemeinsam mit Florian und Tobias.“ Genussvoll schlürften wir unsere kalten Getränke.

„John hat gemerkt, dass ich da war“, erzählte ich.

Verena verschluckte sich. „Wie meinst du das?“

„Er hat gespürt, dass ich im Raum war und seine Hand gehalten habe, während er im Koma lag.“ Ich verschwieg ihnen, dass er auch meine Stimme gehört hatte, denn dass ich jeden Tag mit ihm geredet hatte, war mir peinlich zuzugeben.

„Ist das denn möglich?“, fragte Nadine.

„Ja, ist es. Ich habe schon den Arzt gefragt.“ Nachdenklich rührte ich mit dem Strohhalm in meinem Getränk.

„Florian und Tobias sind heute im Kino“, wechselte Verena plötzlich das Thema. „Ich habe sie schon davor gewarnt, bloß nicht die Treppen hinunterzufallen.“

Wir lachten und ich betrachtete ihren Gips. „Haben sie auch etwas draufgeschrieben?“

„Ja.“ Sie lächelte stolz und kam näher zu mir, damit ich mir das Werk der Jungs ansehen konnte.

Florian hatte „Ich liebe dich“ auf ihren Gips geschrieben und Tobias hatte eine Kinokarte gemalt. Als ich das entdeckte, musste ich grinsen.

„Ich halte es nicht länger aus, nicht an den Strand gehen zu können. Im Garten haben wir einen kleinen aufblasbaren Pool aufgestellt. Da lege ich mich immer rein und halte meinen Arm hinaus.“ Verena seufzte.

„Das ist doch eine gute Idee“, meinte ich.

Meine Freundin verzog das Gesicht. „Aber im Meer wäre es schöner.“

„Wenigstens etwas“, entgegnete Nadine.

Ich sprang ihr bei: „Man soll immer mit dem zufrieden sein, was man hat, aber ich glaube, das gelingt den wenigsten. Man sieht nämlich immer nur das, was man nicht hat.“

„Da hast du recht“, bestätigte Nadine.

„Ich hoffe, ich kann John helfen, wieder in ein normales Leben zurückzufinden, aber ich glaube, nach dem Unfall wird nichts jemals wieder normal sein.“

Entspannt schlug ich die Augen auf. An diesem Morgen fühlte ich mich erlöst von den Fragen und drängenden Gedanken in meinem Kopf und wachte zum ersten Mal seit längerer Zeit auf, ohne müde zu sein. Ich setzte mich auf, fuhr mir durch die strubbeligen Haare und legte eine Hand an meinen Bauch. Obwohl er noch nicht zu wachsen begonnen hatte, machte ich diese instinktive Bewegung schon jetzt sehr häufig. Es fühlte sich an, als hätte ich eine stärkere Bindung zu meinem Baby als jede andere Mutter, wobei ich eigentlich nicht beurteilen konnte, wie andere das empfanden.

Panik machte sich in mir breit, als ich auf die Uhr schaute. Es war schon halb zwölf. Ich beschloss, John nach dem Mittagessen zu besuchen. Ich sollte froh darüber sein, dass ich nach so langer Zeit endlich einmal wieder gut geschlafen hatte, also machte ich mir keinen Stress.

Wie immer bereitete ich das Mittagessen vor und wartete, bis Mama kam.

„Hallo, Diana“, begrüßte sie mich, als sie erschien.

„Hallo. Wie war's auf der Arbeit?“

„Wie immer.“ Mama setzte sich. „Und du? Warst du wieder bei John?“

„Nein, ich habe verschlafen. Aber ich werde nach dem Essen hinfahren.“

„Soll ich dich bringen?“, bot sie an.

„Nein, danke“, lehnte ich ab. „Mit dem Fahrrad bin ich flexibel, ich weiß nicht, wie lange ich bleiben werde.“

Heute war es nicht ganz so warm wie die Tage zuvor, denn der Wind war sehr stark und pustete meine Haare nach hinten. Als ich im Krankenhaus angekommen war und mich auf den Weg in Johns Zimmer machte, spürte ich meine wachsende Nervosität. Kurzerhand machte ich eine Wendung im Flur und kehrte meinem eigentlichen Ziel den Rücken. Dann setzte ich mich wieder in Bewegung und betrat ein anderes Zimmer.

Schwer atmend setzte ich mich auf einen Stuhl und begann zu Johns Mutter zu sprechen: „John ist gestern aufgewacht. Hoffentlich lässt du uns nicht mehr allzu lange warten, denn dann wäre es sicher einfacher für ihn. Ich bin so erleichtert, dass wenigstens John wach ist. Es fühlt sich so an, als hätte ich die letzten sechzehn Tage über einen Felsen auf meinem Herzen getragen, der nun in viele Einzelteile zerbrochen und verschwunden ist. Außerdem bin ich aufgeregt, weil ich ihm gleich verkünden werde, dass ich schwanger bin. Er hat gesagt, er hätte meine Nähe gespürt. Nun frage ich mich, ob du sie ebenfalls fühlst. Falls ja, hoffe ich, dass es dir guttut, meine Stimme zu hören." Ich stand wieder auf. „Ich glaube, ich sollte zu John. Er braucht mich. Bitte, wach bald auf!" Nun verließ ich den Raum und machte mich auf den Weg zu Johns Zimmer.

Ich atmete noch einmal tief durch, bevor ich leise die Türklinke hinunterdrückte. Es war ja möglich, dass er schlief. Dann hätte ich mich stumm zu ihm gesetzt und gewartet oder ich wäre später wiedergekommen. Langsam schritt ich auf sein Bett zu. Er hatte die Augen geschlossen, doch mit einem Mal blinzelte er und sah mich an. Da war es wieder: Beim Blick in seine blauen Augen schlug mein Herz schneller.

„Habe ich dich geweckt?" Meine Stimme klang unsicher. Ich kann nicht sagen, ob es an seinen magischen Augen oder an der Situation lag. Vermutlich trug beides dazu bei.

„Nein, ich habe nicht geschlafen." Wie gut es tat, seine Stimme zu hören.

Ich zog einen Stuhl heran und setzte mich zu ihm, wobei mir auffiel, dass das regelmäßige Piepen seiner Herzschläge verschwunden war. Der Apparat stand zwar noch neben seinem Bett und ich konnte die Linien sehen, die seine Herzschläge darstellten, aber der Ton war wohl abgestellt worden.

Schließlich nahm ich seine Hand und fragte: „Geht es dir schon etwas besser?"

„Es geht so. Die Schmerzen im Rücken verschwinden nicht, aber man hat mir etwas dagegen gegeben." Er stockte. „Ich bin zwar erst gestern aufgewacht und vielleicht ein bisschen verwirrt, aber das hat mich nicht davon abgehalten, nachzudenken. Ich schätze es sehr, dass du das alles durchgestanden hast und fast jeden Tag hier warst. Das wird für dich alles andere als einfach gewesen sein. Aber du musst dir das nicht antun."

Mein Herz stolperte. „Was meinst du?"

„Nach den Untersuchungen heute Morgen fühlt sich die Lähmung meiner Beine endgültig an, obwohl das noch niemand bestätigen kann.

Gestern konnte ich das alles nicht richtig glauben. Aber jetzt weiß ich, dass ich weder Schmerzen noch Wärme oder Kälte an den Beinen wahrnehmen kann. Das könnte sich zwar innerhalb der nächsten vier Wochen bessern, aber ich glaube es nicht. Ich fühle mich wertlos, wenn die Lähmung dauerhaft bleibt."

Ich schüttelte den Kopf, aber er sprach trotzdem unbeirrt weiter.

„Ich möchte dir die Chance auf ein gutes Leben nicht verbauen. Ich würde keinen guten Job bekommen, also könnte ich dir nicht viel bieten. Ich würde dir keine besonderen Wünsche erfüllen oder uns ein Haus bauen können. Ich würde immer auf Hilfe angewiesen sein – auf deine Hilfe, wenn wir unsere Beziehung fortführen. Ich würde dir noch nicht einmal Kinder schenken können, doch ich weiß, wie sehr du dir welche wünschst. Das ist alles sehr frustrierend. Ich gebe dir daher die Möglichkeit, unsere Beziehung zu beenden. Wenn mein Zustand sich nicht ändert, könntest du mit mir nicht glücklich werden. Ich bin sicher, du würdest schnell jemanden finden, mit dem du eine schönere Zukunft haben kannst."

Mein Herz schlug mir bis zum Hals. Ich war geschockt von seinen Worten und biss mir auf die Lippe, um nicht zu weinen. Zuerst spürte ich Wut in mir, weil ich mich fragte, warum er all das sagte. Aber dann verschwand dieses Gefühl genauso schnell, wie es aufgetaucht war, und wich einem anderen: Dass er in Erwägung zog, unsere Beziehung zu beenden, damit ich eine „bessere Zukunft" haben konnte, zeigte mir, wie sehr er mich liebte. Er wollte nur das Beste für mich.

Lächelnd stand ich auf. „Du hast nicht ganz recht mit dem, was du sagst. Eine Sache, die du genannt hast, hast du mir bereits gegeben."

Er runzelte die Stirn. „Was denn?"

Ich führte seine Hand, die ich noch immer festhielt, an meinen Bauch, um sie leicht dagegen zu drücken. „Erinnerst du dich an den besonderen Tag zu Beginn der Ferien? Ich bin zu dir gekommen, um bei dir zu übernachten. Deine Eltern waren einkaufen. Vermutlich ist es damals passiert."

Nachdenklich betrachtete John unsere Hände an meinem Bauch. Doch plötzlich wirkte sein Gesichtsausdruck ein bisschen erschrocken und fassungslos. Er schüttelte ungläubig den Kopf. „Du bist schwanger?"

„Ja." Als er das aussprach, strömten mir Freudentränen über die

Wangen und ich lächelte so breit wie noch nie. Ich war so froh, es ihm endlich gesagt zu haben. „Du wirst Vater."

Nun lächelte auch er leicht und begann, meinen Bauch zu streicheln. Da spürte ich wieder diese starke Wärme in meinem Unterleib. Es fühlte sich so ähnlich an wie an dem Tag, als ich festgestellt hatte, dass ich schwanger war, nur viel intensiver.

„Das Baby spürt deine Berührung", meinte ich. „Mein Bauch wird ganz warm."

Er strahlte mich an. Ich wollte ihn küssen, wusste aber nicht, ob er dazu schon bereit war. Doch ich konnte nicht anders. Schließlich rückte ich so nah an ihn heran, bis unsere Lippen sich berührten und mein Inneres von tanzenden Schmetterlingen überflutet wurde. Er fuhr mir durch die Haare und erwiderte den Kuss.

Nach einiger Zeit lösten wir unsere Hände von meinem Bauch und ich setzte mich langsam wieder hin.

„Aber wie ist das möglich?", fragte er. „Du hast doch die Pille regelmäßig genommen, oder? Und ich weiß, dass du darauf geachtet hast."

Ich ergriff wieder seine Hand. „Das stimmt, aber die Frauenärztin meinte, dass die Pille versagen kann. Es passiert zwar sehr selten, aber es ist nicht unmöglich. Mir kommt es vor wie ein Wunder, dass es zu diesem Zeitpunkt passiert ist. Als ihr euch noch in Lebensgefahr befunden habt, war das Baby für mich wie ein Engel, der mich davor gerettet hat, in dieser Situation aufzugeben. Sicherlich wird dir das Kleine ebenfalls helfen."

„Du willst es also behalten?"

„Ja, eigentlich habe ich meinen Entschluss schon gefasst. Aber ich habe noch sechs Wochen Zeit, um mich endgültig zu entscheiden. Willst du es denn behalten?", fragte ich aufgeregt.

„Es würde mich traurig machen, wenn wir keine eigenen Kinder bekommen könnten. Es lässt sich nicht in Worte fassen, wie es sich anfühlt, wenn man dazu vielleicht nicht in der Lage ist. Es ist eine Erleichterung für mich, weil ich weiß, dass du nicht glücklich gewesen wärst, wenn du nie auf natürlichem Wege schwanger geworden wärest. Ich freue mich darüber, dass es so gekommen ist, und ich möchte das Baby ebenfalls behalten, aber ich weiß nicht, ob wir das schaffen werden. Ich möchte das Beste für unser Kind, aber wenn wir es ihm nicht bieten können, dann hat es keinen Sinn", erklärte er.

Ich nickte verständnisvoll. „Darüber habe ich auch schon nachgedacht. Aber ich denke, unsere Familien und unsere Freunde würden uns unterstützen. Außerdem könnte ich mir das Baby nicht wegnehmen lassen. Ich liebe es und ich liebe dich, deshalb will ich ein Kind von dir. Kein Baby würde mich jemals so glücklich machen wie eines von dir."

Für einen kurzen Moment lächelte er mich an, dann wurde er wieder ernst. „Aber was sagen deine Eltern dazu? Sie müssen mich doch hassen, oder?"

„Unsinn." Er brachte mich zum Grinsen. „Sie hassen dich doch nicht. Aber ehrlich gesagt sind sie ausgetickt, als ich es ihnen gesagt habe. Doch eher deshalb, weil ich das Baby behalten will. Sie sind strikt dagegen, aber schließlich habe ich selbst über mein Leben zu entscheiden. Sie müssen sich damit abfinden, ob es ihnen passt oder nicht."

„Tut mir leid, dass ich nicht dabei sein konnte." John drückte mitfühlend meine Hand.

„Schon okay." Ich wusste nicht, was ich sonst hätte sagen sollen. Ich holte meinen Mutterpass aus meiner kleinen Tasche.

„Du hast schon einen Mutterpass?", fragte er überrascht. „Also ist es doch endgültig entschieden?"

„Ich könnte mir das Baby nicht wegnehmen lassen, selbst wenn du es nicht wolltest." Ich schlug das kleine Heft auf und zeigte ihm das erste Ultraschallbild.

Ehrfürchtig starrte er die Aufnahme an. „Das ist also unser Werk."

Ich setzte mich neben ihn auf die Bettkante, um besser sehen zu können. „Nein, es ist dein Werk." Ich wollte ihm Selbstwertgefühl vermitteln und lächelte ihn glücklich an. „Kannst du es erkennen?"

„Ja", antwortete er. „Der kleine Punkt da?" Er zeigte es mir.

„Genau. Ich bin jetzt in der sechsten Woche. In zwei Wochen habe ich den nächsten Termin, aber da wirst du bestimmt noch nicht mitkommen können."

Er nickte und gab mir das Bild wieder. „Der Arzt hat gesagt, dass ich vier Wochen im Bett liegen muss, damit sich meine Wirbelsäule von der Operation erholen und heilen kann. Eigentlich wären es sechs, aber ich habe ja schon zwei Wochen geschlafen."

Mich überraschte es, dass er die Worte „im Koma liegen" ebenfalls vermied.

„Ich werde hier verrückt werden“, fügte er seufzend hinzu.

„Nein, wirst du nicht. Ich komme jeden Tag“, versprach ich.

„So meinte ich das nicht, das musst du nicht.“

„Ich will aber“, beteuerte ich.

„Danke. Das bedeutet mir sehr viel.“

„DU bedeutest mir sehr viel. Und deshalb lehne ich dein Angebot ab, unsere Beziehung zu beenden. Noch wissen wir nicht, ob die Lähmung bleibend ist. Ein Kind haben wir bereits. Außerdem macht Geld mich nicht glücklich. Abgesehen davon kannst du nicht wissen, ob du später einen guten Job bekommen wirst oder nicht. Ich bräuchte kein Haus, ich wäre mit einer Wohnung zufrieden. Du hast recht damit, dass du meine Hilfe brauchen wirst, aber nicht bei allem. Denn dass du nicht mehr laufen kannst, heißt nicht, dass du nicht selbstständig sein kannst. Ich glaube, es wird mit der Zeit viel einfacher, mit dem Rollstuhl umzugehen, als wir es uns jetzt vorstellen. Ich werde dich immer lieben, das lässt sich nicht ändern. Wir dürfen uns von diesem Schicksalsschlag nicht alles kaputt machen lassen. Die ganze Situation ist unendlich schwierig, das gebe ich zu, aber es wird auch schöne Zeiten geben. Doch das ist nur möglich, wenn wir kämpfen und uns nicht unterkriegen lassen. Wir dürfen die Hoffnung nicht aufgeben. Nichts kann uns trennen und das müssen wir der Welt zeigen. Ich werde mit dir kämpfen, an jedem einzelnen Tag“, versprach ich.

„Du hast recht. Danke, dass du zu mir stehst.“ Tief bewegt blickte er mir in die Augen.

„Also werden wir das Baby behalten?“, hakte ich noch einmal nach.

„Ja“, sagte er bestimmt.

„Das Baby wird mit uns kämpfen, auch wenn wir es vielleicht nicht merken“, teilte ich ihm meine Überzeugung mit.

„Bestimmt. Es ist ein Engel ... so wie du.“

Ich lächelte John an und war überglücklich, die richtige Entscheidung getroffen und unser Baby behalten zu haben.

Gute und schlechte Tage

„Was hast du die ganze Zeit ohne mich gemacht?“ John ging es schon viel besser und ich wurde das Gefühl nicht los, dass es an dem Baby lag.

Es war seltsam, sich unter diesen Umständen über alltägliche Dinge zu unterhalten, aber vielleicht war es unbewusst unsere Absicht, wieder Normalität einkehren zu lassen, auch wenn John noch immer um seinen Vater trauerte und sich mit einer möglichen Lähmung auseinandersetzen musste.

„Das habe ich dir alles schon erzählt.“ Ich musste grinsen. „Jeden Tag habe ich dir berichtet, was ich gemacht habe oder was ich vorhatte.“

Er lächelte ebenfalls. „Wie lange warst du immer hier?“

„Meistens eine halbe Stunde, manchmal auch eine ganze, wenn ich deine Mutter auch noch besucht habe.“ Ich sah seinen traurigen Gesichtsausdruck und hatte sofort ein schlechtes Gewissen, das Thema angeschnitten zu haben. „Ich bin sicher, sie wacht bald auf.“

Er nickte und schloss die Augen, hörte mir aber trotzdem zu, manchmal tat er das, wenn er müde war, und schlief schließlich ein. Dann hörte ich für eine Weile auf zu reden und ließ ihn schlafen. Währenddessen ging ich manchmal in die Cafeteria, um eine Kleinigkeit zu essen, oder wartete an seinem Bett.

Schließlich begann ich zu erzählen: „Oft habe ich mich mit Nadine und Verena getroffen, manchmal waren auch die Jungs dabei. Wir waren häufig am Strand, weil es so warm war, und einmal haben wir Mädels sogar dort gezeltet. Zum Glück sind Florian und Tobias unerwartet vorbeigekommen, denn sonst hätten wir irgendwo anders schlafen müssen ...“

Ich grinste. „Das Zelt ist auseinandergeklappt, als die Jungs gekommen sind. Das war wirklich peinlich, die haben uns total ausgelacht.“ Ich freute mich darüber, John zum Lächeln gebracht zu haben. „Am Abend haben wir noch etwas zusammen gegessen, danach haben sich die Jungs verkrümelt. Spät in der Nacht sind wir noch einmal ins Wasser gegangen, als niemand mehr am Strand war. Ich musste die anderen überreden, mit mir zu kommen. Keine Ahnung, warum, aber sie hatten Angst." Ich lachte. „Als wir schon schliefen, sind wir von einem starken Gewitter geweckt geworden. Nadine und Verena waren in Panik, aber ich hatte die Idee, rauszugehen und es uns anzusehen. Wir haben unsere Bikinis angezogen und sind an den Strand gerannt. Der Donner war so laut, dass man nichts anderes mehr hören konnte, und der Himmel war überflutet vom grellen Licht der Blitze. Es war unglaublich schön und aufregend."

„Und bestimmt gefährlich", ergänzte John. „Wenn ich dabei gewesen wäre, hätte ich dich nicht aus dem Zelt gelassen."

„Doch." Ich nickte heftig. „Du wärst mitgegangen."

„Ja, vielleicht ..."

„Ich wünschte, du wärst dabei gewesen", murmelte ich.

„Ich auch."

Danach erzählte ich weiter. „Am nächsten Morgen haben wir verschlafen. Nadine hat Verena mit einem lauten Lied geweckt."

„Mit welchem?", wollte John wissen.

„Highway to hell." Er grinste bloß. „Verena hat sich übrigens den Arm gebrochen", berichtete ich als Nächstes.

„Was?", fragte John ungläubig. „Warum das denn?"

„Wir sind alle zusammen ins Kino gegangen, sie und Florian haben sich verspätet. Deshalb war das Licht schon aus, als wir den Kinosaal betraten, und der Film hatte schon begonnen. Verena hat die Stufen nicht erkannt und ist hingefallen. Wir sind sofort ins Krankenhaus gefahren. Jetzt hat sie einen Gips, aber der Bruch ist zum Glück nicht kompliziert."

„Welcher Arm ist es?"

„Der rechte."

„Dann kann sie wohl in der Schule nicht mitschreiben."

„Ja. Wenigstens einen Vorteil hat es."

Er grinste. „Wann geht die Schule eigentlich wieder los?"

Ich überlegte kurz. „In knapp zwei Wochen."

„Vielleicht werde ich nicht mehr auf diese Schule gehen können", murmelte er.

Ich runzelte die Stirn. „Es gibt doch einen Hintereingang. Du könntest mit einem Rollstuhl zu allen Fachräumen gelangen. Das einzige Problem wäre euer Klassenzimmer, aber das könnte man bestimmt wechseln. Das lässt sich sicherlich einrichten." Plötzlich vibrierte das Handy in meiner Hosentasche. Eigentlich hatte ich es sonst immer ganz ausgeschaltet, aber da ich nun schon so lange hier war, musste ich erreichbar sein. „Macht es dir was aus, wenn ich abnehme?"

„Nein, gar nicht. Lass dir ruhig Zeit", erwiderte John.

Schnell klappte ich mein Handy auf und las den Namen des Anrufers ab. Ich legte es an mein Ohr. „Hi, Verena."

„Hallo, Diana." Sie stockte. „Wo bist du?"

Ich seufzte. Die Frage konnte sie sich eigentlich selbst beantworten. „Bei John."

„Hm, klar ... Wir finden es wirklich süß von dir, dass du jeden Tag dort bist. Aber meinst du nicht, du übertreibst es ein bisschen?" Ihre Worte verletzten mich. „Du verbringst nun schon seit drei Tagen jeden Nachmittag im Krankenhaus. Wir würden uns gerne mal wieder mit dir treffen."

Ich überlegte, ob ich in Johns Gegenwart weitersprechen sollte. Aber ich wollte auch nicht einfach auf den Flur verschwinden. „Ich weiß, aber ich muss einfach hier sein. Ich werde sonst total unruhig." Zärtlich streichelte ich Johns Hand.

„Das verstehen wir, aber doch nicht so lange." Sie stockte. „Jetzt mal ganz ehrlich – wie lange bist du am Tag dort?"

Ich zögerte, weil ich mich fragte, ob ich ihr die Wahrheit sagen sollte, aber schließlich tat ich es. „Fünf bis sechs Stunden." Ich biss mir auf die Unterlippe, da ich Angst vor ihrer Antwort hatte.

„Geht es ihm denn immer noch so schlecht?", gab sie zurück.

Meinte sie, ich würde sie anlügen? John beobachtete mich irritiert, als ich genervt erwiderte: „Er schläft manchmal die Hälfte der Zeit, aber ich bleibe trotzdem hier."

„Wenn du nicht zu uns kommst, dann kommen wir eben zu dir." Verena verwirrte mich. „Ist es in Ordnung für John, wenn wir vorbeikommen?", erkundigte sie sich.

„Sekunde." Ich nahm mein Handy vom Ohr und fragte ihn: „Sie möchte mit den anderen herkommen. Ist das okay?"

„Klar", antwortete er freudig.

„Ja, könnt ihr machen", sprach ich wieder in mein Handy.

„Cool. Dann bis gleich."

„Okay." Ich legte auf und steckte mein Telefon weg.

„Was ist los?", fragte John.

„Sie sind sauer, weil ich ständig hier bin und nichts mehr mit ihnen unternehme", erklärte ich.

„Damit haben sie recht. Es tut mir gut, wenn du hier bist, aber ich habe dich doch schon mehrmals gebeten, nicht so lange hier rumzuhängen", entgegnete er.

„Ich kann nicht anders", gestand ich ihm. In meinem Kopf schwirrte eine Frage herum, deren Antwort mich brennend interessierte, aber ich war mir nicht sicher, ob es gut wäre, sie zu stellen. Doch schließlich begann ich, ihn auf meine Frage vorzubereiten. „Du hast mir erzählt, du hättest gemerkt, dass ich bei dir war."

„Ja", bestätigte er.

„Hast du noch etwas anderes wahrgenommen?"

Er schloss die Augen und schien nachzudenken. „Manchmal habe ich auch andere Stimmen gehört, aber sonst nichts." Er stockte. „Ich glaube, es waren Ben und Larissa. Und vermutlich die Familienmitglieder, die die Karten hiergelassen haben."

Erst als er das sagte, fiel mir auf, dass sie sich nicht mehr auf dem kleinen Tisch in der Ecke des Zimmers befanden. „Du hast sie gelesen?"

„Nicht alle, aber ich habe reingeschaut. Es sind achtzehn Stück."

„Oh." Ich hätte nie gedacht, dass es so viele waren.

„Sie müssen sie nach der Beerdigung hier vorbeigebracht haben, oder?"

Mein Herz zog sich zusammen, als er das sagte. Ben musste ihm natürlich alles erzählt haben.

„Ja." Ich stockte. „Es tut mir sehr leid, dass du nicht dabei sein konntest. Ben hatte ein sehr schlechtes Gefühl dabei. Schließlich wusste niemand, wie lange ihr schlafen würdet, und nun musst du noch mehrere Wochen hierbleiben."

„Ich weiß, ich kann das verstehen."

Ich streichelte tröstend seine Hand. „Es war eine wirklich gelungene, würdevolle Verabschiedung. Du musst nicht bereuen, nicht da gewesen zu sein, denn du kannst nichts dafür." Er nickte.

„Ben, Larissa und ich haben am Unfallort ein Kreuz aufgestellt und Blumen gepflanzt. Meine Eltern haben ebenfalls eine hingebracht", erzählte ich. Dann wechselte ich das Thema. „Auf der Beerdigung habe ich deine Familie kennengelernt und schon einigen erzählt, dass ich schwanger bin."

„Wem?"

„Deinen Tanten, deinen Onkeln und deinen Großeltern. Ich hoffe, das durfte ich."

„Klar. Irgendwann hätten sie es sowieso erfahren", meinte John. „Wie haben sie reagiert?"

„Ich glaube, die Geschwister deines Vaters haben sich gefreut, aber deine Großeltern waren erst mal erschrocken."

Da öffnete sich die Tür. Leise betraten unsere Freunde das Zimmer und begrüßten uns. Tobias zog die restlichen zwei Stühle heran.

„Soll ich noch welche holen gehen?", fragte ich. „Es gibt bestimmt einige in den freien Zimmern oder auf dem Flur. Ich könnte jemanden fragen."

„Nein, nicht nötig", antwortete Nadine. „Wir bleiben stehen."

Ich schritt zur gegenüberliegenden Seite des Bettes und setzte mich dort auf die Kante, damit jemand anderes auf meinem Stuhl Platz nehmen konnte. Die Anspannung war spürbar, weil niemand wusste, wie er sich John gegenüber verhalten sollte, nach allem, was passiert war. Zu Anfang war das bei mir genauso gewesen.

„Wie geht's dir?", fragte Florian schließlich.

„Ganz okay."

Ich konnte mir vorstellen, warum es John schwerfiel, auf diese Frage zu antworten. Körperlich fühlte er sich vielleicht in Ordnung, weil man ihm schmerzlindernde Medikamente gab, aber seelisch ging es ihm im Augenblick so schlecht wie noch nie zuvor. Aus welchen Gründen auch immer gab er sich enorme Mühe, das zu verbergen.

Nun ergriff Tobias das Wort. „Also, damit das klar ist: Dass du vielleicht nicht mehr laufen kannst, ist schrecklich und wir alle würden es bedauern, aber du bleibst natürlich trotzdem unser Kumpel."

„Danke." John lächelte ein bisschen, er schien gerührt zu sein. Um abzulenken, fragte er: „Und wie geht's dir, Verena?"

Sie lachte und schaute mich an. Ihr war klar, dass ich es ihm erzählt hatte. „Das war ein peinlicher Unfall, würde ich sagen." Sie hob ihren eingegipsten Arm. „Es geht schon wieder besser, aber die ersten Tage hatte ich starke Schmerzen."

Tobias rollte mit den Augen und wechselte das Thema. „Und ... wie fühlt es sich an, Vater zu werden?"

John lächelte und sah zu mir.

„Oh Gott." Tobias schaute plötzlich panisch. „Er weiß es doch schon, oder?"

„Ja, klar." Ich lachte.

„Es fühlt sich gut an", antwortete John. „Ich glaube, das war das Beste und das Richtigste, was ich jemals zustande gebracht habe."

Freude durchfuhr meinen Körper. Ich konnte nicht widerstehen, John wegen seiner lieben Worte auf die Wange zu küssen. „Er hat unser Baby wenigstens auf dem Ultraschallbild erkannt", äußerte ich.

„Wer denn nicht?", fragte mein Freund.

Ich grinste. „Florian und Tobias. Ich habe es ihnen gezeigt, ohne Näheres zu verraten, und sie haben in den ersten Sekunden gar nicht kapiert, was sie da in der Hand halten."

Die beiden wurden rot. „Das stimmt nicht", widersprach Tobias. „Woher willst du das überhaupt wissen?"

Ich zuckte lachend die Schultern.

Florian fiel eine Ausrede ein. „Wir konnten nur nicht glauben, was wir da sehen, deshalb haben wir es nicht laut ausgesprochen." Tobias stimmte dieser fadenscheinigen Begründung schnell zu.

„Ja, ja, ist klar", machte ich mich über die beiden lustig. Auch John grinste.

„Dann glaub es eben nicht." Tobias ärgerte sich.

„Könnt ihr jetzt aufhören?", ging Nadine dazwischen.

Die Jungen schwiegen betreten.

„Hast du Lust, mit uns an den Strand zu kommen?", fragte mich Verena.

Eigentlich war ich noch ein bisschen sauer auf sie, weil ich fand, dass sie sich bei unserem Telefonat vorhin netter hätte ausdrücken können, außerdem wollte ich nicht schon gehen. „Warum wollt ihr eigentlich zum Strand?" Ich schaute Verena an. „Du kannst doch nicht ins Wasser und außerdem habe ich meine Badesachen nicht mit."

„Wir wollen nicht ins Wasser", antwortete Nadine. „Wir werden nur ein bisschen am Strand spazieren gehen und ein Eis essen. Wir sind auch mit den Fahrrädern hier und könnten später zusammen nach Hause fahren."

Ich warf John einen Blick zu.

„Geh mit“, ermunterte er mich.

„Okay, wenn du es so willst“, antwortete ich. „Wann wollt ihr denn los?“, fragte ich die anderen vier, die sich sichtlich über meine Antwort freuten.

„Ist uns egal“, erwiderte Florian.

Wir blieben noch eine halbe Stunde bei John und unterhielten uns, bevor wir uns von meinem Freund verabschiedeten und uns auf den Weg machten. Schon nach wenigen Minuten liefen wir barfuß durch den heißen Sand.

„Tut mir leid, dass ich euch so vernachlässigt habe“, entschuldigte ich mich. Meine Freunde hatten recht mit ihren Vorwürfen.

„Schon in Ordnung. Wir verstehen es ja. Mir tut leid, was ich vorhin zu dir am Telefon gesagt habe“, meinte Verena.

„Schon okay.“ Ich war froh, dass sie sich entschuldigt hatte. Nun konnte ich wieder unbeschwerter mit ihr umgehen.

Wir schlenderten am seichten Ufer des Meeres entlang und ließen unsere Knöchel vom kühlen Wasser umspülen.

„Was machst du morgen?“, fragte Nadine.

„Johns Bruder hat mich zum Mittagessen in ein Restaurant eingeladen. Seine Freundin, seine Großeltern sowie Tante und Onkel kommen auch. Wir wollen John gemeinsam besuchen“, antwortete ich. „Und ihr?“

„Keine Ahnung, wir dachten, vielleicht hättest du eine Idee“, erwiderte sie.

„Am Montag habe ich Zeit.“ Ich fuhr mir mit den Fingern durch die Haare, weil der Wind sie hemmungslos zerzaust hatte. Dann legte ich eine Hand auf meinen Bauch, als wollte ich das Baby schützen.

„Wir haben auch Zeit“, warf Tobias ein.

„Wir können ja noch überlegen, was wir machen wollen“, meinte Florian.

„Ich freue mich, dass John endlich wach ist“, bemerkte Tobias. „Es hat ziemlich lange gedauert.“

„Nein, eigentlich nicht. Es ist uns nur so lange vorgekommen. Es hätte auch Jahre dauern können. Wenn man das bedenkt, sind gute zwei Wochen sehr kurz.“

„Das stimmt natürlich.“ Tobias nickte.

Wir erreichten den Kiosk, an dem wir uns ein Eis holen wollten.

„Der Weg hierher kam uns auch bloß so lange vor, weil es so warm ist“, fügte ich schmunzelnd an.

„Dann sollten wir nicht länger warten.“ Florian rannte los.

Wir lachten und folgten ihm.

Am Samstag öffnete Ben schon nach wenigen Sekunden die Tür des Hoffmann-Hauses. Das war ein seltsames Gefühl, weil es mit der Zeit so wirkte, als würde er wirklich immer noch hier wohnen, was tatsächlich jedes Wochenende der Fall war. Als er mich in die Arme schloss, hörte ich auch schon die Stimmen der anderen.

„Wir kommen sofort“, raunte mir Ben zu, bevor er sich im Flur die Schuhe anzog.

Ich nickte und wartete vor der Tür, bis alle hinaustraten und mich begrüßten.

„Es ist schön, dich wiederzusehen“, sagte Bens Großmutter herzlich.

„Ich freue mich auch.“ Das meinte ich ehrlich.

Wir machten uns mit zwei Autos auf den Weg zum Restaurant. Nachdem wir es erreicht und uns an einen großen Tisch gesetzt hatten, studierten wir die Speisekarte.

„Such dir ruhig eine große Portion aus, Diana. Das Kleine soll nicht hungern“, bemerkte Johns Oma Anne.

Ich grinste. „Keine Sorge, ich achte darauf, genug zu essen.“

„Und vor allem gesund, hoffe ich“, setzte sie ein klein wenig tadelnd hinterher.

„Natürlich.“

Nach einer Weile winkte Ben dem Kellner, der unsere Bestellungen aufnahm.

Als er in der Küche verschwunden war, um unsere Wünsche weiterzugeben, fragte mich Johns Tante Nora: „Wie geht es dir denn?“

„Ganz gut“, antwortete ich. „Und selbst?“

„Auch gut. Wir freuen uns schon darauf, John zu besuchen. Wir alle sind so froh, dass er endlich aufgewacht ist. Leider konnten wir es nicht einrichten, früher zu kommen.“

„Wo wohnen Sie denn?“

„In Bremen.“ Sie stockte. „Du kannst uns übrigens duzen. Uns alle. Bist du oft bei John?“

„Ja, jeden Nachmittag“, gab ich zurück.

Da kam der Kellner auch schon wieder und brachte das Essen und die Getränke. Langsam begannen wir zu speisen.

„Wie geht es John denn?“, fragte Opa Reinhold.

„Ganz in Ordnung, würde ich sagen, aber es ist schwer für ihn, mit der Situation klarzukommen“, antwortete ich. „Er hat kein Gefühl mehr in den Beinen, aber das kann sich immer noch ändern. Er ist an manchen Tagen deswegen sehr verzweifelt.“ Kurz herrschte ein betretenes Schweigen in der Runde, bis ich fortfuhr: „Aber er war sehr glücklich, als ich ihm gesagt habe, dass ich schwanger bin.“

„Hoffentlich wacht eure Mutter auch bald auf“, sagte Larissa an Ben gewandt.

„Ja, das hoffe ich auch“, meinte dieser. „Ich weiß gar nicht, wie das alles weitergehen soll, wenn sie nicht bald aufwacht. John wird vielleicht vorher schon entlassen, dann müsste er zu uns ziehen, denn er braucht jemanden, der sich um ihn kümmert in den ersten Wochen.“

Darüber hatte ich mir noch gar keine Gedanken gemacht. Ich könnte es nicht ertragen, wenn John eine Stunde von mir entfernt leben würde. Und er könnte es mit Sicherheit ebenfalls nicht.

„Mach dir darüber keine Sorgen. Ich bin sicher, dass Monika bald aufwachen wird. Wir sollten der Sache noch ein bisschen Zeit lassen“, versuchte die Großmutter uns zu beruhigen.

„Das wäre aber nicht das einzige Problem. Sie könnten ohnehin nicht in dem Haus bleiben, weil John wegen der Treppe mit einem Rollstuhl nicht hoch in sein Zimmer könnte.“

„Wenn das wirklich nötig wäre, könnte man einen Lift einbauen oder zur Not Rampen über die Stufen legen. Du würdest ihnen mit einem Umzug nur noch mehr zumuten“, beschwichtigte Larissa ihren Freund.

„Ja“, bestätigte ich. „Außerdem würde das mit dem Baby später problematisch werden, wenn John so weit von mir entfernt wohnt. Das geht einfach nicht.“ Kopfschüttelnd stocherte ich in meinem Essen herum.

„Es wird schon alles gut werden, glaubt mir“, versprach die Großmutter.

Nach dem Essen fuhren wir direkt zum Krankenhaus. Wir klopften an Johns Zimmertür und betraten anschließend leise den Raum. Er war wach und lächelte, weil er nicht damit gerechnet hatte, dass er heute so viel Besuch bekommen würde. Nachdem ich ihm einen Kuss gegeben hatte, begrüßten ihn die anderen. Sie teilten ihm voller Mitgefühl mit, wie leid ihnen das alles tat. Das war zwar nett und höflich gemeint, ich habe schließlich dasselbe gesagt, aber ich glaube, John wollte das nicht. Er wollte kein Mitleid. Dennoch bedankte er sich artig, auch für die Genesungskarten.

Seine Tante Nora lächelte. „Es sind ziemlich viele, weil jeder eine hierlassen wollte."

„Soll ich ein paar zusätzliche Stühle organisieren?", fragte ich wie gestern.

„Das wäre nett", antwortete Johns Oma.

„Ich helfe dir." Onkel Bernhard, der Mann Noras, begleitete mich.

Nach erfolgreicher Mission kehrten wir mit einigen Stühlen in das Zimmer zurück.

„Es ist irgendwie seltsam, dass du bald Vater wirst", sprach Opa Reinhold gerade meine Schwangerschaft an.

„Ich hoffe, ihr wart nicht allzu entsetzt", entgegnete John besorgt.

„Nein, wir sind sogar sehr stolz auf euch und freuen uns auf das Baby", antwortete seine Oma.

Mein Freund legte seine Hand auf meinen Bauch. Die dadurch ausgelöste Wärme zu spüren, machte mich glücklich.

„Morgen kommen meine Eltern mit mir hierher, um dich zu besuchen", verkündete ich.

„Hoffentlich bekomme ich keinen Stress mit ihnen", sagte er ironisch und wir mussten grinsen. „Was habt ihr denn gemacht, bevor ihr hierhergekommen seid?", wandte sich John an seine Familie.

„Wir sind zusammen essen gegangen", antwortete Larissa. „Schade, dass du nicht mit uns kommen konntest."

„Hat der Arzt denn schon gesagt, wie lange du noch hierbleiben musst?", fragte Ben.

„Ungefähr sechs Wochen, danach müsste ich zur Rehabilitation für weitere vier Wochen auf Kur."

Das erschreckte mich. Die Vorstellung, mich so lange von ihm trennen zu müssen, ließ ihn mich bereits vermissen.

„Wir werden dich jedes Wochenende besuchen kommen", versprach seine Oma.

Wir blieben noch über eine Stunde, bevor wir wieder gingen und man mich nach Hause brachte. Ich fand es schön, Johns Familie wiedergesehen zu haben, denn ich hatte sie bereits alle ins Herz geschlossen.

Am nächsten Morgen wurde ich von dem rauschenden Wasserkocher und klappernden Tellern in der Küche geweckt. Als ich aus dem Bett stieg, ertönte Musik von unten. Papa musste wie jeden Sonntag eine CD aufgelegt haben. Verschlafen schlüpfte ich in meine kuscheligen Hausschuhe und stieg die Treppe hinunter. „Guten Morgen."

„Guten Morgen." Mama war gerade dabei, den Frühstückstisch zu decken, und Papa goss den Tee auf.

Ich legte die Brötchen auf den Toaster und setzte mich.

„Wie war es gestern eigentlich?", fragte Papa.

„Es war schön", antwortete ich. „Johns Familie ist sehr nett und das Essen hat geschmeckt."

„Wir werden John nach dem Mittagessen besuchen", meinte Mama zur Erinnerung.

„Er hat gesagt, dass er schon Angst hat, Stress mit euch zu bekommen, weil er mich geschwängert hat." Erst jetzt merkte ich, wie seltsam ich mich ausgedrückt hatte, und musste kichern.

„Im Ernst?", fragte Papa.

Ich rollte die Augen. „Natürlich nicht." Ich stand auf, um die warmen Brötchen auf den Tisch zu stellen.

Auch meine Eltern setzten sich und wir begannen zu essen.

„Es war richtig, dass ich das Baby behalten habe", sagte ich. „Ich wüsste nicht, was sonst aus mir geworden wäre. Auch John fühlt sich viel besser, seitdem er es erfahren hat."

„Das ist doch gut." Papas Stimme klang monoton, so als wäre es ihm gleichgültig, ob John sich darüber gefreut hatte oder nicht.

Ich wollte, dass meine Eltern mir endlich recht gaben, aber sie konnten einfach nicht zugeben, dass sie mit ihrer Meinung falsch gelegen hatten. Sie konnten sich noch nicht einmal mit mir über das Baby freuen und interessierten sich auch nicht dafür. Das ärgerte mich.

Als wir später Johns Zimmer betraten, war ich angespannt, weil ich nicht wusste, wie das erste Gespräch zwischen ihm und meinen Eltern laufen würde nach allem, was passiert war. Ich drückte kurz meine

Lippen auf die seinen, dann ging die alte Leier los ... Meine Eltern sprachen ihr Beileid aus, erkundigten sich nach Johns Zustand und versicherten ihr Mitgefühl. Währenddessen versuchte ich, nicht so genau hinzuhören, und schob drei Stühle ans Bett heran.

Dann sagte zunächst niemand mehr etwas. Ich spürte, dass meine Eltern unsicher waren.

„Es kam überraschend, als Diana uns gesagt hat, dass sie schwanger sei", brach Mama das Schweigen. „Aber wir wissen natürlich, dass ihr daran keine Schuld tragt."

Wut stieg in mir hoch und ich musste einen Schrei unterdrücken. Schuld hatte sie gesagt, als wäre unser Baby ein Verbrechen. Ich legte eine Hand an meinen Bauch, weil es sich so anfühlte, als hätte Mama unser Kind mit ihren Worten verletzt.

John schien dasselbe zu denken, nickte aber nur und fragte: „Seid ihr damit einverstanden, wenn wir es behalten?"

„Diana hat uns schon erzählt, dass du es auch möchtest. Wir finden zwar, dass ihr noch zu jung für ein Kind seid und wahrscheinlich wenig Zeit haben werdet, um es zu versorgen, aber wir können nichts an eurer Entscheidung ändern", sagte Papa.

„Aber was würde deine Mutter dazu sagen?", stellte Mama die Frage in den Raum.

„Ich kann es nicht genau sagen, aber ich glaube, sie würde sich freuen", meinte John.

„Das habe ich auch gedacht", stimmte ich zu. „Es wird leichter für sie sein, über Alexanders Tod hinwegzukommen. Auch wenn wir später noch eigene Kinder haben könnten, würde ich mir das Baby nicht mehr nehmen lassen. Und auch John würde das nicht wollen. Wir lieben es bereits und es scheint uns Kraft zu geben. Außerdem können wir nicht die Meinung der anderen berücksichtigen, es interessiert mich gar nicht, was die anderen denken. Wir haben in den letzten drei Wochen so viel Schmerz und Pech erlebt, dass wir nun dieses Glück festhalten wollen."

Obwohl John sich ehrlich über meine Schwangerschaft und die vielen Besucher freute, gab es viele Tage, an denen er in ein tiefes Loch fiel und verzweifelte. Ich erinnere mich nicht gerne daran. Ihn zu trösten war in solchen Momenten beinahe unmöglich. Er trauerte um seinen

Vater und der komatöse Zustand seiner Mutter setzte ihm schwer zu. Er sehnte ihr Erwachen herbei, genauso wie ich das seine kaum hatte erwarten können.

Wir alle hofften, dass die Lähmung seiner Beine verschwinden würde, denn auf die endgültige Diagnose zu warten, fiel uns ebenfalls schwer.

Genau wie ich hatte er einen unbändigen Hass auf den betrunkenen Autofahrer entwickelt, der für all dieses Unglück verantwortlich war. Er stellte sich die Frage, warum all das gerade ihm passieren musste, doch das wusste niemand. Es erschien uns einfach unfair.

Als ich an diesem Nachmittag das Krankenhaus betrat, ahnte ich nicht, dass es ein solch deprimierender Tag werden würde.

Wie immer betrat ich leise Johns Zimmer. Er war wach. Ich gab ihm einen Kuss und setzte mich zu ihm. „Wie geht's dir?"

„Ich glaube, niemand antwortet ehrlich auf diese Frage", meinte er. „Jeder sagt, es ginge ihm gut, wenn es ihm eigentlich schlecht geht. Aber ich will dir nichts vorspielen."

„Ich will auch nicht, dass du das tust."

„Mir geht es schlecht", begann er. „Ich kann nicht mehr. Ich bin jetzt seit einer Woche wach und Mama ist es noch nicht. Ich mache mir Sorgen, wie lange das noch dauern wird. Ich vermisse sie und Papa. Und manchmal bekomme ich Panik, weil ich meine Beine nicht bewegen kann."

Das Messer in meinem Herzen fügte mir Schmerzen zu. Tränen stiegen in meine Augen.

„Warum muss uns das passieren?" Verzweifelt sah er mich an.

Ich schüttelte den Kopf. „Es gibt keinen Grund, warum der Unfall geschehen ist."

„Ich will endlich wissen, ob die Lähmung bleiben wird, obwohl ich weiß, dass das noch nicht erkennbar ist. Ich glaube, dann wäre es leichter, damit umzugehen." Er machte eine Pause. „Aber eigentlich ist das nicht meine größte Sorge. Ich kann mir nicht vorstellen, ohne Papa zu leben, und Mama bestimmt auch nicht. Wenn wenigstens sie bei mir sein könnte ..." Seine Stimme brach weg, weil er zu weinen begonnen hatte. Nun konnte auch ich die Tränen nicht länger zurückhalten. Sollte ich John in den Arm nehmen? Oder wollte er das jetzt nicht? Sollte ich schweigen oder lieber mit ihm reden?

„Ich weiß, dass diese Zeit sehr schwer ist, aber sie wird vorbeigehen. Du hast deinen Vater nicht verloren. Er wird immer in deinem Herzen und in deinen Erinnerungen bleiben. Vermutlich kann dich das nicht trösten, aber das solltest du nie vergessen. Ich bin sicher, Monika wird bald aufwachen. Ich habe es auch für unwahrscheinlich gehalten, dass du so früh aufwachen würdest, aber es ist geschehen. Deshalb wird es bei ihr ebenfalls nicht mehr lange dauern." Nach den richtigen Worten suchend, atmete ich tief durch. „Du darfst dich nicht runterziehen lassen. Das Baby und ich sind jeden Tag bei dir, genauso wie dein Bruder."

„Ich weiß. Und ich schätze das sehr, aber ich bin an einem Punkt angekommen, wo meine Kräfte versagen. Anfangs hatte ich Hoffnung, wollte warten, bis Mama aufwacht und man weiß, ob ich wieder laufen kann. Der Gedanke, dass du schwanger bist, hat mir Stärke verliehen. Aber nun ist das Fass, in dem sich meine Trauer und Sorgen ansammeln, voll und läuft über", erklärte John. Seine Stimme zitterte.

„Ich kann das verstehen. Aber wir werden das schaffen. Wir überstehen diese Zeit und irgendwann denken wir daran zurück und sind stolz, dass wir damals durchgehalten haben. Wir werden wieder glücklich sein. Glaub mir." Ich schloss ihn in die Arme und überlegte, wie ich ihm helfen konnte. Seine Trauer konnte ich ihm nicht nehmen und auch seine Mutter konnte ich nicht wecken. Aber ich konnte seine dritte Sorge vielleicht kurzzeitig beseitigen. „Dürfen deine Beine bewegt werden?"

„Ja", antwortete er. „Warum?"

„Wenn du es nicht selbst kannst, mache ich das eben für dich." Ich stand auf, schlug Johns Decke zurück und hob eines seiner Beine an. Ich bewegte es nach oben und nach unten, streckte es und winkelte es an.

Er musste plötzlich lächeln.

„Sag Bescheid, wenn dir etwas wehtut. Ist das so richtig?"

„Das ist wunderbar. Ich wüsste nicht, was ich ohne dich machen sollte." Gerührt blickte er mich an und seine Sorgen waren wenigstens für einen kurzen Moment verflogen.

Anruf

Gegen Ende der nächsten Woche bekamen wir einen Anruf, der alles veränderte. Die Situation war vergleichbar mit dem Gespräch, in dem ich von Johns Unfall erfahren hatte.

Mama war gerade von der Arbeit gekommen und wir aßen bereits zu Mittag.

„Hast du heute etwas vor?“ Sie meinte natürlich, ob ich nach dem alltäglichen Besuch bei John etwas geplant hatte.

„Ja, die anderen wollen mich vom Krankenhaus abholen, weil sie John ebenfalls mal wieder besuchen und danach mit mir in die Stadt gehen wollen.“

„Und was wollt ihr dort machen? Die Jungs haben sicher keine Lust, mit euch zu shoppen, oder?“

Ich schluckte meinen Bissen hinunter und lachte. „Nein. Wir wollen nur einen Eisbecher essen und vielleicht in das ein oder andere Geschäft gehen, aber wir haben nicht wirklich vor, etwas zu kaufen.“ Verena hatte zwar vorgeschlagen, dass wir auch an den Strand könnten, aber wir alle fanden es blöd, sie ausgrenzen zu müssen, wenn wir ohne sie ins Wasser gingen, obwohl die Sonne noch immer am wolkenlosen Himmel strahlte und dreißig Grad herrschten.

„Warum geht ihr nicht baden?“, fragte Mama.

„Verena kann mit ihrem Gips nicht ins Wasser“, erinnerte ich sie.

Da klingelte das Telefon. Mama und ich wechselten einen überraschten Blick.

„Ich gehe schon, bleib sitzen.“ Mit diesen Worten sprang ich auf und rannte los, um das Telefon zu suchen.

„Diana Schmidt?“, meldete ich mich, als ich es endlich gefunden hatte.

„Hallo, Diana.“ Ich kannte die Stimme, konnte sie aber im ersten Moment niemandem zuordnen. „Hier ist Dr. Böhmer vom Krankenhaus in Travemünde“, erklärte der Mann.

Ich bekam einen Schreck und mein Magen zog sich schmerzhaft zusammen. Johns Arzt. War meinem Freund etwas zugestoßen?

„Ich wollte dir mitteilen, dass Frau Hoffmann vor wenigen Minuten aus dem Koma erwacht ist“, sprach er weiter.

Jetzt wichen die Schmerzen in meinem Bauch einem freudigen Kribbeln und ich musste einen Jauchzer unterdrücken. „Das sind gute Nachrichten, vielen, vielen Dank. Ich werde, sobald es geht, vorbeikommen.“ Ich stockte. „Wie geht es ihr denn? Weiß John schon Bescheid?“

„Körperlich geht es ihr ganz gut, aber sie ist ziemlich geschockt. Ihr Sohn wurde schon unterrichtet“, antwortete der Arzt.

„Okay. Vielleicht sehe ich Sie später. Auf Wiedersehen“, verabschiedete ich mich.

„Alles klar“, antwortete Dr. Böhmer, als wären wir alte Freunde. „Auf Wiedersehen.“

Strahlend legte ich auf und rannte zurück in die Küche. „Monika ist wach!“, schrie ich.

Mama stand auf und umarmte mich lächelnd. „Das ist wirklich schön. Jetzt haben es endlich beide geschafft.“

„Wir fahren doch gleich nach dem Essen hin, oder? Du willst doch sicher mit.“ Aufgeregt sah ich sie an.

„Natürlich. Ich werde dich begleiten“, nickte Mama.

Als wir im Auto saßen, rief ich Ben an. „Hi, ich bin's, Diana. Eure Mutter ist aufgewacht“, sprudelte ich aufgeregt hervor.

„Ich weiß, der Arzt hat mich vorhin auch angerufen.“ Ich hörte an seinem Tonfall, dass er lächelte.

„Ich freue mich so sehr. Das sind großartige Neuigkeiten. Meine Mutter und ich sind gerade auf dem Weg ins Krankenhaus“, berichtete ich ihm.

„Du glaubst gar nicht, wie sehr ich mich freue! Aber ich werde erst heute Abend kommen, eher schaffe ich es nicht“, sagte Ben bedauernd.

„Ich werde es deiner Mama ausrichten. Vielleicht sehen wir uns am Wochenende, wenn ihr wieder hier seid.“

„Ja, das wäre schön. Bis bald, Diana“, verabschiedete er sich und legte auf.

Als wir später die Krankenhausflure betraten, kam uns der Arzt bereits entgegen, als hätte er auf uns gewartet. „Hallo." Er gab uns die Hand. „Ich freue mich sehr, dass nun endlich beide aufgewacht sind. Frau Hoffmann geht es den Umständen entsprechend gut und ich bin sicher, sie ist wie ihr Sohn auf dem Wege der Besserung. Ich werde es so organisieren, dass beide gleichzeitig aus dem Krankenhaus entlassen werden. In drei Wochen werden wir feststellen können, ob sich der Zustand der Lähmung bei John verändert hat. Wir haben ihm in der akuten Phase hochdosiert Kortison verabreicht, das die Entzündungsreaktion unterdrückt und so sekundäre Schäden der Nervenzellen mindern kann. Doch auch wenn sich etwas bessern würde, ist es relativ unwahrscheinlich, dass er jemals wieder normal laufen kann. Aber natürlich hoffe ich das Beste", erklärte der Arzt.

„Danke." Mehr wussten wir in diesem Moment nicht zu erwidern, deshalb nickten wir bloß verstehend.

„Ich will sie nicht länger aufhalten." Dr. Böhmer hob die Hände in die Luft als Zeichen, dass er uns den Weg freimachte.

„In Ordnung", entgegnete ich. „Auf Wiedersehen."

„Auf Wiedersehen." Er setzte seinen Marsch durch den Flur fort und bog um die nächste Ecke.

Leise betraten Mama und ich das Zimmer von Johns Mutter. Sie war wach und starrte mit verweinten Augen an die Decke.

„Hallo, Monika." Mama ging zu ihrem Bett, um sie vorsichtig zu umarmen. Ich zögerte und blieb vorerst im Hintergrund.

„Ina", sprach sie meine Mutter an, nachdem sie ihr das Gesicht zugewandt hatte. „Hallo."

Nun zog ich ebenfalls einen Stuhl heran und setzte mich an das Bett von Johns Mutter.

„Wie geht es dir?", wollte Mama wissen.

Monika schüttelte traurig den Kopf und strengte sich an, nicht wieder zu weinen. „Ich kann das alles weder glauben noch verstehen. Es macht mich fertig, dass John vielleicht nie wieder laufen kann. Und Alexanders Tod wird es für ihn nicht einfacher machen und für mich sowieso nicht." Ihre Stimme brach weg und Tränen kullerten über ihre Wangen.

Ich biss mir auf die Lippe, um nicht mitzuweinen, und beobachtete, wie Mama in ihrer Tasche kramte und schließlich Taschentücher herausholte, um sie Monika zu reichen.

„Ich kann es nicht fassen, dass ich über drei Wochen geschlafen habe." Auch sie sprach „im Koma liegen" nicht aus.

„Hast du gemerkt, dass wir hier waren?" Ich musste es einfach wissen.

„Wie meinst du das? Wie hätte ich das merken können?" Sie runzelte die Stirn.

„John hat mir erzählt, dass er gespürt hat, dass ich seine Hand gehalten habe, als er noch geschlafen hat."

„Nein, ich habe nichts gespürt." Verwirrt sah sie mich an.

„Es tut uns schrecklich leid, dass das alles geschehen ist", bekundete Mama nun ihr Beileid. „Wir bedauern den Tod von Alexander sehr."

„Ich wäre gerne auf die Beerdigung gegangen, um mich von ihm zu verabschieden, aber ich verstehe natürlich, warum Ben es so organisiert hat."

„Es war ein würdevoller Abschied. Du darfst nicht bereuen, nicht dabei gewesen zu sein", wollte ich sie mit denselben Worten trösten, die ich schon zu John gesagt hatte.

Monika sah mich lange an. „Es muss schlimm für dich gewesen sein, das alles zu erfahren und darauf zu warten, dass John aufwacht."

„Ja", antwortete ich. „Aber ich hatte Unterstützung, ohne die ich es nicht hätte durchstehen können." Ich warf Mama einen Blick zu, als wollte ich um Erlaubnis bitten. Sie nickte zwar, aber ihre Miene drückte Zweifel aus, ob es gut wäre, der eben erst erwachten Patientin jetzt schon davon zu berichten.

„Was meinst du?", fragte Johns Mutter verwirrt.

„Drei Tage nachdem ich von eurem Autounfall erfahren habe, stellte ich fest, dass ich schwanger bin." Ich hatte Angst, wie sie auf diese Neuigkeit reagieren würde. Tatsächlich blickte sie mich ziemlich erschrocken an. Ich schob hinterher: „Die Pille hat bei mir nicht gewirkt. Das ist zwar sehr selten, aber es kann passieren."

„Und wie geht es nun weiter?" Johns Mutter starrte mich aus handtellergroßen Augen überfordert an.

„Ich werde das Baby behalten", verkündete ich.

Monika schüttelte ungläubig den Kopf.

„Wir lieben es und es gibt uns Kraft, um mit der Situation klarzukommen. Ich bin sicher, dir wird es auch helfen. Ein Teil von Alexander befindet sich hier drin." Ich legte eine Hand an meinen Bauch.

Nun brachte Johns Mutter ein leichtes Lächeln zuwege.

„Wir haben versucht, sie davon abzuhalten, aber wir können nichts machen.“ Es ärgerte mich, dass Mama sich für mein Verhalten rechtfertigen wollte.

„Ich freue mich für euch“, meinte Monika, ohne auf die Worte meiner Mutter einzugehen.

Ich konnte nicht glauben, was sie da sagte. Sie hatte nichts an meiner Entscheidung auszusetzen?

„Ich weiß, dass ihr noch sehr jung für ein Kind seid, aber ich verstehe deine Gründe, es behalten zu wollen. Ich werde euch helfen, es großzuziehen. Ehrlich gesagt bin ich froh, dass ihr dieses Glück erfahren könnt.“

Ich strahlte sie an. „Danke.“ Kaum zu glauben, dass sie nicht derselben Meinung war wie meine Mutter. Deren fassungsloser Gesichtsausdruck zeigte mir, dass sie Monika nicht verstehen konnte.

Man sah Johns Mutter nun an, dass sie sich bemühen musste, die Augen offen zu halten.

„Du bist bestimmt müde“, sagte Mama. „Möchtest du dich erst mal ausruhen? Wir kommen morgen wieder.“

„Okay. Das ist sehr nett von euch“, gab sie erschöpft zurück.

„Ich gehe schon mal zu John. Du kannst ja nachkommen“, bemerkte ich und wandte mich anschließend an Johns Mutter. „Ich habe vorhin mit Ben telefoniert, er hat gesagt, dass er dich heute Abend besuchen kommt.“ Sie nickte. „Gute Besserung“, fügte ich hinzu und verließ das Zimmer.

Zügig schritt ich den Gang entlang, um zu John zu gelangen. Wie immer drückte ich leise die Türklinke herunter. Ich weiß nicht, ob er zuvor geschlafen hatte, aber nun sah er mich lächelnd an. Zärtlich drückte ich meine Lippen auf die seinen und setzte mich.

„Mama ist wach“, verkündete er strahlend.

„Ja, ich weiß.“ Es war schön, ihn so glücklich zu sehen. „Ich freue mich so.“

„Warst du gerade bei ihr?“, fragte er.

„Ja. Sie freut sich für uns, dass ich schwanger bin.“ Grinsend nahm ich seine Hand. „Ihr habt es endlich beide geschafft, jetzt wird alles wieder gut. Es ist vorbei.“

„Oder es fängt alles erst an ...“

Schwangerschaft

Teil 2

Der zweite Monat

Wir machten uns auf den Weg zum Schulhof, um darauf zu warten, dass man die Türen des Gebäudes öffnete, sobald es zum Unterricht schellte. Je mehr Schüler eintrafen, desto lauter wurde das Raunen ihrer Gespräche. Die Sonne strahlte bereits hell vom Himmel herab, obwohl es erst kurz vor acht Uhr war, und ich begann zu schwitzen. Es war ein seltsames Gefühl, dass John nicht bei mir war. Zwar war ich schön öfter ohne ihn zur Schule gegangen, wenn er beispielsweise krank gewesen war, aber nun fühlte es sich anders an, weil mir klar war, dass das länger so bleiben würde. Unruhig wippte ich im Stehen vor und zurück und legte eine Hand an meinen Bauch. Ich hoffte, das würde meine Nervosität senken. „Was ist denn heute los mit dir?“, fragte Nadine. „Du wirkst total angespannt.“

„Bin ich auch“, gab ich zu. „Ich werde gleich mit unseren Lehrern reden und danach vermutlich vor unserer gesamten Klasse sprechen.“

„Warum?“, wollte Verena wissen.

„Ich will ihnen sagen, dass ich schwanger bin. Früher oder später werden sie es sehen und ich will mir neugierige oder entsetzte Blicke und Fragen sparen.“

„Sollen wir dir irgendwie helfen?“, fragte Nadine.

Ich lächelte. „Nein, danke. Ich werde das schon schaffen.“

„John hat mich gebeten, unserem Klassenlehrer auch alles zu erzählen, damit er sich nicht wundert, wenn er so lange nicht zur Schule kommt“, berichtete Tobias.

„Nur gut, dass du in seiner Klasse bist. Sonst hätte ich das vermutlich übernehmen müssen.“ Ich war ein bisschen erleichtert, dass mir wenigstens dieses Gespräch erspart blieb.

Florian schaute auf seine Armbanduhr. „In ungefähr einer Minute beginnt der Unterricht.“

„Ich hoffe, wir haben bessere Lehrer als letztes Jahr“, warf Verena ein.

„Werden wir ja gleich erfahren“, meinte Nadine.

„Kaum zu glauben, dass wir nun schon in der zehnten Klasse sind“, staunte Florian.

„Und John und ich in der zwölften“, entgegnete Tobias.

„Ja, ihr seid bald fertig mit der Schule. Das ist gemein. Wir wollen, dass ihr hierbleibt.“ Nadine schmollte.

„Das ist eure Schuld, wenn ihr euch ältere Kerle aussucht“, sagte Tobias sarkastisch und gab Nadine einen Kuss.

„Ich habe alles richtig gemacht“, behauptete Verena. „Florian geht sogar in meine Klasse.“ Auch die beiden küssten sich.

Als ich das sah, fehlte mir John umso mehr. „Jetzt da der Alltag wieder losgeht, kann ich nicht glauben, dass ich schwanger bin. Ich meine, ich kann mir nicht vorstellen, dass ich in ein paar Monaten mit einem dicken Bauch zur Schule komme.“ Ich strich mir eine Strähne aus dem Gesicht.

„Wir uns auch nicht“, stimmten meine Freunde mir zu.

Da ertönte die Schulglocke. Sofort setzten sich die Schülermassen in Bewegung, um sich durch die Tür zu quetschen. Wir warteten, bis sich das Gedränge einigermaßen gelöst hatte. Dann betraten auch wir das Schulgebäude. Im Strom der vielen Mitschüler liefen wir durch den langen Flur und stiegen einige Stufen hoch, die zu unseren Klassenräumen führten. Bevor wir um die nächste Ecke bogen, verabschiedeten wir uns von Tobias.

„Wir sehen uns in der Pause“, sagte er.

Nadine gab ihm einen Abschiedskuss, dann gingen wir zu viert weiter zu unserem Klassenraum.

Nach wenigen Minuten erschien unsere Klassenlehrerin und schloss die Tür auf, damit wir uns einen Platz suchen konnten. Wir setzten uns nebeneinander in die zweite Reihe und stellten unsere Taschen ab.

„Guten Morgen, Klasse 10a“, begrüßte uns die Lehrerin.

„Guten Morgen, Frau Lange“, gaben wir brav im Chor zurück.

„Ich freue mich, euch im neuen Schuljahr begrüßen zu dürfen. Wir haben drei neue Mitschüler in unserer Klasse, wie ihr vielleicht schon gemerkt habt.“ Sie stellte sie uns kurz vor, dann ging sie zum Lehrerpult, um sich zu setzen und das Klassenbuch aufzuschlagen. „Fehlt heute jemand?“ Frau Lange ließ ihren Blick suchend durch den Raum schweifen. „Glücklicherweise niemand. In den ersten beiden Stunden werden wir die Klassensprecher wählen sowie gemeinsam die Schulordnung durchgehen, da sich einige Regeln geändert haben. Schließlich werde ich euch den Stundenplan geben und mitteilen, von welchen Lehrern ihr in den einzelnen Fächern unterrichtet werdet."

Als es später zur ersten Pause schellte, trat ich zu Frau Lange ans Pult, während alle anderen sich bereits auf den Weg zum Schulhof machten. Sie packte gerade ihre Tasche zusammen.

„Diana", sagte sie überrascht. „Gibt es ein Problem?"

„Nicht direkt." Ich lehnte mich an einen Tisch in der ersten Reihe. „Ich wollte Sie fragen, ob ich die Erlaubnis bekäme, vor unserer Klasse zu sprechen und ihr mitzuteilen, dass ich schwanger bin."

Frau Lange hielt in ihrer Bewegung inne, legte das Buch, welches sie gerade hatte einpacken wollen, auf das Pult und schaute mich besorgt an. „Mein Freund hatte einen schweren Autounfall mit seinen Eltern und wird vielleicht nie wieder laufen können. Unter diesen Umständen fand ich die Entscheidung richtig, das Baby zu behalten", fuhr ich schnell fort, bevor sie danach fragen konnte.

„Das tut mir sehr leid. Das ist ja schrecklich", presste sie mitfühlend hervor. „Ich kann verstehen, warum du die Schwangerschaft nicht abbrichst, aber es wird natürlich keinen guten Eindruck machen. Ich meine, in so jungem Alter schwanger zu sein, ist ungewöhnlich und eigentlich sollte das nicht vorkommen."

Ich fühlte mich durch ihre Worte angegriffen und legte schützend eine Hand an meinen Bauch. Sollte das heißen, dass sie mich von der Schule werfen wollte?

„Aber wir werden es akzeptieren müssen, denn schließlich ist es deine Entscheidung."

Ich nickte. „Halten Sie es denn für sinnvoll, wenn ich diese Neuigkeit unserer Klasse mitteile? Ich hoffe, auf diese Weise lassen sich aufdringliche Fragen und Blicke vermeiden."

„Wenn du das tun möchtest, kannst du das natürlich gerne machen. Ich fände es sinnvoll. So könnten deine Mitschüler dich besser unterstützen, wenn du Hilfe brauchst."

„In Ordnung. Soll ich es gleich nach der Pause verkünden?", fragte ich.

„Ja, dann bin ich auch noch hier. Ab der vierten Stunde habt ihr keinen Unterricht mehr bei mir."

„Gut. Danke für Ihre Zeit und Ihren Rat." Ich wandte mich zum Gehen.

Als ich auf den Schulhof trat, blickte ich mich nach meinen Freunden um. Verena winkte mir mit ihrem Gipsarm, der aus der Masse der Schüler herausstach. Ich gab ihr ein Zeichen, dass ich sie entdeckt hatte, und machte mich auf den Weg zu ihnen.

„Und was hat sie gesagt?", begrüßte mich Tobias.

Ich stellte meine Tasche auf dem Boden ab und gab zurück: „Das Gleiche würde ich gerne von dir wissen."

„Ladies first."

„Sie findet meine Schwangerschaft ungünstig, weil sie einen schlechten Eindruck vermitteln wird." Ich verzog das Gesicht.

„Das gibt es doch nicht", meckerte Nadine. „Frau Lange ist doch sonst immer so nett und nun sagt sie so etwas. Die hat sie doch nicht mehr alle. Ich glaube, sie hat in den Ferien zu viel Sonne abbekommen."

Ich musste lachen, weil sich meine Freundin derart empörte. „Aber ich verstehe, was sie meint. Oder hast du schon mal eine Schwangere in der Schule gesehen?"

„Nein, aber bei euch ist das doch etwas ganz anderes", meinte Florian.

„Niemand weiß, was für Gründe wir hatten, das Baby zu behalten. Für jeden wird es so aussehen, als wären wir zu dumm, um richtig zu verhüten", erklärte ich.

„Aber es kann euch doch egal sein, was die anderen denken", meinte Verena.

„Ist es mir eigentlich auch. Aber es wird trotzdem ein merkwürdiges Gefühl sein. In der nächsten Stunde werde ich es unserer Klasse mitteilen." Als ich das aussprach, spürte ich erneut deutlich die Anspannung.

„Du wirst das hinkriegen und gut machen", ermunterte mich Verena.

„Danke." Ich lächelte. „Aber jetzt du, Tobias." Ich warf ihm einen neugierigen Blick zu.

Er grinste, bevor er begann, vom Gespräch mit seinem Klassenlehrer zu berichten. „Herr Brandt war total geschockt, als ich ihm von dem Autounfall erzählt habe. Wir werden John bald mit der Klasse im Krankenhaus besuchen. Auch wenn die Lähmung bleibt, wird er weiterhin hier zur Schule gehen können. Wir müssten nur den Klassenraum wechseln, damit John mit einem Rollstuhl dorthin hinkäme."

„Das sind gute Nachrichten." Ich lächelte.

„Und was sagt ihr zu meiner Freundin?", wechselte Florian das Thema.

„Gratulation!", rief Nadine aus.

„Was ist los?" Tobias runzelte fragend die Stirn.

Verena rollte mit den Augen. „Ich bin doch bloß zur Klassensprecherin gewählt worden."

„Bloß?", kreischte Nadine. „Ich glaube, du bist das erste Mädchen in unserer Klasse, das das geschafft hat."

„Stimmt", bestätigte Florian. „Sonst hatten wir immer Jungs als Klassensprecher, die Mädchen wurden meist nur zu Stellvertreterinnen gewählt."

„Das ist ein guter Grund zu feiern", meinte ich.

„Quatsch", protestierte Verena.

Ich zog den Reißverschluss meiner Tasche auf, um einen Apfel herauszuholen, dabei sagte ich: „Nächste Woche bekomme ich wieder ein Ultraschallbild. Ich bin schon gespannt, ob dieses Mal mehr zu erkennen ist."

„Wann kann man denn das Geschlecht feststellen?", fragte Nadine.

„Ich glaube, im fünften Monat. Ich muss also noch etwas warten."

Beim Klingeln der Schulglocke begaben wir uns wieder in das Gebäude. Als Frau Lange den Klassenraum betrat, stoppten schlagartig die Gespräche.

„Zu Beginn der Stunde möchte euch Diana einige Worte sagen. Ich bitte euch, ihr ruhig zuzuhören." Meine Lehrerin nickte mir zu.

Mein Herz begann zu rasen, als ich aufstand und mich vor meine Mitschüler stellte. Obwohl ich bis auf die drei neuen Schüler alle schon sehr lange kannte, war ich aufgeregt. Ich spreche nicht gerne vor vielen Menschen. Fünfundzwanzig Augenpaare starrten mich erwartungsvoll an. Nach einigen tiefen Atemzügen begann ich zu sprechen und versuchte zu ignorieren, dass ich rot wurde.

„Da wir in eine Klasse gehen, finde ich, dass ihr erfahren solltet, was ich euch gleich mitteile. Ich hoffe, dass ihr mich besser versteht, wenn ich es euch erkläre." Nun ließ ich den Blick über die Gesichter meiner Mitschüler wandern. Ich entschied mich, ganz von vorne zu beginnen.

„Mein Freund John hatte in den Ferien einen Autounfall mit seinen Eltern. Er hat über zwei Wochen im Koma gelegen und ist nun immer noch im Krankenhaus. Durch den Unfall wird er vielleicht für immer im Rollstuhl sitzen müssen."

Die Zuhörer schauten besorgt drein und einige warfen sich erschrockene Blicke zu. Nur Verena, Nadine und Florian zeigten keine Reaktion. „Als er noch im Koma gelegen und sich in Lebensgefahr befunden hat, habe ich festgestellt, dass ich trotz richtiger Einnahme der Pille schwanger bin."

Nun rissen meine Mitschüler die Augen weit auf und starrten mich neugierig an. Dadurch brachten sie mich gehörig aus dem Konzept. Meine Beine wurden wacklig. Verena machte einen wütenden Eindruck, weil aufgeregtes Getuschel unter unseren Kameraden eingesetzt hatte. Sie wollte sie schon ermahnen, mir zuzuhören und ihre Lästereien sein zu lassen, als ich mit zittriger Stimme weitersprach.

„Wir haben uns entschieden, das Baby zu behalten, weil es uns in dieser schweren Zeit Kraft gegeben hat." Endlich hatte ich es geschafft, alles vorgebracht, was ich zu sagen gehabt hatte.

Da sah ich, dass sich ein Mädchen in der ersten Reihe meldete. Was sollte das denn?

„Sarah?", fragte ich sie erstaunt.

„In welcher Schwangerschaftswoche bist du jetzt?", wollte sie wissen.

Ich lächelte, weil es mich überraschte, dass sich jemand dafür interessierte. „In der achten, also am Ende des zweiten Monats."

Sie nickte. „Ich finde es gut, dass du so offen damit umgehst und es uns gesagt hast."

„Danke", murmelte ich, völlig überrumpelt von ihrer positiven Reaktion.

Ganz links im Raum hob nun ein Junge den Arm. „Frederik, was gibt's?", sprach ich ihn an.

„Ist dein Freund John derjenige aus der 12b?"

„Ja, genau."

„Wann wird er wieder zur Schule kommen?"

Ich überlegte. „Das wissen wir nicht genau. Er wird noch ungefähr einen Monat im Krankenhaus bleiben müssen." Erst jetzt wurde mir bewusst, wie lange das noch war.

Einige meiner Mitschüler tuschelten miteinander, bis Alena die

Hand hob. „Wurden sie bei dem Unfall verletzt, der neulich so oft in den Nachrichten war?“, fragte sie.

„Ja“, bestätigte ich.

Jetzt wurde das Geflüster zu normalen Gesprächen, sodass ich einige Worte und Sätze verstehen konnte wie zum Beispiel:

„Das habe ich im Fernsehen gesehen. Der Unfall war wirklich schlimm. Das Auto lag auf dem Dach ...“

„Ja, und der andere Fahrer war betrunken ...“

„Es tut mir wirklich leid für John. So was Schlimmes ...“

„Hat noch jemand eine Frage?“, rief ich dazwischen.

Stille kehrte ein. Niemand hob mehr die Hand.

Da mischte sich Frau Lange wieder ein: „Wir alle möchten euch unser Mitgefühl aussprechen. Ich bin sicher, ihr werdet diese schwere Zeit überstehen.“

„Danke.“ Ich nickte und setzte mich erleichtert auf meinen Platz.

Der dritte Monat

Aufgeregt betrat ich die Praxis der Frauenärztin, meldete mich an und setzte mich ins Wartezimmer. Vorfreude machte sich in mir breit, weil ich in wenigen Minuten endlich mein Baby wiedersehen würde. Hoffentlich konnte man diesmal schon mehr sehen als einen winzigen Punkt. Schade, dass John nicht mitkommen konnte.

Ich war direkt nach der Schule hergekommen und noch ein bisschen aus der Puste vom Fahrradfahren, da es immer noch sehr warm draußen war. Wir hatten zwar keine dreißig Grad mehr, aber bei Anstrengung reichten auch geringere Temperaturen, vor allem wenn man zusätzlich einen schweren Schulranzen mit sich herumschleppte. In ein paar Monaten würde ich das nicht mehr machen, um mich nicht zu sehr zu belasten.

Schwer atmend schloss ich die Augen und lehnte meinen Kopf an die Wand hinter mir. Dabei streichelte ich meinen Bauch, der zu meiner Enttäuschung noch nicht merklich gewachsen war. Ich wollte nicht länger warten, bis ich die Bewegungen meines Babys spüren und man sehen konnte, dass es sich in mir befand. Unwillkürlich zuckte ich zusammen, als ich von der Sprechstundenhilfe aufgerufen wurde, und machte mich schnell auf den Weg ins Behandlungszimmer.

„Hallo, Diana“, begrüßte mich die Ärztin. „Setz dich doch.“

„Hallo.“ Ich nahm Platz und erwiderte ihr Lächeln.

„Wie geht es dir?“, fragte Dr. Jessen.

„Ganz gut.“

„Sind weitere Beschwerden aufgetreten?“

„Außer Heißhunger auf Schokolade hat sich nichts bemerkbar gemacht“, schmunzelte ich.

„Das ist ganz normal. Übelkeit, Heißhunger oder häufige Müdigkeit sind die ersten typischen Anzeichen einer Schwangerschaft.“ Ich nickte. „Und wie geht es deinem Freund?“

„Er ist vor drei Wochen aus dem Koma erwacht. Es ist schwierig für ihn, mit der Situation klarzukommen, denn noch weiß niemand, ob die Lähmung bleibend ist. Aber als ich ihm gesagt habe, dass ich schwanger bin, war er glücklich. Er möchte es auch gern behalten."

„Das ist schön." Meine Frauenärztin sah mich aufmunternd an. „Wollen wir nun den Ultraschall durchführen?"

„Gern." Ich war schon so gespannt auf das neue Foto.

Wir gingen in das Zimmer nebenan, wo ich wie vor fünf Wochen meinen Bauch freimachte und mich auf die Liege legte. Ich biss die Zähne zusammen, um nicht vor Schreck aufzuschreien, weil die Gleitflüssigkeit auf meiner Haut so kalt war. Nun schaltete die Ärztin das Ultraschallgerät ein und führte den kleinen Apparat an meinen Bauch.

Mit wild pochendem Herzen schaute ich auf den Monitor. Ich lächelte breit, als ich etwas erkannte. „Man sieht ja schon den Kopf!", rief ich aus.

„Ja, zwar nur angedeutet, aber man sieht ihn. Dort kannst du ganz klar Finger und Zehen an den Gliedmaßen erkennen. Hier befindet sich die Nabelschnur und da sind schon die Vertiefungen der Augen sichtbar." Sie zeigte auf den Monitor. „Die Konstruktion des Herzens ist nun beendet und es werden Oberlippe und Nasenspitze gebildet."

Ich strahlte noch immer und spürte, wie sich meine Augen mit Freudentränen füllten. „Wie groß ist es jetzt?"

Die Ärztin berührte die Abbildung des Babys mit dem Pfeil der Computermaus und zog so einen Strich vom Scheitel bis zur Sohle. „Knapp vier Zentimeter, also ungefähr so groß wie ein Pfirsichkern."

Ich nickte. „Wann wird man bemerken, dass ich schwanger bin?"

„Im vierten Monat sieht man meistens schon eine kleine Wölbung und spätestens ab dem fünften wird der Bauch runder", antwortete sie.

„Wann ist der Geburtstermin?", wollte ich wissen.

„Ich habe den 22. April errechnet, aber bei den meisten Frauen kommt das Kind ein paar Tage früher oder später."

„Und wann kann man das Geschlecht erkennen?"

„Ebenfalls ab dem vierten oder fünften Monat", antwortete Dr. Jessen. „Was wünscht ihr euch denn?"

Ich zuckte mit den Schultern. „Ich werde mich über beides freuen, obwohl ich mir, offen gestanden, ein Mädchen wünsche. Aber ich glaube, John wäre ein Junge lieber. Und irgendwie habe ich im Gefühl, dass es tatsächlich einer wird."

„Nächsten Monat können wir es vielleicht schon sehen", vertröstete sie mich.

Während das Bild ausgedruckt wurde, befreite mich die Ärztin von der kalten, glibberigen Flüssigkeit, ich zog mein T-Shirt zurecht und stand auf. Dann gab Dr. Jessen mir das Foto.

„Danke." Ich betrachte es noch einmal glücklich und verstaute es sicher mit meinem Mutterpass in der Hosentasche.

„Wenn du keine weiteren Fragen hast, sind wir fertig für heute", entließ mich die Ärztin.

„Nein, das habe ich nicht. Danke."

„Dann sehen wir uns in einem Monat wieder. Wenn du Probleme oder Fragen hast, kannst du jederzeit vorbeikommen."

Zum Abschied gab ich der Frauenärztin die Hand. Bevor ich mich auf mein Fahrrad schwang, um nach Hause zu fahren, ließ ich mir einen neuen Termin geben.

Als ich später unsere Haustür öffnete, deckte Mama in der Küche gerade den Tisch. Ich stellte meinen Schulranzen ab und rief: „Hallo."

„Hallo, Diana. Wie war es beim Frauenarzt? Alles im grünen Bereich?" Mama stellte den Suppentopf auf den Tisch.

„Ja, alles in Ordnung. Ich habe ein neues Ultraschallbild bekommen."

Meine Mutter setzte sich zu mir, sagte aber nichts mehr. Verwundert reichte ich ihr den Ausdruck. Sie betrachtete ihn skeptisch und brachte noch immer kein Wort hervor.

„Stimmt etwas nicht?" Ich fühlte mich verletzt.

Sie holte tief Luft. „Du musst damit glücklich sein."

Wut stieg in mir auf. Wollte sie mir tatsächlich durch die Blume sagen, dass sie sich nicht mit mir freuen konnte, weil sie meine Entscheidung immer noch nicht guthieß? Ich legte eine Hand auf meinen Bauch, weil ich dort ein leichtes Ziehen verspürte. „Ja, das bin ich", fauchte ich. „Ich kann es nicht fassen, dass du mich nicht unterstützen kannst oder es wahrscheinlich vielmehr gar nicht willst." Ich wollte mich nicht mit meiner Mutter streiten, aber ich hatte gute Gründe, sauer auf sie zu sein. Sie hatte mir und dem Baby spürbar durch ihr Verhalten wehgetan.

Mama legte das Ultraschallbild auf den Tisch und schaute weg. Ich konnte sie teilweise verstehen, welche Mutter wollte schon, dass ihre Tochter als Teenager schwanger wurde? Aber sie kannte meine Argumente und wusste, dass sich nichts mehr an der Situation ändern würde.

Betrübt steckte ich das Bild wieder weg und nahm mir einen Teller Suppe. Eigentlich war mir der Appetit vergangen, aber ich dachte an mein Baby, für das ich auf mich achten musste.

„Es tut mir leid“, flüsterte Mama.

Ich biss mir auf die Unterlippe, um meinen Mund daran zu hindern, weitere Worte zu formen, die ich möglicherweise bereuen würde. Meine Mutter würde sich über die Schwangerschaft sicherlich freuen, wenn ich zehn Jahre älter und verheiratet wäre. Denn dann wäre es in ihren Augen richtig und normal. Aber ich fand, dass der Zeitpunkt für Glück keine Rolle spielte.

Bestimmt machten meine Eltern sich darüber Sorgen, was die anderen denken würden, wenn sie in ein paar Monaten meinen wachsenden Bauch sahen. Sie würden sich nicht trauen, den Kinderwagen die Straße entlangzuschieben, weil sie glaubten, dann schlecht angesehen zu sein. Die meisten würden ihre Meinung ändern, wenn sie die Hintergründe wüssten. Aber wer nur an dem festhielt, was er sehen konnte, ohne die Details zu kennen, der konnte mir gestohlen bleiben. So viel stand fest.

Das Wichtigste war doch, dass John und ich glücklich waren. Mich würde es in Zukunft nicht interessieren, was andere dachten. Auch wenn es jemand sein sollte, der mir nahestand. Niemals würde ich anzweifeln, dass diese Entscheidung richtig war. Das Baby war das Beste, was uns zu diesem Zeitpunkt hätte passieren können, und ich würde seine Anwesenheit jede Sekunde genießen.

Als ich später den weißen Krankenhausflur entlanglief, machte ich seufzend eine Wendung, weil ich schon wieder falsch abgebogen war. Ich hatte mich noch nicht daran gewöhnt, John auf einem anderen Zimmer zu besuchen. Er befand sich seit drei Tagen nicht mehr auf der Intensivstation, sondern teilte sich das Zimmer mit seiner Mutter. Dort waren noch zwei weitere Betten frei, die aber zurzeit nicht belegt waren. Zügig schritt ich nun auf das richtige Zimmer zu. John war wach und sah leise fern, während seine Mutter zu schlafen schien. Die heftige Gehirnerschütterung bereitete ihr noch immer Kopfschmerzen und im Gegensatz zu John war sie erst seit zwei Wochen wach. Er lächelte, als ich hereinkam. Ich bemerkte schnell, dass Monika doch nicht schlief, denn auch sie schaute mich nun an. Es beruhigte mich, dass die beiden an keine Geräte mehr angeschlossen waren, weil das unsere Befangenheit in den ersten Tagen verstärkt hatte. Wir mussten uns an die Veränderungen gewöhnen und waren uns daher nicht so vertraut wie sonst. Vor allem kurz nachdem John aufgewacht war, fiel es mir schwer, mit ihm zu reden. Ich hatte in der Angst gelebt, etwas Falsches zu sagen, das ihn hätte verletzen können. Sogar bei unserem ersten Kuss nach seinem Erwachen hatte ich Unsicherheit gespürt. Nun hatte sich die ganze Sache etwas aufgelockert, aber es fühlte sich noch immer nicht so an wie früher.

„Hallo, ihr beiden." Ich küsste John kurz. Am liebsten hätte ich das leidenschaftlicher getan, aber es war mir peinlich vor seiner Mutter. Nun holte ich mir einen Stuhl, um mich zu setzen.

„Wie war es beim Arzt?" John nahm die Fernbedienung in die Hand, um den Fernseher auszuschalten. „Hast du ein neues Ultraschallbild bekommen?"

„Ja." Lächelnd zeigte ich ihm den Mutterpass.

Zuerst schien er zu überlegen, welche Umrisse sich welchem Körperteil zuordnen ließen. „Es ist viel größer geworden", meinte er schließlich und grinste. „Ist da der Kopf?" John zeigte auf die linke Seite des Bildes.

Ich nickte stolz.

„Man sieht auch schon die Finger und Zehen, aber die Beine und Arme sind etwas undeutlich", stellte er fest.

„Ich weiß. Ich finde, es ähnelt einem Gummibärchen."

John stimmte mir zu und musste ein bisschen lachen. „Und ist sonst alles in Ordnung?"

„Ja, es ist alles okay." Ich legte eine Hand auf meinen Bauch.

„Zeig mal!" Monika streckte einen Arm in unsere Richtung und John gab ihr das Bild. Versonnen betrachtete sie es. „Seid ihr immer noch glücklich damit?"

„Ja", erwiderten wir gleichzeitig.

„Daran werde ich niemals zweifeln", fügte ich hinzu.

„Das ist die Hauptsache", meinte sie und reichte John das Bild.

„Mama kann meine Entscheidung immer noch nicht verstehen. Ich habe mich mit ihr deswegen gestritten", erwähnte ich.

„Vielleicht sollte ich mit ihr reden“, bot Johns Mutter an.

„Nein, danke. Das wird schon wieder“, lehnte ich ihr freundliches Angebot ab.

Bevor John mir das Ultraschallbild zurückgab, sah er es sich noch einmal ganz genau an. Dann streckte er einen Arm in meine Richtung aus und ich wusste sofort, was er wollte. Also stand ich auf und machte einen Schritt auf sein Bett zu. Dann nahm ich die Hand von meinem Bauch, weil John nun seine an dieselbe Stelle legen wollte. Eine Weile verharrten wir so und genossen das Gefühl.

„Ich weiß nicht, ob es an mir liegt oder an dem Baby, aber es ist anders, wenn ich meinen Bauch berühre“, stellte ich fest. „Bei dir fühlt es sich viel besser an.“

Er begann mich zu streicheln. „Ich bin sicher, bei dir fühlt es sich auch gut an, aber vielleicht hast du dich schon so daran gewöhnt, deinen Bauch öfter zu berühren, dass du deshalb nicht das Gleiche empfindest.“

„Kann sein“, gab ich zu. „Nächsten oder übernächsten Monat wird man das Geschlecht erkennen können.“ Uns fiel auf, dass seine Mutter eingeschlafen war. Deshalb sprachen wir nun leiser.

„Was denkst du?“, wollte er wissen.

„Ich denke, es wird ein Junge.“

„Warum?“ Gespannt sah er mich an.

„Vielleicht ist das Baby entstanden, weil dein Vater gestorben ist. Schließlich ist ein Teil von ihm hier drin“, erklärte ich und deutete auf meinen Bauch.

„Vielleicht“, bestätigte John. „Ich wünsche mir einen Jungen.“

„Eigentlich habe ich immer gedacht, dass ich mir ein Mädchen wünschen würde, wenn ich in ein paar Jahren schwanger wäre. Aber langsam bereitet mir die Vorstellung, einen Jungen zu bekommen, richtig Freude. Ich hätte niemals gedacht, dass ich schon mit fünfzehn schwanger sein würde.“

Er nickte. „Das hätte niemand gedacht.“

„Glück und Pech werden häufig ungleich und ungerecht verteilt“, seufzte ich.

„Aber wir haben doch beides bekommen.“ Johns leuchtend blaue Augen hielten meinen Blick fest. Mein Herz schlug noch schneller, als es das ohnehin stets in seiner Nähe tat.

„Das stimmt, aber ich denke, ich wäre nicht schwanger, wenn der Unfall nicht passiert wäre. Alles hängt zusammen."

„Und der Unfall wäre nicht passiert, wenn der andere Fahrer nicht betrunken gewesen wäre", fügte John hinzu.

„Und das wäre er nicht gewesen, wenn es keinen Alkohol gäbe", setzte ich hinzu.

„Das könnten wir ewig so weiterspinnen."

Ich nickte. „Leider lässt sich die Zeit nicht zurückdrehen. Das ist alles so tragisch. Wärt ihr nur eine Sekunde später losgefahren ..." Ich brach den Satz ab.

„... wäre das alles nicht passiert. Es hätte das Auto hinter uns getroffen", beendete er ihn und löste seine Hand von meinem Bauch.

Ich setzte mich wieder, als mir plötzlich etwas einfiel. „Hat Michael dich eigentlich schon angerufen? Er muss ziemlich geschockt gewesen sein. Ich habe Ben gesagt, er solle in deinem Notizbuch mit den Telefonnummern nachschauen und es ihm mitteilen."

„Ja, Ben hat es ihm gesagt und Michael hat mich auch schon angerufen. Morgen will er mich besuchen."

„Hat sich schon jemand aus deiner Klasse gemeldet?" Ich deutete auf das Telefon, welches zwischen den zwei Betten an der Wand hing.

„Ja. Sie haben gesagt, dass sie mich bald besuchen kommen."

„Das ist schön." Ich war froh, dass man ihn durch Besuche und Anteilnahme unterstützte. „Warum benutzt du dein Handy eigentlich nicht?"

„Es ist bei dem Unfall kaputt gegangen. Ich hatte es in meiner Hosentasche."

„Oh." Damit hatte ich nicht gerechnet. „Hat dir Tobias schon von dem Gespräch mit eurem Klassenlehrer erzählt?"

„Ja, ich weiß schon alles." Mit einem Mal sah ich Traurigkeit in seinem Blick. „Nächste Woche bekomme ich die endgültige Diagnose."

Das stimmte, in einer Woche würde Johns Knochenmark nicht länger angeschwollen sein und man könnte sehen, ob es irreversibel verletzt war.

Durch die Operation und die Bettruhe sollte sein Wirbelbruch heilen und es sollte verhindert werden, dass das Knochenmark noch stärker verletzt wurde. Wir alle hofften auf eine Besserung, aber wirklich daran zu glauben war beinahe unmöglich.

Ich drückte Johns Hand und sagte: „Von einem negativen Ergebnis werden wir uns nicht runterziehen lassen."

„Ich werde mich damit abfinden müssen", war seine resignierende Antwort.

„Das wirst du können. Aber darüber sollten wir uns jetzt noch keine Gedanken machen, sondern erst wenn wir das Ergebnis tatsächlich wissen."

„Ich bin froh, wenn ich aus dem Bett kann. Aber es wird noch eine Weile dauern, bis sich mein Kreislauf umgewöhnt."

Ich nickte. „Jeder kleine Fortschritt ist gut. Bald werdet ihr auch das Krankenhaus verlassen und dann werden wir unsere Zukunft so schön gestalten wie möglich. Wir haben so viel Unglück erfahren, jetzt kann es nur noch besser werden. Vielleicht sollten wir uns damit zufriedengeben, denn ich glaube, es hätte noch schlimmer kommen können."

„Ja, ich weiß. Aber zurzeit ist es trotzdem nicht leicht, damit umzugehen."

„Nein, das ist es nicht", stimmte ich ihm mitfühlend zu.

In der folgenden Woche traten wir nach Unterrichtsschluss aus dem Schulgebäude und hüllten uns in unsere Jacken. Der frische Herbstwind blies meine Haare in alle Richtungen. Genervt begann ich, sie einigermaßen zu ordnen, aber als ich damit fertig war, kam schon die nächste Böe.

„Es hat in den letzten Tagen ziemlich abgekühlt, was?" Nur Verenas linker Arm befand sich in ihrem Jackenärmel, weil es schwierig war, den anderen eingegipsten hindurchzuzwängen.

„Ja, aber immerhin haben wir noch fünfzehn Grad. Es ist nur der Wind, der das Wetter so schlecht aussehen lässt", meinte Tobias.

Ich vergrub die Hände in den Taschen meiner Jeans und hielt Ausschau nach meinem Fahrrad, das zwischen den unzähligen anderen stand. Ich war die Einzige von uns, die mit dem Rad zur Schule fuhr, weil ich jeden Nachmittag John besuchte. Die anderen fuhren in Tobias' Auto mit, weil sich Verena mit ihrem gebrochenen Arm sowieso nicht auf einem Fahrrad halten konnte.

„Warum bist du so ruhig?", wollte Nadine von mir wissen.

„John wird heute erfahren, ob die Lähmung bleibt oder ob die Schäden heilbar sind. Ich habe Angst, dass er einen Rückfall bekommt, wenn das Ergebnis negativ sein sollte. Ich meine, es hat so viel Zeit gekostet, bis er sich einigermaßen erholt hatte, und nun muss er sich vielleicht damit abfinden, dass er ohne Zweifel nie mehr wird laufen können."

Meine Freunde schauten mich zunächst sprachlos an, bis Florian als Erster das Wort ergriff: „Aber selbst wenn das so sein sollte, werdet ihr diese Zeit auch überstehen nach allem, was ihr durchgemacht habt."

„Hoffentlich." Da entdeckte ich mein Fahrrad und blieb stehen.

„Florian hat recht, das Schlimmste habt ihr schon überstanden." Verena umarmte mich zum Abschied.

„Ruf uns an, wenn du wieder zu Hause bist, damit wir Bescheid wissen." Nadine tat es ihr nach.

„Klar", antwortete ich und ließ mich auch von den Jungen drücken. Nun befreite ich mein Fahrrad von dem Schloss und setzte mich auf den Sattel. Bevor ich losfuhr, winkte ich den anderen noch einmal zu.

Wie immer drückte ich leise die Türklinke herunter und trat ein. Johns Blick sagte mir bereits alles. Ich küsste ihn zur Begrüßung, dann setzte ich mich und wartete darauf, dass er zu sprechen begann.

„Die Ergebnisse der Untersuchungen haben sich nicht verändert. Die Lähmung wird bleiben, aber das Knochenmark wurde nicht komplett durchtrennt, deshalb könnte sich mein Zustand durch eine Therapie noch etwas bessern", sagte John leise, um seine Mutter nicht zu wecken.

Ich nahm seine Hand und überlegte, was ich sagen sollte. „Das tut mir so leid", hätte ich antworten können, aber das wusste er längst und konnte es vermutlich nicht mehr hören.

John ersparte mir eine Antwort und redete weiter: „Abwärts vom Bauchnabel spüre ich nichts mehr, weil sich dort die Verletzung in der Wirbelsäule befindet. Der Bruch ist gut verheilt. Mama und ich werden nach dem Krankenhausaufenthalt für vier Wochen auf Kur fahren, damit ich lerne, mit der Lähmung umzugehen, sowie Ergo- und Physiotherapie bekommen kann."

Ich nickte noch immer sprachlos.

„Heute Morgen saß ich schon einmal im Rollstuhl. Das war ein seltsames Gefühl. Früher hat man behinderte Menschen kaum wahrgenommen und jetzt ist man selbst in dieser Lage. Von einer Sekunde auf die andere ist man Rollstuhlfahrer."

Ich hätte ebenfalls nie gedacht, dass so etwas passieren würde und so schnell gehen könnte. Aber das Schlimmste daran war, dass es jeden gnadenlos treffen konnte, zu jeder Zeit. Ich fragte mich, ob ich jemals Sicherheit spüren würde, wenn ich in zwei Jahren Auto fuhr. Oder ob ich stets Angst hätte, Opfer eines Unfalls zu werden, gleichgültig, ob ich oder ein anderer Fahrer daran schuld wäre. Ich könnte es nicht ertragen, für eine Verletzung oder gar den Tod eines anderen verantwortlich zu sein. Aber ich musste später wohl Auto fahren, weil John es vermutlich nicht konnte.

Ich spürte das Messer in meinem Herzen und war den Tränen nahe. „Ich glaube an eine Besserung", sagte ich mit fester Stimme.

„Selbst wenn sich etwas bessern sollte, werde ich nie wieder normal laufen können", murmelte er resigniert.

„Wir dürfen die Hoffnung nicht aufgeben." Der Kloß in meinem Hals schmerzte.

„Wir würden enttäuscht werden", beharrte er.

Jetzt strömten die Tränen über meine Wangen. „Hör auf, das zu sagen." Ich war wütend. „Du willst aufgeben? Das Schicksal wird dich auslachen, wenn du das Schwert fallen lässt und aufhörst zu kämpfen. Denn dann hast du verloren und nichts wird jemals besser werden!"

Er wandte sich ab, schien sich schuldig zu fühlen, mich wütend gemacht zu haben. Aber er allein war nicht für meine Wut verantwortlich, sondern vor allem die schlechte Neuigkeit.

„Ich habe dir gesagt, wir werden uns davon nicht runterziehen lassen. Aber du tust es immer wieder." Ich stockte. „Du hast schon so viel durchgestanden. Du warst stark genug, um aufzuwachen, um mit dem Tod deines Vaters einigermaßen zurechtzukommen und um zu warten, bis deine Mutter aufwacht. Und jetzt sag mir nicht, dass du nicht auch stark genug bist, um eine auf Besserung zu hoffen." Ich schnappte nach Luft. „Ich werde dich immer lieben, auch wenn du dauerhaft im Rollstuhl sitzen müsstest, weil ich weiß, dass du das andersherum ebenfalls tun würdest. Normalerweise gewöhnt man sich an Situationen, wenn sie von längerer Dauer sind. Wir werden uns an deine Lähmung gewöhnen und in ein paar Monaten werden wir es für etwas Selbstverständliches halten, falls sich nichts bessern sollte. Aber weißt du, woran ich mich nie gewöhnen werde?" Ich erwartete keine Antwort von ihm, sondern sprach einfach weiter. „An unsere Liebe, daran, dass du bei mir bist. Obwohl wir schon seit zwei Jahren zusammen sind, kann ich mich nicht daran gewöhnen, weil ich unsere Beziehung für so besonders halte. Du bist der einzig Richtige für mich. Ich glaube, ich hätte mich bis heute nicht getraut, dich anzusprechen. Ich wüsste nicht, was passiert wäre, wenn du es nicht in die Hand genommen hättest."

Meine Worte berührten ihn. „Du hast recht. Wenn es dich und unser Baby nicht gäbe, wüsste ich nicht weiter. Ihr seid wie Engel für mich, die mich immer wieder dazu auffordern, zu kämpfen. Ich werde das, so gut ich kann, tun."

„Und wehe, du gibst noch einmal auf", drohte ich.

„Das wird nicht vorkommen. Versprochen."

Nun konnte ich wieder lächeln. „Ich liebe dich."

„Und ich dich", flüsterte er zärtlich.

„Und deshalb kann uns nichts mehr auseinanderbringen", fügte ich überzeugt hinzu.

Nachdem ich zu Hause angekommen war und gegessen hatte, rief ich Verena und Nadine an, um ihnen zu erzählen, was ich im Krankenhaus erfahren hatte. Als ich das Telefon zurück an seinen Platz legen wollte, begann es, in meiner Hand zu klingeln. Natürlich nahm ich sofort ab. „Hallo?"

„Hey, hier ist Ben. Sitzt du etwa vor dem Telefon und wartest auf meinen Anruf?" Er lachte.

„Ja, klar. Ich habe nichts Besseres zu tun", gab ich frech zurück, dann stockte ich und wurde wieder ernst. „Nein, in Wahrheit habe ich gerade telefoniert. Weißt du schon Bescheid?"

„Ja, John hat mich vorhin angerufen", antwortete er. „Du warst sicher bei ihm heute. War er sehr mitgenommen?"

„Ja, aber ich hab sofort auf ihn eingeredet, damit das nicht so bleibt."

„Ich bin sehr dankbar, dass du für ihn da bist. Ich meine, ich habe natürlich auch mit ihm gesprochen, aber deine Worte scheinen eine deutlichere Wirkung zu zeigen. Du hast einen anderen Einfluss auf ihn als ich. Einen besseren."

„Wenn du meinst." Ich lächelte und betrachtete die eingerahmte, getrocknete Rose von John, die an meiner Wand hing.

„Es ist so. Du bist etwas ganz Besonderes", fügte Ben ehrlich hinzu.

„Danke", murmelte ich gerührt. Es entstand ein betretenes Schweigen.

Dann ergriff Ben wieder das Wort: „Ich wollte dir eigentlich nur sagen, dass wir bald ein paar Änderungen im Haus vornehmen werden. Deshalb werden Tanten, Onkel und Großeltern kommen, um mitzuhelfen. Das wäre eine gute Gelegenheit, sich wiederzusehen."

Als er das sagte, spürte ich das Messer in meinem Herzen, denn mir wurde bewusst, wie viel sich in Johns Leben ändern würde. Sein Bruder hatte also auch die Hoffnung auf eine Besserung verloren. „Du meinst wegen der Treppen?", hakte ich nach.

„Ja, erstens deswegen und zweitens müssen wir das Bad umbauen. Und wenn wir schon mal dabei sind, könnten wir auch Platz für ein Kinderzimmer schaffen, wenn ihr wollt."

Über Letzteres hatte ich mir noch gar keine Gedanken gemacht. Bei uns wäre kein Raum frei, das Baby müsste bei mir schlafen.

„Wir könnten mein altes Zimmer ausräumen, das dient zurzeit sowieso nur als Rumpelkammer", erklärte Ben. „Vielleicht willst du eine andere Farbe an den Wänden haben. Aber das muss nicht jetzt entschieden werden, dafür habt ihr schließlich noch genug Zeit. Doch ich würde mich freuen, wenn du trotzdem kommen würdest, und die anderen bestimmt auch."

„Und wann?", fragte ich.

„Das wissen wir noch nicht genau. Natürlich werden wir nicht alles an einem Tag schaffen. Wir überlegen, ob wir das in den Herbstferien machen, bevor Mama und John aus der Kur kommen."

Ich runzelte die Stirn. Die Schule hatte erst vor ein paar Wochen begonnen und er sprach schon wieder von Ferien? „Wann sind die denn?", wollte ich wissen.

„Sie beginnen in vier Wochen", teilte er mir mit.

„In den Ferien habe ich immer Zeit, wir werden nicht verreisen. Aber auch während der Schulzeit würde es gehen. Ihr braucht euch nicht nach mir zu richten."

„Okay, dann rufe ich dich wieder an, wenn ich Genaueres weiß. Mama und John sollen davon übrigens nichts wissen, weil es eine Überraschung werden soll", bat Ben mich.

„Dir ist aber klar, dass sich der Zustand von Johns Lähmung noch ändern kann, oder?"

„Ja, aber wenn das nicht der Fall sein sollte, käme John mit einem Rollstuhl im Haus nicht mehr klar. Wir müssen vorbereitet sein."

„Stimmt“, gab ich zu.

„Und wie geht es euch beiden?“, fragte Ben.

Ich kapierte zunächst nicht, was er meinte. „Welche beiden?“

„Das Baby und du natürlich.“

Ich lachte. „Uns geht es gut. Ich habe ein neues Ultraschallbild bekommen und es ist alles in Ordnung. Und bei euch ist alles okay?“

„Ja, alles beim Alten“, antwortete er. „Dann hören wir voneinander, ja? Bestell deinen Eltern einen schönen Gruß.“

„Mache ich, grüß Larissa von mir.“

Ich legte auf und setzte mich nachdenklich auf mein Bett. Ben hatte von einem Kinderzimmer gesprochen. Die gesamte Schwangerschaft kam mir immer noch nicht real vor. Es war einfach gewesen zu sagen, dass ich das Baby behalten wollte, aber erst jetzt wurde mir die Bedeutung dieser Entscheidung richtig bewusst. John und ich würden immer beieinander übernachten müssen oder ich müsste zu ihm ziehen, weil dort das Kinderzimmer eingerichtet war. Nur auf diese Weise konnten wir uns gemeinsam um das Baby kümmern. Aber das würden wir schon geregelt kriegen.

Als ich weiter darüber nachdachte, fiel mir auf, dass noch niemand aus meiner Verwandtschaft von der Schwangerschaft wusste. Ich hatte keine Ahnung, wie ich es ihnen sagen sollte und wann der richtige Zeitpunkt dafür war. „Mama?“, rief ich.

„Ja?“ Ihre Stimme klang weit weg. Sie musste unten in der Küche sein.

„Hast du eigentlich schon jemandem offenbart, dass ich schwanger bin?“

„Nein“, schrie sie zurück, damit ich sie hören konnte.

Mamas Schwestern und ihre Eltern wohnten über eine Stunde von uns weg und Papas Verwandtschaft lebte noch weiter entfernt.

Mama kam mit einem vollen Wäschekorb in mein Zimmer und riss hastig die Türen meines Kleiderschrankes auf, um ihn zu füllen.

„Was hältst du davon, wenn wir Oma und Opa besuchen? Wenn Tante Gabi und Theresa Lust haben, könnten sie auch kommen“, schlug ich vor.

„Es wäre schön, sie alle wiederzusehen. Aber meinst du, es ist eine gute Idee, sie alle zusammenzutrommeln, nur um ihnen das zu sagen?“

Ich stieß hörbar Luft aus und hätte schon wieder aus der Haut fahren können. „Warum?“ Ich versuchte, meine Stimme ruhig klingen zu lassen. „Es ist doch keine schlechte Nachricht.“

„Ich weiß nicht. Ich habe Bedenken, dass sie sich zu sehr aufregen würden.“ Ihre Tonlage ließ eher vermuten, dass ihr das völlig gleichgültig wäre.

„Wieso hast du denn immer Zweifel? Irgendwann werden sie es sowieso erfahren“, protestierte ich.

Sie zuckte mit den Schultern und verließ den Raum, um den nächsten Schrank einzuräumen.

Am Samstagmorgen fuhren meine Eltern und ich ins Krankenhaus, um John und seine Mutter zu besuchen. Als wir auf dem Weg zu ihrem Zimmer waren und durch den langen weißen Flur marschierten, kam uns der Arzt von der Intensivstation entgegen.

„Guten Morgen“, begrüßte er uns. „Schön, Sie alle wiederzusehen.“

„Es ist auch schön, Sie zu sehen“, gab Papa höflich zurück.

„Wie geht es dir, Diana?“, wollte Dr. Böhmer wissen.

„Danke, mir geht es gut.“

„Es tut mir leid, dass sich die Lähmung bei deinem Freund nicht gebessert hat.“

Ich nickte. „Aber ich bin sicher, dass wir damit zurechtkommen werden.“

„Das wünsche ich euch von ganzem Herzen.“ Man konnte das ehrliche Mitgefühl aus seiner Stimme heraushören. „Ich hoffe, dass ihr glücklich werdet und eure Entscheidung nie bereut.“

Ich wusste, was er meinte, und legte eine Hand an meinen Bauch. „Das werden wir.“

„Ich werde dich besuchen, wenn ich erfahre, dass du hier auf Station bist“, schmunzelte er.

„In sieben Monaten. Ich freue mich auf Sie.“

„Bis dahin alles Gute“, meinte er noch, bevor er den Flur hinuntereilte.

Wenig später klopften wir leise an die Zimmertür und traten ein. Das Erste, was mir dieses Mal auffiel, war, dass John nicht im Bett lag, sondern in einem Rollstuhl am Tisch in der Ecke des Raumes saß. Das Messer in meinem Herz schmerzte. Ich konnte es nicht ertragen, ihn so zu sehen. „Er hat das nicht verdient!“, schrie eine erzürnte Stimme in meinem Kopf.

John blätterte in den Schulbüchern, die ich ihm vorbeigebracht hatte. Seine Mutter befand sich im Bett und las Zeitung. Das Zweite, was ich bemerkte, war, dass sich außerdem eine ältere Dame im Zimmer befand, die in einem der ehemals freien Betten lag und fernsah.

„Hallo", tönten meine Eltern und ich in die Runde und schlossen die Tür hinter uns.

Auch die neue Zimmergenossin begrüßte uns. Ich ging zu John, damit ich meine Lippen auf die seinen pressen konnte, während meine Eltern sich mit seiner Mutter unterhielten. Es war ungewohnt, mich bücken zu müssen, um ihn zu küssen. Durch den Rollstuhl würde John in Zukunft immer ein bisschen kleiner sein als ich.

Mir fiel die Thermoskanne auf dem Tisch auf. „Ist dir wieder kalt?"

„Immer seitdem der Unfall passiert ist", antwortete er schlicht.

„Bevor du aufgewacht bist, habe ich festgestellt, dass deine Hand ganz kalt war. Aber der Arzt hat mir erklärt, woran das liegt." Ich setzte mich auf den Stuhl neben ihn und legte meine Hände um die seinen, um ihn zu wärmen. „Verstehst du das?" Ich deutete mit dem Kinn auf das Mathematikbuch.

„Ja, ich glaube schon. Ich weiß nur nicht, ob ich es richtig verstehe."

„Hat dir Tobias nicht gesagt, dass du dir das nicht ansehen musst? Euer Klassenlehrer meinte, du solltest erst wieder richtig gesund werden."

„Ich habe sowieso nichts Besseres zu tun." John zuckte die Achseln.

„Aber Hausaufgaben machst du nicht, oder?", neckte ich ihn.

„Nein." Er grinste. „Aber in der Kur werde ich damit anfangen."

„Ich glaube, ich würde hier drin durchdrehen. Gut, dass du bald entlassen wirst und auf Kur gehst."

„Du hinderst mich daran, durchzudrehen", meinte er liebevoll.

„Du bist süß."

„Du auch. Und das hier." Er legte eine Hand an meinen Bauch.

„Wir wollen gleich meine Großeltern besuchen, meine Tanten und Onkel werden auch kommen. Ich habe vor, ihnen von meiner Schwangerschaft zu berichten. Ist das okay?"

„Natürlich. Schließlich bist du schon im dritten Monat und sie wären bestimmt beleidigt, wenn du es ihnen noch später sagst."

Uns entging nicht, dass die ältere Frau uns einen skeptischen Blick zuwarf.

Ich nickte verständnisvoll. „Hast du es schon jemandem gesagt? Also jemandem, dem ich es nicht bei der Beerdigung verraten habe?"

„Nein."

„Damit könntest du dir die Zeit vertreiben." Ich deutete auf das Telefon an der Wand.

„Gute Idee. Wann wollt ihr eigentlich los?"

Ich warf einen Blick auf die Uhr. „In einer Viertelstunde." Sehnsüchtig betrachtete ich meinen Freund. „Ich würde dich so gerne mitnehmen. Kann ich dich nicht für einen Tag entführen?"

Er grinste. „Gerne."

„Ich bin gespannt, wie meine Verwandtschaft reagieren wird."

„Du kannst mich ja später anrufen und es mir erzählen", verlangte er.

„Das hatte ich ohnehin vor. Übrigens hat uns gerade der Arzt auf dem Flur angesprochen", sagte ich. „Er ist wirklich nett und kümmert sich bestimmt nicht um jeden Patienten so intensiv. Unsere Situation scheint ihn zu berühren."

„Du hast ihm erzählt, dass du schwanger bist, oder?", hakte John nach.

„Ja." Ich runzelte die Stirn.

„Ich habe mich bloß gefragt, woher er das wusste", meinte er.

„Oh." Das hatte ich John gar nicht erzählt. „Ich hoffe, das hat dich nicht in Schwierigkeiten gebracht? Ich habe den Arzt nur nach seiner Meinung gefragt. Obwohl ich auch mit Nadine, Verena und deinem Bruder gesprochen habe und sogar bei einer Beratung war, ist es mir schwergefallen, ohne dich eine Entscheidung zu treffen."

„Das kann ich mir vorstellen. Aber du hättest immer noch die Gelegenheit abzutreiben", entgegnete er.

„Ja, aber ich hätte die Abtreibung so schnell wie möglich vornehmen lassen, um es mir einfacher zu machen. Außerdem wusste ich nicht, wann du aufwachst."

„Aber hast du wirklich geglaubt, dass das so lange dauern würde?", wollte er wissen.

„Ich habe gehofft, dass das nicht so sein würde, aber ich habe mit dem Schlimmsten gerechnet."

„So lange hätte ich dich nicht warten lassen", äußerte er überzeugt und brachte mich damit zum Lächeln.

Da kamen meine Eltern zu uns. „Wie geht es dir?“, fragte Papa.
„Ganz gut“, antwortete John.
„Wir müssen leider schon los“, verkündete Mama.
„Aber wir haben doch noch Zeit“, erwiderte ich.
„Trotzdem wollen wir nicht zu spät kommen“, widersprach sie.
Ich wollte nicht weiterdiskutieren, um einen Streit zu vermeiden, außerdem hatten wir ohnehin wirklich nur noch ein paar Minuten. „Na gut.“ Ich küsste John und verabschiedete mich auch von seiner Mutter. Während der Fahrt überlegte ich, wie ich meiner Verwandtschaft am besten die Neuigkeiten beibringen konnte. Ich hoffte, meine Eltern würden mir nicht dazwischenfunken.
Oma öffnete strahlend die Tür. Ich umarmte sie lächelnd und trat ein, um auch die anderen zu begrüßen. Meine Eltern taten dasselbe.
„Das Essen steht schon auf dem Tisch“, meinte Oma Emma stolz.
„Was gibt es denn?“ Ich versuchte, mir meine Frage selbst zu beantworten. Der Geruch nach Essen lag in der Luft. „Schweinebraten, Rotkohl und Klöße. Richtig?“
Meine Oma nickte zustimmend.
Als wir an dem langen gedeckten Tisch Platz nahmen, den meine Großeltern mit Kastanien und getrockneten Herbstblättern verziert hatten, erklang Schlagermusik im Hintergrund. Ich verzog das Gesicht. Während wir unsere Teller füllten, fragten meine Tanten meine Eltern, wie es ihnen ginge und ob es etwas Neues gäbe. Ich hatte schon Angst, sie würden nun mit meiner Schwangerschaft herausplatzen, doch das passierte zum Glück nicht.
„Es ist schön, euch zu sehen“, meinte mein Opa Henry schließlich. „Ihr habt schließlich immer so viel mit der Arbeit und zu Hause zu tun. Und Diana mit der Schule. Wir bekommen euch kaum zu Gesicht.“
„Du gehst nun schon in die zehnte Klasse, oder?“, fragte Tante Theresa.
„Ja“, antwortete ich.
„Wo ist die Zeit nur geblieben?“, fragte sich Oma. „Es kommt mir vor, als wäre es erst gestern gewesen, dass Diana ihre ersten Schritte gemacht hat.“ Bei diesem Satz dachte ich an John, weil es ungerecht war, dass er nur wenige Jahre die Fähigkeit besessen hatte zu laufen.
„Was willst du denn nach der Schule machen?“, wollte Onkel Frank wissen.

„Ich werde mein Abitur machen ..."

„... und ein Kind großziehen", setzte ich im Stillen hinzu.

„Und weißt du schon, was du werden willst?"

„Nein, ich habe noch keine Idee, welchen Beruf ich erlernen will. Aber wenn ich zuerst das Abitur mache, bleibt mir noch ein bisschen Zeit, um mir das zu überlegen."

„Und bist du noch mit deinem Freund zusammen?", fragte Tante Gabi grinsend.

„Ja."

„Das ist schön. Ich habe ihn zwar nur einmal gesehen, als ich bei euch zu Besuch war, aber er hat sofort einen guten Eindruck auf mich gemacht und ich finde, ihr seid ein tolles Paar. Wie heißt er noch mal? James?"

Ich musste grinsen. „Nein, John."

„Wie geht es ihm denn? Ich habe lange nichts mehr von ihm gehört." Onkel Jörg nahm sich noch einen Schöpfer Soße.

Ich hatte nicht daran gedacht, dass sie noch nicht einmal von dem Autounfall wussten, weil ich in der letzten Zeit selten mit ihnen telefoniert und es mir anfangs sehr wehgetan hatte, darüber zu sprechen. Nun beantwortete ich diese Frage, so ehrlich und ausführlich es mir möglich war: „Ihm ging es sehr schlecht, aber jetzt ist er auf dem Wege der Besserung. John und seine Eltern hatten Anfang August einen schlimmen Autounfall. Sein Vater ist dabei gestorben, er und seine Mutter haben eine längere Zeit im Koma gelegen. John ist nach zwei Wochen aufgewacht, seine Mutter nach dreien. Er ist seit dem Unfall querschnittsgelähmt und wird wahrscheinlich für immer im Rollstuhl sitzen müssen. Er ist immer noch im Krankenhaus." Erst als ich meinen Redefluss unterbrach, fiel mir auf, dass alle mit dem Essen aufgehört hatten und mich mit einem besorgten Gesichtsausdruck anschauten. Alle außer meinen Eltern.

„Das ist ja schrecklich", brach Tante Theresa die Stille.

„Das muss schlimm für dich gewesen sein", hauchte Oma.

„Der arme Junge", gab Opa seinen Kommentar ab.

„Und trotz allem seid ihr zusammengeblieben", stellte Tante Gabi beeindruckt fest.

„Uns kann nichts trennen", war ich mir sicher. „Ich hätte nicht mit der Situation umgehen können, wenn ich nicht wenige Tage nach dem

Unfall herausgefunden hätte, dass ich schwanger bin." Nun starrten mich meine Großeltern, Tanten und deren Männer erschrocken an.

Doch ich gab ihnen keine Chance, etwas zu sagen, sondern sprach weiter: „Es ist trotz richtiger Einnahme der Antibabypille passiert. Ich weiß, dass ich zu jung für eine Schwangerschaft bin, weil ich noch zur Schule gehe und zuerst eine Wohnung und eine Arbeit haben sollte, aber ich werde das Baby behalten. Es ist vielleicht unsere einzige Chance, eigene Kinder zu bekommen, und es hilft uns, diese schwere Zeit zu überstehen." Oma Emma schüttelte ungläubig den Kopf.

„Wir haben versucht, es ihr auszureden, aber wir können nichts tun", mischte Mama sich ein.

„Wir müssen es alle früher oder später akzeptieren. Diana und John sind glücklich damit", fügte Papa hinzu.

„Ich verstehe deine Gründe", meinte Tante Theresa. „Aber ist dir bewusst, wie deine Zukunft aussehen wird?"

„Ja, das ist mir bewusst. Mein Leben wird wahrscheinlich anstrengend sein, aber auf jeden Fall um einiges besser als das, was ich in den letzten Tagen durchmachen musste. Ohne das Baby hätten John und ich keine Kraft, um einfach weiterzumachen. Er hat seinen Vater und seine Beine verloren, aber das Baby werde ich ihm schenken."

„Bist du denn überhaupt in der Lage, das Baby zur Welt zu bringen?" Oma begann wieder zu essen.

„Meine Ärztin hat das bestätigt."

„Ich habe noch nie gehört, dass die Pille nicht wirken kann. War das vielleicht ein fehlerhaftes Produkt?", tat Tante Gabi ihre Zweifel kund.

„Jedes Verhütungsmittel kann versagen, aber es kommt sehr selten vor. Die Pille ist eigentlich am zweitsichersten", entgegnete ich.

„Und in welchem Monat bist du jetzt?" Nun beteiligte sich auch Opa Henry wieder am Gespräch.

„In der Mitte des dritten Monats. In zwei Wochen wird keine Abtreibung mehr möglich sein." Nun aß auch ich weiter.

„Dann werdet ihr wohl Oma und Opa." Onkel Jörg grinste meine Eltern spitzbübisch an.

„Wir kommen uns ziemlich alt vor." Papa musste trotz allem lächeln.

„Hast du schon Ultraschallbilder?", fragte Tante Gabi.

„Ja, zwei Stück. Ich kann sie euch nach dem Essen zeigen, aber man sieht noch nicht besonders viel."

„Das bedeutet doch, dass ihr bald heiraten müsst.“ Nun kam Opa mit seinen altbackenen Traditionen um die Ecke. „Das Kind muss schließlich einen Namen haben.“

„Wird es doch“, sagte ich, nachdem ich hinuntergeschluckt hatte.

„Ja, natürlich wird es einen Vornamen haben, aber was ist mit dem Nachnamen? Das Kind weiß doch später nicht, ob es Schmidt oder ...“ Opa Henry stockte.

„... Hoffmann heißt“, vollendete ich seinen Satz. „Aber wir haben noch Zeit. Sollten wir erst heiraten, wenn unser Kind drei Jahre jung ist, wäre das auch in Ordnung, weil es bis dahin sowieso nicht gefragt werden würde, wie es heißt. Obwohl ich es gar nicht so schlecht fände, vor der Geburt zu heiraten.“

Mama ließ ihre Gabel fallen und bekam rote Flecken am Hals vor Aufregung. Ich biss mir vor Nervosität auf die Unterlippe, weil ich Angst hatte, sie würde jeden Augenblick aus der Haut fahren.

„Damit müsst ihr doch gerechnet haben, Ina“, sprach Oma meine Mutter an. „Wenn Diana schon in diesem Alter schwanger ist und sie mit dem Vater zusammenbleiben will, bedeutet das, dass sie früher oder später auch heiraten und eine eigene Wohnung haben wird.“

Papa legte Mama eine Hand auf den Oberschenkel, weil er sie beruhigen wollte, obwohl er selbst aufgebracht wirkte.

„Ich würde sagen, solange John ihr keinen Antrag macht, und das halte ich für relativ unwahrscheinlich, brauchen wir uns darüber keine Gedanken zu machen.“ Tante Theresa schien die Situation lockern zu wollen.

Ich war ihr dankbar dafür, aber gleichzeitig wurde ich wütend. „Und warum hältst du das für unwahrscheinlich?“

„Ich denke, er hat im Moment genug damit zu tun, den Tod seines Vaters und die Lähmung zu verarbeiten, deshalb glaube ich nicht, dass er daran denkt.“

„Das glaube ich schon. Wir geben uns gegenseitig so viel Kraft, genauso wie das Baby. Wir hätten nicht mehr weitergewusst, wenn ich nicht schwanger wäre. Wir lieben uns so sehr. Er wird es bestimmt in Betracht ziehen, mich zu heiraten.“

„Dürft ihr das denn schon? Ich meine, ihr seid doch erst fünfzehn“, wollte nun Onkel Frank wissen.

Meine Eltern warfen sich einen Blick zu und diskutierten darüber.

„In zwei Monaten bin ich sechzehn und John ist bereits achtzehn. Also könnten wir heiraten, weil das möglich ist, wenn ein Partner volljährig und der andere über sechzehn ist", erklärte ich.

„Ich weiß nicht, Diana", begann Papa. „Muss das jetzt schon sein?"

„Du hast doch gehört, dass man sich Sorgen um die Tugend macht." Ich warf Opa einen Blick zu. „Also ja, ich finde, das muss jetzt schon sein."

„Das würde alles aber erst gehen, wenn John sich in seinem Leben zurechtgefunden hat und es ihm wieder vollkommen gut geht. Du müsstest mit einem Babybauch heiraten", gab Papa zu bedenken.

„Umso besser." Mir gefiel die Vorstellung, so zu heiraten, wie ich mich am wohlsten fühlte. Und ich war in meinem Leben nie glücklicher gewesen als jetzt, da sich das Baby in meinem Bauch befand. Ich würde es noch schöner finden, wenn es endlich alle sehen konnten, dass ich schwanger war, und sich mit mir freuten.

Meine Eltern runzelten aufgrund meiner Bemerkung die Stirn, während ich in die Runde schaute, um festzustellen, ob alle mit dem Essen fertig waren. „Es hat sehr gut geschmeckt", lobte ich Oma.

„Danke, das freut mich." Sie lächelte. „Ab jetzt werde ich wohl mehr kochen müssen, wenn du zu Besuch kommst."

Ich grinste und stand auf, um ihr und den anderen Frauen dabei zu helfen, den Tisch abzuräumen und abzuwaschen, während Papa und Opa sich weiterhin im Esszimmer unterhielten. Als wir fertig waren, kramte ich in meiner Tasche und zeigte Oma und meinen Tanten die ersten beiden Ultraschallbilder.

„Wenn ich das sehe, erinnere ich mich an die Zeit, als ich schwanger war", schwärmte Oma. Ich war froh, dass sie nun lockerer geworden war und meine Schwangerschaft zu akzeptieren schien. „Findest du das nicht auch schön, Ina?"

Mamas Gesichtsausdruck zeigte keine Zustimmung, aber auch keinen Widerspruch. Sie zuckte nur mit den Schultern.

Tante Gabi ging am besten mit meinem Geständnis um und stellte mir oft Fragen zu meiner Schwangerschaft. Sie freute sich mit mir und bei ihr wirkte das nicht gespielt. Sie konnte mich – vermutlich als Einzige – richtig verstehen. „Es wäre sicherlich schwer für dich zu ertragen gewesen, das Baby zu verlieren. Ich meine, es ist ja nicht durch Unachtsamkeit entstanden, sondern durch Liebe und Schicksal, weil es im richtigen Moment zu euch gefunden hat“, fasste sie meine eigenen Empfindungen zusammen.

Als wir spätabends wieder zu Hause waren, saß ich vor dem Telefon und traute mich nicht, John anzurufen. Ich wollte ihm unbedingt alles erzählen, aber ich hatte Angst, er würde schon schlafen oder ich könnte die anderen beiden wecken, die mit ihm auf dem Zimmer lagen. Doch als ich das Telefon wieder an seinen Platz bringen wollte, klingelte es. Lächelnd nahm ich ab in der Hoffnung, dass es John war, obwohl ich um diese Uhrzeit eigentlich nicht damit rechnete.

Und tatsächlich: „Ich bin's.“ Er sprach leise, vermutlich weil die anderen schon schliefen.

„Ich wollte dich auch anrufen, aber ich dachte, du würdest schon schlafen“, entschuldigte ich mich.

„Nein“, sagte er. „Die Frau, die seit heute in unserem Zimmer liegt, schnarcht.“

Ich empfand Mitleid für John. Er hatte so viel durchzumachen und nun konnte er noch nicht einmal schlafen. „Frag doch morgen nach, ob die Dame nicht auf ein anderes Zimmer verlegt werden kann.“

„Darüber habe ich auch schon nachgedacht, aber das wäre ziemlich unhöflich und die Frau würde sich bestimmt schämen.“

„Du musst jetzt in erster Linie an dich denken, ich weiß, das konntest du noch nie. Du gibst stets auf die anderen acht, dabei vergisst du dich selbst. Du musst noch ungefähr eine Woche im Krankenhaus bleiben. Willst du dir das wirklich antun?“, redete ich auf ihn.

„Nein, eigentlich nicht“, gab er zögernd zu.

„Und deine Mutter? Stört sie das nicht?“

„Nein, sie ist nicht so empfindlich wie ich, wenn es darum geht, beim Schlafen gestört zu werden“, meinte er.

„Also wenn du nicht dafür sorgst, dass die schnarchende Dame aus eurem Zimmer verschwindet, dann werde ich das tun“, verkündete ich entschlossen.

„Alles klar. Meine Heldin!“ Ich konnte hören, dass er lächelte.

„Hat sie dich eigentlich etwas gefragt, nachdem wir verschwunden waren? Ich meine, sie hat ganz schön dumm geguckt, als sie mitbekommen hat, dass ich schwanger bin“, wollte ich interessiert wissen.

„Nein, hat sie nicht. Dafür hat sie den ganzen Tag komisch geguckt, deshalb wäre es mir lieber gewesen, sie hätte offen nachgefragt.“

Ich verzog das Gesicht. „Muss ja nervig gewesen sein."

„War schon okay." Er stockte. „Aber was hat deine Verwandtschaft denn nun gesagt?"

„Sie waren überrumpelt von den Neuigkeiten, weil ich ihnen zuerst das mit dem Unfall erklärt habe, damit sie den Zusammenhang verstehen konnten. Zunächst waren sie geschockt, als ich ihnen meine Schwangerschaft offenbart habe, aber das war vorherzusehen. Letztendlich haben sich alle damit abgefunden und Interesse gezeigt. Morgen werde ich die restliche Familie anrufen und ihnen die frohe Botschaft überbringen."

„Ich habe heute auch fast alle angerufen, die es noch nicht wussten, und sie haben ganz ähnlich reagiert. Aber wenn du es jemandem sagst, ist das etwas anderes, weil du diejenige bist, die bald ein Kind zur Welt bringen wird."

„Ja", gab ich ihm recht. Ich musste mich zusammenreißen, um ihm nicht von der Diskussion über das Heiraten zu erzählen, weil ich ihn damit nicht unter Druck setzen wollte, mir einen Antrag machen zu müssen, bloß weil unsere Verwandtschaft das für richtig hielt. Nein, ich hoffte, dass er diese Entscheidung alleine treffen würde.

„Erzähl mir was", forderte er dann.

„Was denn?"

„Irgendetwas."

Nachdenklich durchforstete ich meine Erinnerungen. Dann ließ ich mich auf die weiche Matratze meines Bettes gleiten und deckte mich zu. „Weißt du noch, als wir nach der Schule nach Hause gelaufen sind und in diesen kleinen See springen wollten, weil es so heiß war? Das ist schon ziemlich lange her, damals waren wir erst ein paar Monate zusammen. Wir hatten immer ein Handtuch und unsere Badesachen im Schulranzen. Natürlich hätten wir auch im Meer baden können, aber von der Schule aus war es weit bis dahin und der See lag direkt auf unserem Weg. Jedenfalls sind wir einfach hineingesprungen. Das Wasser sah zwar sauber aus, aber als wir drin waren, haben wir uns kaputtgelacht, weil wir voller Schlamm waren. Zum Glück hat uns niemand gesehen. Wir haben uns schnell wieder angezogen und versucht, uns mit den Handtüchern ein bisschen sauber zu reiben, aber das hat nicht viel genützt. Deshalb haben wir uns in euren Garten geschlichen, damit uns niemand sieht, und haben uns mit einem Schlauch gegenseitig abgespritzt. Du hast ihn in die Luft gehalten, sodass wir wie bei einem kleinen Regenschauer sanft berieselt wurden. Dabei ist jedoch eine Menge Wasser auf das Grundstück nebenan gespritzt und euer Nachbar war von oben bis unten nass. Du hast dich entschuldigt, weil es dir total peinlich war, aber der Mann hat gesagt, dass er froh wäre, abgekühlt worden zu sein.

Das sind die kleinen Momente, die eigentlich gar nicht wichtig im Leben sind, die man aber nie mehr vergessen wird. Wir hatten sehr viele solcher Augenblicke, deshalb könnte ich jetzt stundenlang so weiterreden. Ich bin sicher, dass wir auch in Zukunft noch viele solcher wunderbaren Erlebnisse haben werden, an die wir uns danach glücklich erinnern können.“ Nun hörte ich auf zu sprechen.

„Bist du noch dran?“, fragte ich schließlich. Er antwortete nicht. Ich lächelte, denn das hieß, er musste eingeschlafen sein. „Gute Nacht, John“, flüsterte ich. „Ich liebe dich.“ Ich legte auf und ließ mir unsere besonderen Momente wie einen Film durch den Kopf gehen, um selbst darüber einzuschlafen.

Der vierte Monat

Am Dienstagnachmittag machte ich mich auf den Weg zu Verena. Meine Freundinnen hatten vorgeschlagen, dass wir uns bei ihr treffen sollten, um gemeinsam zum Frauenarzt zu gehen. Sie wollten mich begleiten, damit ich nicht immer alleine hingehen musste, solange John mich nicht begleiten konnte. Schon jetzt spürte ich Aufregung, obwohl es noch über eine Stunde bis zu meinem nächsten Termin dauerte. Ich konnte es einfach nicht abwarten, mein Baby endlich wiederzusehen.

Während ich durch die Straßen unserer Siedlung lief, betrachtete ich die Bäume am Wegesrand, deren Blätter sich bereits gelb gefärbt hatten, und dachte daran, wie ich heute Morgen vor dem großen Spiegel in meinem Zimmer gestanden und mein Oberteil hochgezogen hatte. Ich hatte mich von der Seite betrachtet wie an jenem Tag, an dem ich mein Baby zum ersten Mal gespürt hatte. Ein glückliches Lächeln stahl sich auf mein Gesicht, als ich die kleine Wölbung an meinem Bauch bemerkt hatte. Man konnte sie nicht sehen, wenn ich einen lockeren Pullover trug, aber mir war sie sofort aufgefallen und ich war stolz darauf. Ich fand es sehr nett von meinen Freundinnen, dass sie mich begleiten wollten, aber es war trotzdem schade, dass John nicht mitkommen konnte. Aufgeregt klopfte ich an Verenas Haustür. Schon nach kurzer Zeit öffnete sie mir, umarmte mich kurz und bat mich hinein. Ich legte meine Handtasche im Flur ab. „Ist Nadine schon da?"

„Nein, aber sie müsste jeden Augenblick kommen." Verena begann, einige Dinge in ihre Tasche zu stopfen, und zog eine passende Jacke aus dem Wandschrank hervor.

Da erschien ihre Mutter im Flur. „Hallo, Diana." Überrascht erwiderte ich ihren Gruß. „Wie geht es dir? Ich habe gehört, du bist schwanger?"

„Ja." Vielleicht wurde ich rot, weil mich zum ersten Mal jemand darauf ansprach, ohne dass ich es ihm zuvor erzählt hatte, denn das hatte Verena in diesem Fall für mich übernommen. „Ich weiß, dass ich noch sehr jung bin, aber unter diesen Umständen erschien es mir richtig."

„Verena hat mir schon alles erklärt und ich kann deine Entscheidung durchaus nachvollziehen", erwiderte sie. „Dass der Autounfall passiert ist, tut mir sehr leid." Ich nickte dankbar für ihre Anteilnahme. „Oh, ich muss aufpassen, dass mir das Essen für heute Abend nicht anbrennt. Habt einen schönen Tag, Mädels." Damit war sie auch schon wieder in der Küche verschwunden.

Verena zog gerade den Reißverschluss ihrer blauen Jacke hoch und holte ihre Schuhe hervor, als es an der Tür klingelte. Diesmal öffnete ich. Nadine stand davor und begrüßte mich mit den Worten: „Seid ihr fertig?"

„Ich schon", antwortete ich übertrieben deutlich, blickte dabei gespielt genervt zu Verena und verdrehte die Augen.

„Sofort", gab sie hektisch zurück, während sie sich den zweiten Schuh schnürte.

Nadine und ich sahen uns vielsagend an und mussten über unsere chaotische Freundin schmunzeln. Schließlich verkündete ich, das Thema wechselnd: „Man sieht übrigens schon etwas." Die beiden betrachteten neugierig meinen Bauch. „Es ist nur eine kleine Wölbung." Ich stellte mich seitlich auf, öffnete meine Jacke und strich meinen Pullover glatt.

„Stimmt", rief Nadine freudig.

„Ich sehe es auch. Ist ja Wahnsinn." Verena öffnete die Tür, damit wir uns auf den Weg machen konnten.

„Ich freue mich schon, das Baby zu sehen", meinte Nadine.

„Und ich mich erst." Wenn die beiden wüssten, dass ich stets die Tage bis zum nächsten Frauenarztbesuch abzählte, würden sie mich für verrückt halten.

„Habt ihr euch schon Namen überlegt?", fragte Verena plötzlich.

„Ich habe mir schon welche ausgesucht, aber noch nicht mit John darüber gesprochen."

„Und wie würdest du das Baby nennen?" Neugierig sah Nadine mich an.

Grinsend schüttelte ich den Kopf. „Das werde ich niemandem verraten."

„Aber das Geschlecht wirst du uns doch sagen, oder?" Nadine klang ein bisschen enttäuscht.

„Ja, sobald ich es weiß. Vielleicht erfahren wir es schon heute."

„Das wäre toll, dann hätten wir was zu feiern", meinte Verena.

Ich wünschte mir, dass John dabei wäre, wenn ich erfuhr, ob wir einen Sohn oder eine Tochter bekamen. Bestimmt wäre es für uns beide eine größere Freude, das gemeinsam zu erfahren, als wenn ich es ihm beim nächsten Besuch mitteilen würde.

„Ich bin froh, dass ihr mitkommt. Sonst muss ich ja immer alleine gehen, denn meine Mutter möchte mich nicht mehr begleiten. Sie und mein Vater können meine Schwangerschaft immer noch nicht akzeptieren", offenbarte ich meinen Freundinnen.

„Das muss schlimm für dich sein", meinte Verena.

„Es geht schon. Ich bin sicher, sie werden spätestens dann ihre Meinung ändern, wenn sie unser Baby sehen." Ich legte eine Hand an meinen Bauch. „Johns Mutter freut sich mit uns, ich glaube, sie ist stolz, Oma zu werden."

„Und deine Eltern werden es sicherlich auch bald sein", sagte Nadine hoffnungsvoll.

„Habt ihr etwas dagegen, wenn wir vor dem Frauenarzttermin in die Drogerie gehen? Ich brauche nämlich noch Schminke", warf Verena ein. Als wir vor dem Regal in der Kosmetikabteilung standen und Verena das Angebot an Mascaras in Augenschein nahm, bemerkte sie: „Ich habe zwar nichts dagegen, Diana, aber mir ist aufgefallen, dass du dich gar nicht mehr schminkst."

„Stimmt", gab ich zu. „Ich habe es aufgegeben, seitdem der Unfall passiert ist."

„Warum?" Nadine suchte nach einem neuen Parfüm im gegenüberliegenden Regal.

„Weil ich seitdem jeden Tag geweint habe und sowieso alles verlaufen wäre." Ich dachte an den Morgen, nachdem ich von dem Unfall erfahren und mich im Spiegel betrachtet hatte. Daran erinnerte ich mich nicht gerne, weil ich fürchterlich ausgesehen hatte.

Für einen kurzen Moment waren die beiden still, weil ich so direkt ausgesprochen hatte, wie schlecht es mir gegangen war. Doch dann hielt Verena mir einen Mascara vor die Nase, auf dem „wasserfest" stand.

„Ich weiß, aber ich wollte außerdem Johns Wunsch berücksichtigen, mich nicht mehr zu schminken", erklärte ich.

„Warum will er das denn?“, fragte sie entsetzt und ließ die Hand mit der Wimperntusche sinken.

„Er hat mich immer gefragt, warum ich mich schminke, weil er meint, dass ich keine Fehler hätte, die ich zu überdecken bräuchte. Er hat gesagt, dass ich perfekt sei und es ihm lieber wäre, wenn ich mein Aussehen nicht veränderte, sondern einfach nur ich selbst sei.“ Früher hatte ich mich nicht in erster Linie für John, sondern für mich selbst hübsch gemacht. Der Grund dafür war mein mangelndes Selbstbewusstsein gewesen, aber durch Johns Liebe und Komplimente fühlte ich mich nun selbstsicherer. Deshalb brauchte ich die Schminke nicht mehr. Meine Freundinnen schminkten sich vermutlich nur, weil alle anderen Mädchen in unserem Alter das ebenso machten. Es war eine Art Gruppenzwang, ein kolossaler Druck, so sein zu müssen wie die anderen.

Nun herrschte erneut betretenes Schweigen und ich bemerkte Verenas Zögern, eine Mascara auszusuchen, aber letztendlich kaufte sie doch ein Exemplar.

Als wir die Praxis meiner Frauenärztin betraten, meldete ich mich wie immer an und wir setzten uns ins Wartezimmer. Dort begrüßten wir die beiden bereits anwesenden Frauen, die sich leise unterhielten. Eine von ihnen war ebenfalls schwanger und hatte einen runden Bauch. Vorfreude loderte in mir auf, als ich das sah. Unruhig zappelte ich auf meinem Stuhl herum und warf meinen Freundinnen einen erwartungsvollen Blick zu. Verena blätterte interessiert in einem der Modejournale, die auf dem kleinen Tisch in der Mitte des Raumes lagen, und Nadine hatte in die Luft gestarrt, erwiderte aber nun meinen Blick und schenkte mir ein verständnisvolles Lächeln.

Nun wurden die beiden Frauen von der Sprechstundenhilfe zur Ärztin gerufen, die sich daraufhin umgehend auf den Weg zum Behandlungszimmer machten.

Verena begann zu lachen. „Kannst du dir Diana mit einem dicken Bauch vorstellen?“

Auch Nadine grinste. „Nein.“

„Bald werdet ihr es sehen“, erwiderte ich stolz und ein wenig beleidigt.

Ungefähr eine halbe Stunde später wurden wir endlich aufgerufen und betraten das Zimmer der Ärztin.

„Du hast heute deine Freundinnen mitgebracht?“, fragte sie lächelnd.

„Genau. Das sind Nadine und Verena. Sie wollten mich gerne begleiten und ich bin froh darüber.“

„Ich heiße Dr. Jessen“, stellte sie sich den beiden vor und gab ihnen die Hand. Dann wandte sie sich wieder an mich: „Wie geht es denn deinem Freund?“

„Man hat festgestellt, dass die Lähmung wahrscheinlich bleiben wird, auch wenn es Hoffnung auf eine Besserung gibt. Er ist jetzt in der Reha. Aber das nächste Mal wird er bestimmt mitkommen.“

„Ich freue mich schon, ihn kennenzulernen“, meinte die Ärztin. „Aber nun zu dir. Ist alles in Ordnung?“

„Ja, mir geht es gut. Ich habe schon eine kleine Wölbung am Bauch entdeckt“, erzählte ich ihr aufgeregt.

„Dann wollen wir mal nachsehen, ob man auch schon das Geschlecht erkennen kann.“ Die Frauenärztin stand auf und wir folgten ihr in den kleinen Nebenraum, in dem sich das Ultraschallgerät befand. „Von der zwölften bis zur sechzehnten und von der fünfundzwanzigsten bis zur dreiunddreißigsten Schwangerschaftswoche kann ich die 3-D-Ansicht verwenden. Im ersten Zeitraum ist das Ungeborene vollständig zu sehen, im zweiten kann man den Kopf eingehend betrachten“, erklärte sie, während sie alles vorbereitete. „Hast du davon schon mal gehört?“

Ich schüttelte stumm den Kopf.

„Diese Fotos sehen nicht aus wie die herkömmlichen Ultraschallbilder, man kann zum Beispiel schon sehen, wie das Gesicht des Kindes später aussehen wird.“

Ich warf Verena und Nadine einen Blick zu. Auch sie konnten ihre Begeisterung über diese Neuigkeit nicht verbergen.

„Allerdings habe ich das neue Ultraschallgerät mit 3-D-Ansicht noch nicht. Doch nächstes Mal können wir es auf jeden Fall benutzen.“

„Das wäre schön“, antwortete ich ein wenig enttäuscht, dass ich einen weiteren Monat warten musste, bis ich das Gesicht meines Kindes zu sehen bekam.

„Falls wir das Geschlecht heute nicht feststellen können, werden wir es das nächste Mal mit der 3-D-Technik sicherlich herausfinden.“

Nun schaute ich gespannt auf den Monitor, als Dr. Jessen mit der Ultraschalluntersuchung begann.

„Du hast recht, dein Bauch beginnt wirklich langsam zu wachsen“, bemerkte die Ärztin. Jetzt konnte man ein deutliches Bild sehen. Wie immer wurde ich sofort von Freude und Liebe überflutet und war den Tränen nahe. Auch meine Freundinnen konnten ihren Blick nicht von dem Monitor abwenden.

„Unglaublich, wie schnell es sich entwickelt hat", stieß ich hervor. „Man kann den Kopf deutlich erkennen und auch Nase, Augen, Arme und Beine. Jetzt sieht es wirklich wie ein Baby aus und nicht mehr wie ein Fleck." Ich lachte. „Und dabei ist mein Bauch doch noch so klein."

„Du hast recht", stimmte die Frauenärztin zu. „Körperlich ist der Fötus jetzt vollkommen ausgebildet, die wichtigen Organe sind entwickelt. Sie müssen nur noch an Größe zunehmen. Die Anlage für die Milchzähne müsste auch schon zu sehen sein. Außerdem sind die Geschmacksnerven schon entstanden. Der Fötus ist nun ungefähr sechs Zentimeter groß und wiegt achtundzwanzig Gramm. Er kann jetzt schon seinen Mund öffnen und schließen, um zum Beispiel am Daumen zu lutschen."

Strahlend beobachtete ich, wie unser Baby seine Gliedmaßen bewegte und in dem Fruchtwasser herumzappelte. „Können Sie das Geschlecht erkennen?"

„Leider liegt der Fötus sehr ungünstig. Wenn er sich nicht bewegt, kann ich dir das nicht sagen", bedauerte die Ärztin.

Ich verstand, was sie meinte: Das Baby hatte eines seiner Beine vor die entscheidende Stelle gelegt. „Dann eben das nächste Mal." Es war zwar schade, dass ich es noch nicht erfahren hatte, aber so würde John dabei sein, wenn das Geschlecht feststand. Ich konnte meinen Blick nicht von dem Bildschirm abwenden.

Die Ärztin maß die genaue Größe des Babys mit ein paar Mausklicks und druckte ein paar Bilder aus. „Du weißt, dass ab jetzt keine Abtreibung mehr möglich ist, oder?"

Natürlich war mir das klar gewesen, aber ich hatte keinen Gedanken daran verschwendet, dass dieser Zeitpunkt schon gekommen war. „Ja, und das ist gut so. Wir sind bei unserer Entscheidung geblieben."

„Das freut mich", meinte die Ärztin und lachte. „Es nimmt sein Beinchen einfach nicht weg. Anscheinend will es uns sein Geschlecht noch nicht verraten."

Versonnen betrachtete ich mein Baby. „Dann wird es seine Gründe haben."

Die Ärztin gab mir die zwei Bilder, die sie ausgedruckt hatte, dann stellte sie das Ultraschallgerät ab und ich strich mein Sweatshirt zurecht. „Ich brauche deinen Mutterpass, bitte", sagte Dr. Jessen. Nachdem sie etwas hineingeschrieben hatte, gab sie ihn mir wieder und verabschiedete mich: „Gut. Dann sehen wir uns nächsten Monat wieder."

An der Rezeption wollte ich mir einen neuen Termin geben lassen, bevor wir die Praxis verließen. „Die Liste ist ziemlich voll für den nächsten Monat", erklärte die Sprechstundenhilfe. „Ich werde dir leider keinen Termin in vier Wochen geben können, sondern erst in fünf oder sechs."

„Das macht doch nichts", sagte ich.

„Ist der 12. November in Ordnung? Das ist ein Mittwoch."

Ich zögerte, weil das mein Geburtstag war. Aber es wäre bestimmt schön, das Baby an diesem Tag zu sehen und bestenfalls sein Geschlecht zu erfahren. Außerdem bezweifelte ich, dass wir mitten in der Woche eine Party veranstalten würden, worauf ich dieses Jahr ohnehin keine große Lust hatte. Der Schmerz, der durch den Unfall entstanden war, war zu groß, um unbeschwert feiern zu können. Es war gut, dass John seinen achtzehnten Geburtstag bereits gefeiert hatte, als sein Vater noch lebte und er selbst laufen konnte.

„Ja", antwortete ich schließlich und nahm den kleinen Zettel entgegen, auf dem die Sprechstundenhilfe den Termin notiert hatte, und verabschiedete mich.

Als wir wieder an die frische Luft traten, sagte Nadine sofort: „Das war so schön."

„Ja", stimmte Verena ihr zu. „Es war toll zu sehen, wie es in dir heranwächst und sich bewegt. Ich glaube, du bereust nichts, oder?"

„Nein, das werde ich niemals." Ich schaute auf meine Armbanduhr.

„Du willst John die Ultraschallbilder zeigen, stimmt's?", schlussfolgerte Nadine aus meinem Verhalten.

„Ja, aber es ist schon Viertel vor sechs und bis zur Rehaklinik fährt man fast eine Stunde. Ich werde es auf morgen verschieben müssen, doch ich werde ihn heute Abend anrufen."

Wir machten uns auf den Weg nach Hause.

„Wo ist er denn auf Kur?", wollte Verena wissen.

„In Bad Malente", antwortete ich. „Der Arzt hat versucht, eine Rehaklinik auszuwählen, die so nah wie möglich bei Travemünde liegt."

„Und er muss vier Wochen bleiben?“

„Ja. Am Freitag sind John und seine Mutter hingefahren. Er ist froh, dass er die sechs Wochen im Krankenhaus überstanden hat.“

„Sechs Wochen waren das?“, fragte Nadine ungläubig.

„Wenn man die Zeit mitrechnet, in der er geschlafen hat, waren es ziemlich genau sechs Wochen. Doch mir kamen sie vor wie sechs Monate.“

„Du hast recht“, stimmte Verena zu. „Die sechs Wochen mit dem Gips gingen so langsam vorüber. Ich bin so froh, dass er jetzt endlich ab ist. Aber es ist frustrierend, dass nun Herbst ist, jetzt da ich wieder schwimmen gehen könnte.“

„John und seine Mutter werden froh sein, wenn sie wieder zu Hause sind. Aber wir brauchen diese Zeit, weil wir das Haus renovieren wollen“, erwähnte ich. „Die Treppen müssen zum Beispiel so gestaltet werden, dass John mit dem Rollstuhl überall hinkann, und ich muss mir Gedanken um das Kinderzimmer machen. Wir wollen dafür den freien Raum nutzen, in dem Ben früher gewohnt hat. Ich habe noch keine Ahnung, wie es aussehen soll. Eigentlich könnte ich das gemeinsam mit John entscheiden, wenn er wieder zu Hause ist, aber ich will ihm keine Arbeit damit machen und ihn außerdem überraschen.“

„Das heißt, dass du bei John einziehen musst?“, fragte Verena überrascht.

„Ich denke schon. Oder wir verbringen abwechselnd eine Woche bei mir und eine bei ihm, aber dann müssten wir die Sachen für das Baby doppelt besitzen, um nicht alles hin- und hertragen zu müssen.“

„Ihr habt ja noch etwas Zeit, euch darüber Gedanken zu machen“, meinte Nadine.

Ich legte eine Hand an meinen Bauch und lächelte. „Noch ein halbes Jahr.“

Am nächsten Tag stieg ich mit Mama aus dem Auto und wir machten uns auf den bereits vertrauten Weg zu dem Zimmer, in dem John und seine Mutter untergebracht waren. Bis auf gestern war ich jeden Tag hier gewesen, um die beiden zu besuchen. Die Rehaklinik lag zwar nicht am Meer, aber dafür nur wenige Meter vom Dieksee entfernt.

John hatte Mühe, die Tür im Rollstuhl zu öffnen, als ich angeklopft hatte. Darin brauchte er noch etwas Übung. Ich half ihm, indem ich sie langsam selbst aufschob, nachdem er die Klinke heruntergedrückt hatte und nun rückwärtsrollte. Wir traten ein und begrüßten ihn. Ich gab ihm einen Kuss und wunderte mich, dass er heute so glücklich aussah. Vielleicht war es einfach nur, weil wir ihn besuchten und er immer besser mit der Situation zurechtkam. Ich freute mich, ihn lächeln zu sehen.

John und seine Mutter waren in einem geräumigen Appartement untergebracht. Es gab zwei Schlafräume, ein Wohnzimmer mit einem Sofa und einem Fernseher, natürlich ein Badezimmer und sogar einen Balkon. Der einzige Unterschied zu einer normalen Wohnung bestand darin, dass die Zimmer viel größer waren, damit man mit einem Rollstuhl oder einer Gehhilfe leicht alle Ecken erreichen konnte. Eine Küchenzeile gab es nicht, weil im Speisesaal im unteren Stockwerk gegessen wurde. „Wo ist denn deine Mutter?“, fragte Mama.

„Zur Behandlung, aber sie müsste in ein paar Minuten wiederkommen“, antwortete er. „Setzt euch doch. Wollt ihr etwas trinken?“

„Ja, wir bedienen uns schon.“ Ich ging zu dem kleinen Tisch, auf dem eine Flasche Wasser stand, und füllte zwei Gläser.

„Es gibt Neuigkeiten“, platzte John heraus.

Ich hielt erwartungsvoll inne. Seine gute Laune hatte also doch bestimmte Gründe?

„Ich kann meine Beine ein wenig spüren und sogar den Zeh ein bisschen bewegen“, sagte er strahlend.

Ich glaubte nicht, was ich da hörte. Mama sah genauso überrascht aus.

„Ich habe es bei der Physiotherapie heute Morgen gemerkt.“

„Das ist ja super!“, rief ich. „Das habe ich dir doch gleich gesagt. Du darfst nicht aufgeben, dann bessert sich dein Zustand bestimmt.“

„Das musst du uns zeigen“, fiel nun meine Mutter aufgeregt ein.

„Mama hat es auch nicht geglaubt, bis sie es selbst gesehen hat“, berichtete er.

Wir schauten gespannt auf seine Füße, bis wir entdeckten, dass sich Johns rechter großer Zeh minimal bewegte. Ich küsste ihn glücklich.

„Wollen wir im Park spazieren gehen? Dann müssen wir nicht immer hier drin hocken“, schlug John vor.

„Klar.“ Ich trank hastig einen Schluck aus dem Glas, bevor wir uns aufmachten.

„Ich werde hierbleiben und auf Monika warten“, meinte Mama.

Doch da ging bereits die Tür auf und Johns Mutter kam herein. Sie lächelte, als sie uns bemerkte. „Hallo, ihr beiden. Wie geht es euch?“

„Gut“, antworteten wir gleichzeitig. „Johns Fortschritte freuen uns sehr“, fügte Mama hinzu.

„Er hat es euch also schon gezeigt?“, meinte Monika.

„Ja, es ist toll.“ Ich grinste. „John und ich wollen im Park spazieren gehen. Wir sind dann mal draußen“, verkündete ich.

„Okay, bis später“, erwiderte seine Mutter und setzte sich, um mit meiner Mama zu plaudern.

John zog sich eine Jacke über und auch ich knöpfte meinen Mantel zu. Dann betraten wir den Flur und fuhren mit dem Fahrstuhl nach unten. Dabei verzog ich das Gesicht.

„Ist dir schlecht?“, fragte er besorgt.

„Nein, aber ich ziehe es vor, die Treppen zu nehmen“, antwortete ich. „Daran werde ich mich wohl gewöhnen müssen.“

„Wir können auch getrennte Wege gehen und uns unten treffen“, schlug er vor.

„Nein, es geht schon.“ Ich biss die Zähne zusammen, bis wir endlich unten angelangt waren.

Nun waren es nur noch wenige Meter bis zum Kurpark. John trieb seinen Rollstuhl den ganzen Weg über alleine an, ich schob ihn nicht, weil ich wusste, dass er das nicht wollte. Er würde sich noch unfähiger fühlen, wenn ich ihm unter die Arme griff.

„Im Frühling ist es hier bestimmt schön.“ Ich betrachtete die vielen Blumen, die die Köpfe wegen der Kälte hängen ließen, und die Bäume, die ihre Blätter fast schon vollständig abgeworfen hatten.

„Ich bedauere es, die Sommerferien im Krankenhaus verbracht zu haben.“ John rollte vor meine Füße, damit ich stehen blieb. Ich lächelte, als er eine Hand an meinen Bauch legte. „Wie geht es unserem Baby?“, wollte er wissen.

Ich setzte mich auf eine der unzähligen Bänke, die hier alle paar Meter aufgestellt waren, um mit John auf Augenhöhe zu sein.

Er streichelte leicht über meinen Bauch und sah mich erwartungsvoll an. „Es wächst?“

„Ja.“ Ich war überrascht, dass er es sofort gemerkt hatte.

„Sechs Zentimeter ist es groß, hast du gestern gesagt?“

„Genau, und achtundzwanzig Gramm schwer.“ Ich holte die Ultraschallbilder aus meiner Tasche, um sie ihm zu zeigen.

Als er unser Baby betrachtete, erglomm ein stolzes Strahlen in seinen Augen. „Unglaublich. Es sieht schon aus wie ein kleiner Mensch.“

„Ja, im Vergleich zum letzten Bild sieht man deutlich mehr. Beim nächsten Mal kann man ein 3-D-Ultraschallgerät benutzen. Damit erkennt man das Baby noch besser.“

„Und weißt du das Geschlecht?“

Ich schüttelte den Kopf. „Nein, es wollte es uns nicht zeigen. Sein Beinchen lag die ganze Zeit im Weg.“ Ich deutete auf eines der Ultraschallbilder. „Siehst du?“

„Ja.“ Er grinste.

„Ich denke, es will uns sein Geschlecht erst verraten, wenn du dabei bist. Die Ärztin hat gesagt, mit der 3-D-Technik werden wir es beim nächsten Mal auf jeden Fall erkennen.“

„Mal sehen, ob du damit recht hast, dass es ein Junge wird“, meinte John. „Wann ist denn der nächste Termin?“

„Am 12. November.“

Er runzelte die Stirn. „Das ist doch dein Geburtstag. War das Absicht?“, fragte er.

„Nein, nicht ganz“, gab ich zu. „Mir wurde der Termin zufällig vorgeschlagen und ich habe zugestimmt. Es wäre das schönste Geschenk für mich, das Geschlecht zu erfahren und dich das erste Mal mitnehmen zu können.“

„Ich freue mich schon darauf. Ich sehe unser Baby zwar, wenn du mir die Ultraschallbilder zeigst, aber ich glaube, es ist noch schöner zu beobachten, wie es sich bewegt.“

„Ich bin schon gespannt, wie du reagieren wirst.“

„Bestimmt so ähnlich wie du, aber ich weiß, dass es bei dir etwas anderes ist.“

„Warum ist es bei mir anders?“ Ich legte die Stirn in Falten.

„Du trägst es in dir. Die Bindung zu dem Baby ist bei dir stärker“, erklärte er.

„Ich verstehe, was du meinst, aber ich glaube, das stimmt nicht. Die Bindung ist gleich stark. Es ist ein unbeschreiblich schönes Gefühl, einen Teil des Menschen, den man bedingungslos liebt, jede Sekunde bei sich zu haben.“

„Und für mich ist es ein atemberaubendes Gefühl zu wissen, dass sich dieser Teil von mir mit einem Stück von dir verbindet und unsere Liebe dieses Wunder erschaffen hat."

Ich spürte, wie sich erneut die Wärme in meinem Bauch ausbreitete, und legte meine Hand auf die seine. „Jetzt kann es uns niemand mehr nehmen, wir können es nicht mehr verlieren."

„Und das ist auch gut so." Johns Lippen näherten sich den meinen, um mich sehnsüchtig zu küssen.

Gedankenverloren setzte ich den Pinsel mit der gelben Farbe an die Tapete. Langsam begann ich, die Blütenblätter der Sonnenblume auszumalen, die ich mit einem Bleistift vorgezeichnet hatte. Dazu hatte ich mir den Tageslichtprojektor aus der Schule über die Herbstferien ausgeliehen, um das Motiv auf die Wand projizieren zu können. So saß ich auf dem mit Schutzfolie ausgelegten Boden von Bens altem Kinderzimmer. Wir hatten alle Möbel aus dem Raum hinausgetragen und vorübergehend im Flur abgestellt, bis wir wussten, wie wir eine Verwendung für sie fanden.

Ich war schon seit mehreren Stunden dabei, das zukünftige Kinderzimmer zu gestalten. Zuvor hatte Larissa mir geholfen, zwei der weißen Wände mit einem Schwamm gelb zu tupfen, und nun arbeitete ich daran, die erste der beiden Sonnenblumen auszumalen. Die andere hatte ich zwar ebenfalls schon vorgezeichnet, aber ich würde das Ausmalen John überlassen. Er würde sich freuen, wenn er etwas zum Kinderzimmer beitragen konnte. Ich hatte nicht mit ihm abgesprochen, wie wir es gestalten wollten, weil ich ihn damit überraschen wollte. Ich hoffte, es würde ihm gefallen.

Ich hatte die Farbe Gelb gewählt, weil sie für beide Geschlechter geeignet war und außerdem hell und fröhlich wirkte. Nur eine Wand würde ganz weiß bleiben, damit wir dort den Kleiderschrank hinstellen konnten. Wir wussten noch nicht genau, wo wir die Möbel herbekommen sollten, denn meine Eltern hatten gesagt, dass es zu teuer wäre, neue zu kaufen. Deshalb hatte meine Tante Gabi eine Freundin gefragt, die drei erwachsene Kinder hatte, und wenn wir Glück hatten, konnten wir die Möbel billig von ihr abkaufen.

Die ganze Zeit über hörte ich die Geräusche von Bohrmaschinen und berstenden Fliesen. Das Badezimmer, aus dem die lautesten Geräusche drangen, befand sich nämlich nebenan. Alle hatten sich aufgeteilt, um zu helfen. Die Männer übernahmen die handwerkliche Arbeit und die Frauen räumten auf, putzten und kümmerten sich um das Mittagessen. Wir waren zu elft: Johns Großeltern, Alexanders Schwester Nora und ihr Mann Bernhard, sein Bruder Boris und seine Frau Petra, Monikas Schwester Sabine und ihr Mann Konrad und natürlich waren Ben, Larissa und ich gekommen, um uns an den Arbeiten im Haus der Hoffmanns zu beteiligen.

Bis auf die Schwester von Johns Mutter und ihren Mann kannte ich bereits alle, aber die beiden hatten schon gewusst, dass ich schwanger war.

Nun wussten es also wirklich alle, sowohl meine komplette Familie als auch Johns gesamte Verwandtschaft war eingeweiht, denn auch ich hatte alle angerufen, die es noch nicht mitbekommen hatten. Das war eine schwierige Aufgabe gewesen, weil ich immer Angst hatte, mit negativen Reaktionen klarkommen zu müssen. Obwohl ich es mittlerweile schon so oft berichtet hatte, konnte ich diese Furcht einfach nicht ablegen. An so etwas kann man sich nicht gewöhnen. Jeder in meiner Familie war zunächst erschrocken, konnte meine Entscheidung aber besser verstehen, nachdem ich eine Erklärung dazu abgegeben hatte. Alle konnten es nachvollziehen, aber niemand war wirklich glücklich über diese Nachricht. Ich versuchte mich nicht davon entmutigen zu lassen, weil ich hoffte, dass sie sich freuen würden, wenn sie unser Baby sahen.

Nachdem ich die Blütenblätter vollständig ausgemalt hatte, tauchte ich den Pinsel in das Grün, um den Stängel mit dieser Farbe auszufüllen.

Da trat Alexanders Schwester Nora in den Raum und sagte: „Das wird John bestimmt gefallen. Und dem Baby auch."

Ich drehte mich um und lächelte dankbar.

„Brauchst du Hilfe?", bot sie an.

„Nein, danke. Ich male nur noch diese Blume zu Ende, die andere überlasse ich John."

Sie lehnte sich in den Türrahmen. „Ihr braucht ein Bett", stellte sie fest.

„Meine Tante hat schon ihre Arbeitskollegin nach deren alten Kindermöbeln gefragt. Die können wir vielleicht billig übernehmen."

„Ich meine ein Bett für euch beide."

Ich legte den Pinsel beiseite und fragte erstaunt: „Wie kommst du darauf?"

„Ich nehme an, ihr wollt hier übernachten, damit ihr das Baby auch nachts zusammen versorgen könnt." Ich nickte. „Aber ihr könnt nicht zusammen in Johns Bett schlafen", erklärte sie.

Darüber hatte ich noch gar nicht weiter nachgedacht, weil es für uns nie ein Problem gewesen war, bei dem anderen zu übernachten, ohne eine zusätzliche Matratze ins Zimmer zu legen. John und ich hatten immer zusammen in einem schmalen Bett geschlafen. Das war zwar etwas eng gewesen, aber wir hätten uns ohnehin dicht nebeneinander gelegt, um zu kuscheln. Doch seine Tante hatte natürlich recht, auf die Dauer wäre das nicht unbedingt bequem.

„Ihr braucht ein Ehebett." Sie lachte. „Auch wenn ihr noch nicht verheiratet seid ..."

Ich musste ein „Vielleicht bald" unterdrücken. Stattdessen sagte ich: „Das stimmt. Darum werden wir uns wohl kümmern müssen."

„Es gibt Essen!", schrie plötzlich Johns Oma von unten.

Ich stand vom Boden auf und trat gemeinsam mit Nora in den Flur, auf dem uns die anderen Handwerker schon entgegenkamen. Im Esszimmer war eine lange Tafel, bestehend aus mehreren zusammengestellten Tischen, aufgebaut worden. Darauf prangten drei Töpfe mit verschiedenen Suppen, Brotkörbe und Getränke. Wir setzten uns, wünschten uns einen guten Appetit und begannen, unsere Teller zu füllen.

„Wenn Opa und ich die Arbeit an der Treppe beendet haben, wollen wir eine kurze Pause machen, um Einkäufe zu erledigen. Unter anderem braucht John ein neues Handy. Möchtest du mit Larissa und mir mitkommen, Diana? Ich denke, du weißt besser, was ihm gefällt", sagte Ben.

„Klar, das kann ich machen, aber vorher will ich im Kinderzimmer fertig malen. Das wird nicht mehr länger als eine halbe Stunde dauern", antwortete ich.

„Okay, so lange werden wir in etwa noch brauchen. Danach machen wir im Badezimmer weiter und müssen uns um die Stufe vor der Haustür kümmern. Aber wenn wir das heute nicht mehr schaffen, werde ich das nächste Woche in Angriff nehmen", erklärte Ben den Plan.

„Wir können gerne noch einmal herkommen, um dir zu helfen“, meinte sein Onkel Boris.

„Das ist nett von euch. Aber erst mal müssen wir sehen, wie weit wir überhaupt kommen“, winkte Ben ab.

„Wie wäre es, wenn wir eine Willkommenszeremonie veranstalten, wenn die beiden aus der Kur zurückkommen?“, schlug seine Oma vor. „Wir könnten das Haus ein bisschen schmücken und alle herkommen. Sie würden sich bestimmt freuen, uns zu sehen. Dann bauen wir die Tische wieder so wie heute auf und kochen oder gehen in ein Restaurant.“

„Hört sich gut an“, bekundete Larissa.

„Meint ihr, dass sie in der Stimmung dazu sein werden nach allem, was passiert ist?“, gab Monikas Schwester Sabine zu bedenken.

„Vielleicht würde es sie ein bisschen aufmuntern“, entgegnete Bens Tante Petra.“

„Wenn wir Glück haben, können die Cousins und Cousinen ebenfalls erscheinen“, fügte Onkel Bernhard hinzu.

„Das ist eine gute Idee, ich glaube, Mama und John würden sich über ein solches Empfangskomitee freuen“, erwiderte Ben. „Wir sollten das machen.“ Damit war es beschlossene Sache.

„Und wie geht es dem Baby, Diana?“, wechselte nun Oma Anne das Thema.

„Es geht ihm gut.“ Ich holte meinen Mutterpass hervor und reichte ihr die aktuellen Ultraschallbilder.

Sie grinste breit und betrachtete ihr Urenkelchen. „Sehr schön.“

„In welcher Woche bist du jetzt?“, wollte Larissa wissen.

„In der vierzehnten, also Mitte des vierten Monats“, antwortete ich stolz. „Am 22. April ist der errechnete Geburtstermin.“

Das Ultraschallbild machte die Runde, bis es wieder bei mir angekommen war.

Fassungslos schüttelte Larissa den Kopf. „Unglaublich, wie schnell die Zeit vergeht ...“

Nach dem Mittagessen arbeitete ich weiter an meinem Kunstwerk. Ich dachte an John, weil ich mir so sehr wünschte, dass er jetzt bei mir wäre und ich ihn in die Arme nehmen könnte. Umso mehr freute ich mich auf seine Rückkehr und hoffte, dass bald wieder etwas mehr

Normalität einkehren würde. Das hieß: schöne Nachmittage miteinander verbringen, zusammen zur Schule gehen und mit den anderen zu sechst etwas unternehmen.

Als ich fertig war, betrachtete ich zufrieden mein Werk und holte mein Handy hervor, um die Sonnenblume zu fotografieren, damit ich sie meinen Eltern und meinen Freundinnen bei Gelegenheit zeigen konnte. Dann verschloss ich die Farbeimer und säuberte die Pinsel.

Nachdem ich alles aufgeräumt hatte, warf ich einen Blick in das Badezimmer. Niemand merkte, dass ich in der Tür stand, weil die lauten Geräusche der Arbeitsgeräte alles übertönten. Die Männer hatten die Duschkabine abgerissen und stattdessen eine neue aufgestellt, die einen ebenerdigen Zugang besaß und wesentlich geräumiger war. Ihr Ziel war es, das gesamte Badezimmer so zu verändern, dass John mit dem Rollstuhl ohne Hilfe alle Ecken erreichte.

„Gut macht ihr das!“, rief ich über den Lärm hinweg.

Nun hielten die Männer in ihren Bewegungen inne. „Danke!“ Onkel Bernhard hielt den großen Daumen nach oben.

„Braucht ihr noch etwas?“, fragte ich.

„Es wäre nett, wenn du uns etwas zu trinken bringen könntest“, bat Onkel Boris.

„Kein Problem.“ Also machte ich mich auf den Weg nach unten. Vor der Treppe blieb ich stehen, weil sie von den beiden Handwerkern, Ben und seinem Opa, versperrt wurde.

„Warte kurz, wir sind gleich fertig“, rief Johns Bruder mir zu.

Sein Opa brachte eine letzte Schraube an und ließ den Treppenlift zu mir nach oben fahren. Er bestand aus einer Plattform, auf der ein Rollstuhl locker Platz fand, diese war mit einer langen Führungsschiene verbunden, die die beiden links von der Treppe angebracht hatten. Nun kam der Lift direkt vor mir zum Stehen.

„Willst du ihn ausprobieren?“, fragte Opa Reinhold.

„Und ihr habt auch sicher keine Schraube vergessen?“, scherzte ich.

Ben lachte. „Nein, haben wir nicht.“

Ich grinste und stellte mich auf die Plattform. Mithilfe einer kleinen Fernbedienung setzte Reinhold das Gerät wieder in Bewegung. Langsam fuhr der Lift abwärts. Als ich unten angekommen war und wieder festen Boden betreten hatte, lobte ich die beiden: „Ihr habt wirklich gute Arbeit geleistet. Das ist super geworden.“

„Danke", erwiderten Ben und sein Opa gleichzeitig.

„Dann könnt ihr euch ja jetzt auf den Weg machen", meinte Reinhold.

„Bist du bereit?", fragte mich Ben.

„Ja, ich bin fertig", stimmte ich zu.

„Ich werde mir dein Kunstwerk anschauen, wenn wir wiederkommen, aber nun müssen wir los."

Ben suchte nach Larissa, während ich den Männern im Badezimmer eine Flasche Wasser brachte. Dann zogen wir uns an und stiegen ins Auto.

Nachdem wir ein neues Handy für John besorgt hatten, betraten wir einen Laden, den ich noch nie zuvor wirklich wahrgenommen hatte, obwohl ich schon oft daran vorbeigelaufen war: Man verkaufte dort Gehhilfen und Rollstühle.

„John benutzt noch immer den Rollstuhl vom Krankenhaus, aber wir wollen uns nach etwas Besserem umsehen", erklärte mir Ben.

„Der vom Krankenhaus ist wohl nur geliehen?", fragte ich.

„Nein, er dürfte ihn zwar behalten, aber das Gefährt ist sehr schlicht konstruiert und ich finde es auch optisch nicht besonders ansprechend. Und wenn man bedenkt, dass John wahrscheinlich sein ganzes Leben darin sitzen muss, braucht er einen ordentlichen Rollstuhl."

„Damit hast du natürlich recht, aber meinst du nicht, er sollte ihn sich selbst aussuchen? Ich meine, nach welchen Kriterien sollten wir uns denn entscheiden?" Ich betrachtete die vielen ausgestellten Modelle, die zwar alle auf demselben Aufbau basierten, sich aber dennoch in Aussehen und Funktion unterschieden.

„Wir werden uns beraten lassen", meinte Larissa und schaute sich nach einem Verkäufer um.

In dieser Situation spürte ich wieder das Messer in meinem Herzen. Man sollte meinen, dass ich mich inzwischen daran gewöhnt haben müsste, aber das ist unmöglich. Genauso wie man sich nicht daran gewöhnen kann, der Familie beizubringen, dass man mit fünfzehn Jahren schwanger ist. Doch als ich an mein Baby dachte, verschwand das Messer langsam wieder aus meinem Herzen und ließ es ungestört weiterschlagen.

Zwei Wochen später betrat ich zum letzten Mal die Rehaklinik. Aufgeregt und glücklich zugleich klopfte ich an die Tür, weil ich so froh war, dass die beiden nun endlich nach Hause durften. Gleichzeitig machte ich mir jedoch Gedanken darüber, ob die Überraschung gelingen würde. Johns Mutter öffnete die Zimmertür und begrüßte mich. Ich trat ein und wurde von John mit einem Kuss empfangen, der gerade seine Jacke aus dem Schrank nahm.

Er lächelte. „Ich freue mich darauf, nach Hause zu kommen."

„Und wie ich mich erst darüber freue." Ich strahlte ihn an.

„Wo ist denn Ben?", fragte Johns Mutter.

„Er wartet im Auto auf uns." Ich nahm ihnen einige Taschen ab und gemeinsam machten wir uns auf den Weg nach draußen. Zum Glück regnete es heute nicht so wie in den letzten Tagen.

Als wir am Auto anlangten, stieg Ben aus, um die beiden zu begrüßen.

Wir wollten John beim Einsteigen helfen, aber überraschenderweise war das kaum nötig. Sein Rollstuhl wurde im Kofferraum verstaut, in dem sich auch sein neuer befand, der bereits auf seinen ersten Einsatz wartete. Nachdem alle eingestiegen waren, setzte sich das Fahrzeug in Bewegung.

„Kommst du am Montag schon mit zur Schule?", fragte ich John.

„Eigentlich dürfte ich noch eine Woche zu Hause bleiben, aber ich werde darauf verzichten. Ich will endlich wieder so weitermachen wie zuvor, wenigstens so gut es geht. Außerdem habe ich ohnehin schon so viel verpasst."

Ich nickte verständnisvoll. „Du hast mir in der Schule gefehlt." Ich unterbrach mich. „Ich meine, du hast mir jede Sekunde gefehlt, aber in der Schule besonders."

„Das ist lieb von dir. Ich habe dich auch ununterbrochen vermisst. Obwohl ich mich darauf freue, wieder zur Schule zu gehen, habe ich Angst davor, wie die anderen gucken werden. Sie werden mich bestimmt anstarren."

„Nein, das glaube ich nicht. Außerdem wissen meine und deine Klassenkameraden schon Bescheid", versuchte ich ihn zu beruhigen.

„Aber die anderen nicht", beharrte er.

„Ich will nicht wissen, was man mir für Blicke zuwerfen wird, wenn mein Bauch weiterwächst", meinte ich.

„Das ist etwas anderes." John ließ sich nicht abbringen. „Weißt du, ob meine Klasse schon den Raum gewechselt hat?"

„Tobias hat gesagt, das passiert erst am Montag. Ihr werdet in Raum 105 umziehen, das ist das ehemalige Zimmer einer fünften Klasse."

„Das heißt, wir sind die einzige zwölfte Klasse auf dieser Etage", stellte er fest.

„Ja, auf dieser Etage sind sonst nur die unteren Klassenstufen untergebracht. Ihr werdet euch mit den lauten Kindern dort abfinden müssen", neckte ich ihn.

John grinste.

Als wir ein paar Minuten später vor dem Haus der Hoffmanns anhielten, verschlug es John und seiner Mutter die Sprache. Völlig verdattert blickte er aus dem Fenster auf seine Familie und meine Eltern, die sich allesamt zu beiden Seiten der Haustür aufgereiht hatten. Seine Großeltern hielten ein riesiges Plakat in den Händen, auf dem „Herzlich willkommen" stand. Johns Mutter konnte nicht fassen, was gerade geschah. Sie war den Tränen nahe. Ben stieg als Erstes aus, um John den neuen Rollstuhl zu präsentieren. Unterdessen kletterten auch Monika und ich aus dem Fahrzeug.

John schaute seinen Bruder fragend an. „Ein neuer Rollstuhl?"

„Ja." Ben grinste.

„Das wäre doch nicht nötig gewesen." Fasziniert betrachtete John seinen neuen Hightech-Rollstuhl.

„Doch, das war nötig", entgegnete Ben.

John setzte sich in das neue Gerät und bedankte sich überschwänglich bei seinem Bruder.

Beim Anblick dieser Szene war ihre Mutter in Tränen ausgebrochen. „Alles okay?", fragte Ben sie.

„Es ist so lieb von euch, dass ihr das alles organisiert habt. Ich weiß nicht, wie ich euch danken soll", presste sie unter Schluchzern hervor.

„Du brauchst uns nicht zu danken. Außerdem hast du noch lange nicht alles gesehen."

„Was?", fragte Monika ungläubig.

Er lachte. „Kommt mit, ihr beiden. Wir zeigen euch euer neues Zuhause."

Auf dem Weg zur Haustür begrüßten John und seine Mutter die anderen Anwesenden. Es waren achtzehn Leute aus ihrer Familie erschienen, mit meinen Eltern und mir waren es insgesamt einundzwanzig Menschen, die als Empfangskomitee angetreten waren. Alle, die vor zwei Wochen am Haus mitgeholfen hatten, waren gekommen und hatten ihre Kinder mitgebracht.

Auch die Eltern von Monika waren anwesend. Ich hatte alle, die ich noch nicht gekannt hatte, bereits getroffen, als wir einige Stunden zuvor den Empfang vorbereitet hatten.

„Wir freuen uns so sehr, dass ihr alle hier seid", rief Johns Mutter, damit alle es hören konnten.

„Wir haben die letzten Wochen damit verbracht, euer Haus ein bisschen umzugestalten. Ich hoffe, das ist in Ordnung für euch. Wir wollen es euch nun zeigen", erklärte Ben.

Als die Tür geöffnet wurde, schob ich John die Rampe hoch, weil ich nicht wusste, ob der Schwung, den er sich selbst gab, ausreichen würde, um sie zu bewältigen. Drinnen angekommen machten wir uns auf den Weg in die obere Etage, wobei John natürlich den Treppenlift benutzte. Ich zeigte ihm das fertig eingerichtete Kinderzimmer. Die Möbel von Tante Gabis Arbeitskollegin hatten Ben, Larissa und ich letzte Woche hergebracht. Sie waren aus hellem Holz und passten daher gut zu den Wänden. Über dem Kinderbettchen hing eine vergrößerte, eingerahmte Kopie des letzten Ultraschallbildes und auch einige meiner alten Kinderbücher standen schon im Regal. Über der Wickelkommode hing ein Mobile und auch ein paar Plüschtiere saßen schon dort. Außerdem hatte Ben eine neue Lampe an der Decke angebracht.

„Das ist unser Kinderzimmer", sagte ich stolz.

„Es sieht wunderschön aus." John staunte. „Hast du die Blume selbst gemalt?"

„Ja, die andere daneben kannst du ausmalen. Und bei den anderen Wänden hat mir Larissa geholfen", erklärte ich.

„Es sieht toll aus. Das Baby wird sich wohlfühlen."

Zum Glück gefiel es ihm. Ich war erleichtert.

Nun betraten wir Johns Zimmer. Ben und ich hatten letzte Woche ein Ehebett gekauft und die anderen Möbel umgestellt, weil es so viel Platz in Anspruch nahm. Auf dem Nachttisch lag das neue Handy in Geschenkpapier verpackt.

„Ich werde bei dir einziehen müssen, wenn das Baby erst mal da ist", verkündete ich.

Er lächelte und rollte zum Bett. „Es ist schön, es passt gut zu den anderen Möbeln." Da entdeckte er das Geschenk.

„Das ist für dich. Von deinem Bruder, Larissa und mir", erklärte ich.

„Ich kann mir schon denken, was drin ist." Er befreite es von dem Geschenkpapier und bedankte sich herzlich bei uns. Er freute sich wirklich sehr darüber.

Dann schauten wir uns das Badezimmer an und beendeten unseren Rundgang in der Küche, wo eine Vase mit frischen Blumen für Johns Mutter stand.

„Das habt ihr wirklich toll gemacht. Wir bedanken uns von ganzem Herzen", sagte sie gerührt.

Nachdem sich alle erneut vor lauter Freude umarmt hatten, verkündete Ben: „Lasst uns jetzt gemeinsam essen gehen. Ich habe einen Tisch im Restaurant reserviert."

Der fünfte Monat

Am nächsten Morgen brauchte ich einen Moment, bis ich mich wieder erinnerte, wo ich war und was wir gestern gemacht hatten. John schlief noch. Mein Herz raste, als ich ihn sah, und ich musste lächeln, weil wir zum ersten Mal in unserem neuen Bett genächtigt hatten. Ich freute mich, dass er endlich zu Hause war und ich mich nun nicht mehr um ihn zu sorgen brauchte.

Nachdem wir gestern gemeinsam im Restaurant gegessen hatten, verbrachten wir den restlichen Tag hier, unterhielten uns und feierten, dass John und seine Mutter wieder zu Hause und die Umbauarbeiten abgeschlossen waren. Alle außer Ben, Larissa, Monika und wir beide hatten in einem Hotel in der Nähe übernachtet.

Ich wollte gestern nicht nach Hause gehen, um dort zu schlafen, obwohl meine Eltern mich darum gebeten hatten, weil sie dachten, ich würde bei den Hoffmanns für Stress sorgen. Ich war richtig sauer auf sie deswegen. Aber John beruhigte mich und zusammen mit Ben hatten wir es geschafft, meine Eltern umzustimmen.

Als ich mir ins Gedächtnis rief, dass ich nun schon im fünften Monat war, drehte ich mich auf den Rücken und streichelte meinen Bauch. Glücklich warf ich wieder einen Blick zu John, der noch immer schlief. Ich griff nach meinem Handy, das auf dem Nachttisch lag. Es war neun Uhr. Ich fragte mich, ob die anderen wohl schon wach waren, und lauschte. Es war nichts zu hören. Wieder strich ich über meinen Bauch, weil mir auffiel, wie sehr er gewachsen war. Aus der kleinen Wölbung war eine größere geworden. Natürlich war das nicht auf einmal passiert, aber am Anfang des neuen Schwangerschaftsmonats achtete ich eben besonders darauf.

„Guten Morgen", hauchte John mir sanft entgegen.

„Hey", erwiderte ich und rutschte zu ihm, um meine Lippen zärtlich auf die seinen zu pressen. Mein Herz schlug schneller, als ich eine Bewegung unter meinen Fingern spürte, die immer noch auf meinem

Bauch lagen. Ich konnte es nicht fassen. „Es bewegt sich." Verständnislos starrte er mich an. „Das Baby, ich kann es spüren."

John legte aufgeregt seine Hand an meinen Bauch. Ich nahm meine weg und führte ihn zu der Stelle, wo ich unser Baby eben gefühlt hatte. Da spürte ich es wieder. Es fühlte sich an, als würde jemand mit dem Zeigefinger leicht gegen meinen Bauch stupsen.

„Tatsächlich." John lächelte und küsste mich. „In welcher Woche bist du jetzt?", wollte er danach wissen.

„Heute in der siebzehnten, also im fünften Monat." Ich war immer noch völlig überwältigt davon, das Baby endlich spüren zu können.

John strich mir eine Strähne aus dem Gesicht und drückte abermals seine Lippen auf die meinen. Dann rutschte er auf dem Bett mit Mühe ein Stück weiter nach unten, um mein Oberteil ein Stück hochzuziehen, sodass mein Bauch freilag, und küsste mich auch dort. Dabei wurde mir ganz warm und mein Inneres begann zu kribbeln, als würden tausend Schmetterlinge darin herumtanzen. Ich streichelte Johns Nacken und fuhr ihm durch die Haare.

„Ich liebe dich. Ich liebe euch beide", flüsterte er.

„Ich dich auch", hauchte ich zurück.

Er rutschte wieder nach oben, damit ich mich in seine Arme legen konnte. So verblieben wir und schlossen die Augen, bis wir jemanden den Flur entlangschlurfen hörten. In diesem Augenblick vergaßen wir sogar, dass John seine Beine nicht mehr bewegen konnte.

„Ich glaube, wir sollten auch aufstehen", sagte ich schließlich.

Sobald wir uns voneinander gelöst hatten, sprang ich aus dem Bett, um mich seitlich vor den Spiegel zu stellen und meinen Bauch frei zu machen. „Siehst du das? Da ist schon ein richtiger kleiner Hügel", rief ich aus.

„Ja, dein Bauch wächst jetzt ziemlich schnell", bestätigte er.

Nun wollte ich John in den Rollstuhl helfen, aber im Grunde brauchte er mich nicht dazu, weil er sich allein umsetzen konnte. Dennoch hielt ich ihn ein bisschen fest, weil ich Angst hatte, es könnte etwas schiefgehen. Dann begannen wir uns anzuziehen.

„Ich bekomme meine Hose nicht zu." Ich lachte.

„Im Ernst?", fragte John.

„Doch, eigentlich schon, aber ich muss den Gürtel zwei Löcher weiterstellen. Zum Glück habe ich die Hose an, die mir sowieso immer zu groß war. Ich glaube, bei den anderen, die ich zu Hause habe, könnte das ein Problem werden."

„Dann musst du dich bald nach Schwangerschaftsmode umsehen."

„Ja, du hast recht. Aber erst mal werde ich gucken, was ich noch anziehen kann, wenn ich zu Hause bin. Vielleicht ist es sinnvoller, erst nächsten Monat einkaufen zu gehen."

Als wir in die Küche kamen, hatten Ben und Larissa bereits den Frühstückstisch gedeckt. „Guten Morgen", riefen sie uns entgegen.

„Guten Morgen", sagten wir.

„Ist Mama noch nicht wach?", fragte John.

„Ich glaube, sie ist noch im Badezimmer", antwortete Ben.

„Ich habe das Baby gespürt", platzte ich heraus.

„Echt?" Larissa machte große Augen.

„Ja, als ich aufgewacht bin, habe ich seine Bewegungen gespürt."

„Ich habe es auch gemerkt", stimmte John zu.

„Was habt ihr gemerkt?" Johns Mutter kam zu uns.

„Wir können das Baby spüren", erklärte ich.

„Das ist ja schön." Man sah ihr an, dass sie sich wirklich für uns freute. „Und man sieht auch schon etwas", erkannte sie.

„Ja." Ich strich meinen Pullover glatt, damit man es besser sehen konnte.

„Und Hunger hat das Kleine bestimmt auch", meinte Monika. „Lasst uns essen."

Wir setzten uns an den Tisch und begannen, uns Brötchen zu schmieren.

„Haben wir heute was vor?", fragte Johns Mutter.

„Wann wollen die anderen denn wieder fahren?", wollte ich wissen.

„Eigentlich wollten sie nach dem Frühstück im Hotel herkommen und sich verabschieden. Aber viele haben gestern den Wunsch geäußert, Papas Grab zu besuchen, denn die meisten können das wegen der Entfernung selten tun. Ich habe vorhin schon mit Onkel Boris telefoniert und wir sind so verblieben, dass sie uns abholen werden, damit wir gemeinsam zum Friedhof fahren. Sie wollen sich dann von dort aus auf den Weg nach Hause machen", erklärte Ben.

„Dann lasst und das so machen." Johns Mutter setzte eine traurige Miene auf. „Wir waren schließlich auch noch nicht dort."

Nach dem Frühstück kamen die anderen und wir fuhren mit sechs

Autos zum Friedhof. Ich wunderte mich, dass ich mich nur schwach an den Weg zum Grab erinnern konnte. Mein Kopf musste das verdrängt haben. Ben führte unsere Gruppe an.

Als wir vor dem Grab seines Vaters standen, schwiegen wir andächtig. Seiner Mutter traten Tränen in die Augen und ich musste mich zusammenreißen, als ich an die Beerdigung dachte und an den ungerechten Verlust. Nun wurde mir der Schmerz wieder bewusst, den ich so lange ertragen und seit ein paar Tagen endlich vergessen hatte. Ich nahm Johns Hand und schaute zu, wie jeder einen kleinen Blumenstrauß oder eine Kerze aufstellte. Die Blumen sahen mit ihren schönen Farben seltsam neben den kahlen, dunklen Bäumen aus, die den Friedhof umsäumten. Sie wirkten wie ein helles Licht im Dunkel. Auch John und ich legten Blumen ab und warfen uns einen traurigen Blick zu. Aber dann legte er eine Hand an meinen Bauch und sah mir tief in die Augen. Er schien dasselbe zu denken wie ich.

Am Montag wartete ich mit meinem Schulranzen auf dem Rücken vor der Tür auf John und seine Mutter. Nach wenigen Minuten fuhr das Auto unsere Auffahrt hoch und ich stieg ein. John gab mir einen Kuss zur Begrüßung. „Es ist schrecklich, sein eigenes Auto nicht mehr fahren zu können. Aber wir müssen jetzt erst mal meines nehmen, weil das meiner Eltern einen Totalschaden erlitten hat."

„Warum besorgst du dir nicht ein anderes? Es gibt doch Autos mit Handsteuerung", sagte ich. „Dann kannst du das neue nehmen und deine Mutter nimmt deinen Wagen", schlug ich vor.

„Darüber habe ich auch schon nachgedacht", meinte er.

„Das ist keine schlechte Idee", stimmte Monika zu.

Auf dem Parkplatz vor der Schule warteten die anderen schon auf uns. Wir begrüßten uns und verabschiedeten uns von Monika. Während wir langsam auf das Schulgebäude zuschritten, trug Tobias Johns Tasche.

„Soll ich deinen Ranzen nehmen?", fragte mich Florian.

Ich lachte. „Nein, das geht noch. Aber ich denke, in ein paar Wochen kannst du das gerne übernehmen, wenn das Baby schwerer ist."

„Und das Geschlecht wisst ihr immer noch nicht?", fragte er.

„Nein", antwortete John. „Wir haben erst in zwei Wochen den nächsten Termin, dann werden wir es erfahren."

„Am Samstag habe ich zum ersten Mal die Bewegungen des Babys gespürt."

„Wirklich?", fragte Nadine interessiert.

Ich nickte. „Ich kann euch Bescheid sagen, wenn ich es das nächste Mal fühle, dann könnt ihr eine Hand an meinen Bauch legen und sehen, ob ihr auch etwas merkt."

„Was wünschst du dir eigentlich zum Geburtstag, Diana?", wollte Verena wissen.

„Ich habe keine Ahnung." Das war gelogen, denn eigentlich hatte ich nur einen Wunsch, den mir aber niemand erfüllen konnte: den Autounfall rückgängig zu machen. Ich wünschte mir von ganzem Herzen, dass John wieder laufen und seinen Vater bei sich haben konnte. „Vielleicht einen Gutschein zum Shoppen. Den könnten wir nächsten Monat einlösen, weil ich mich unbedingt nach Umstandsmode umsehen muss. Die meisten meiner Hosen bekomme ich schon nicht mehr zu."

„Klar, das können wir machen", antwortete Nadine.

„Wirst du feiern?", wollte Verena wissen.

„Nur in kleinem Kreis, aber ich werde euch rechtzeitig Bescheid sagen." Ich beobachtete die Schüler und Schülerinnen, die an uns vorbeiliefen, um zu ihren Fachräumen zu gelangen. Fast jeder starrte John oder mich an, aber die meisten schauten ihn an, weil mein kleiner Bauch im Gegensatz zu seinem Rollstuhl nur für die wenigsten zu erkennen war. Ich spürte das Messer in meinem Herzen, weil ich Mitleid für ihn fühlte und wütend wurde.

Auch den anderen fiel es auf. „Haben die noch nie einen Rollstuhl gesehen? Können die nicht mal weggucken? Das Gegaffe regt mich auf!" Florian schaute jeden, der uns anstarrte, böse an.

„Und eine Schwangere haben sie anscheinend auch noch nie gesehen", fügte ich hinzu. „Man sollte sie darauf ansprechen und sie bitten, das zu unterlassen, aber das sorgt nur für Ärger."

„Ich könnte denen so richtig eine reinhauen", sagte Tobias zornig.

„Jetzt hört doch auf damit", meinte Verena. „Achtet einfach nicht darauf. Ich meine, versetzt euch doch mal in ihre Lage. Natürlich gucken sie, weil sie das nicht gewusst haben. Es ist neu für sie und sie müssen sich erst daran gewöhnen."

John seufzte. „Vielleicht hast du recht, aber es ist trotzdem nervig."

Nun mussten wir uns von Tobias und John verabschieden, um zu unseren verschiedenen Klassenräumen zu gehen.

Ich gab John einen Kuss. „Bis später."

An diesem Morgen schreckte ich nicht hoch, um meinen Handywecker hektisch abzustellen, sondern ließ das Lied von Rihanna mit dem Titel *Diamonds* einfach laufen. Zum ersten Mal fiel mir auf, dass dessen Text auf unsere Situation passte.

You and I, we're beautiful like diamomds in the sky – du und ich, wir sind wunderschön wie Diamanten am Himmel.

John und ich hatten früher gestrahlt, weil wir so glücklich zusammen gewesen waren. Aber nach dem Unfall war unser Licht erloschen und wir versuchten es wieder leuchten zu lassen.

Shine bright like a diamond – scheine so hell wie ein Diamant.

Ich versprach mir selbst, mit allen Kräften zu versuchen, das Licht wieder vollständig zurückzuholen. Besonders heute wollte ich strahlen.

I choose to be happy – ich entscheide mich, glücklich zu sein.

John und ich wollten wieder glücklich sein, wir wollten aufhören, zu trauern und zu verzweifeln.

When you hold me, I'm alive – wenn du mich hältst, bin ich lebendig.

Als John noch geschlafen hatte, fühlte ich mich nicht lebendig. Ich lebte in den Tag hinein, aber ich hatte gespürt, dass meine zweite Hälfte fehlte, die mich komplett machte.

I knew that we'd become one right away – ich wusste sofort, dass wir eins sein würden.

Auch ich hatte nie daran gezweifelt, dass John und ich eine Einheit waren, nur komplett, wenn wir zusammen sein konnten. Schon als ich ihn das erste Mal in meinem Leben gesehen hatte, wusste ich, dass er der Richtige war. Ich hatte darauf vertraut, dass das Schicksal uns zusammenbringen würde. Und so war es geschehen: Er war auf mich zugekommen, ich hatte nur lange genug warten müssen. Ich hatte Zweifel, dass er mich mochte, und Angst davor, enttäuscht zu werden. Die Gefühle, die sein Anblick in mir auslöste, waren so stark, dass sie mich daran gehindert hatten, die Nerven zu behalten, wenn ich mit ihm reden wollte.

At first sight I felt the energy of sun rays
– vom ersten Augenblick an fühlte ich die Energie der Sonnenstrahlen.

Dieser Satz des Songs beschreibt meine Gefühle für John.

Feel the warmth, we'll never die
– fühle die Wärme, wir werden niemals sterben.

Wir würden erst im hohen Alter sterben, aber unsere Liebe würde immer bestehen. Plötzlich spürte ich wieder eine Bewegung in meinem Bauch und streichelte die Stelle. Das Baby war das schönste Geburtstagsgeschenk, das man mir hatte machen können. Ich schloss die Augen und ließ die Freudentränen, die sich ihren Weg bahnten, ungehindert über meine Wangen laufen. Ich konnte mir nicht erklären, warum mich jedes Mal ein solches Gefühlschaos überflutete, wenn ich das Baby sehen oder spüren konnte. Vermutlich konnte ich das Glück immer noch nicht fassen, das mich zum richtigen Zeitpunkt ereilt und mir durch diese schwere Zeit hindurchgeholfen hatte. Ich musste lächeln, als ich daran dachte, dass ich es heute Nachmittag wiedersehen konnte. Nun stellte ich meinen Wecker aus und stand auf, um mich zu duschen und anzuziehen. Die meisten Oberteile passten mir noch, aber ich suchte immer welche heraus, die länger und lockerer waren. In der Küche wurde ich von meinen Eltern, John und seiner Mutter empfangen. Ich lächelte breit. „Was machst du denn schon hier?“

Er zuckte nur mit den Schultern. „Dir zum Geburtstag gratulieren.“ Er rollte auf mich zu. „Alles Gute.“ Ich beugte mich ein Stück zu ihm hinunter, damit er mich küssen konnte. Danach gratulierten mir die anderen.

„Musst du nicht zur Arbeit?", fragte ich Papa.

„Doch, ich muss mich jetzt auf den Weg machen, aber ich wollte dir noch gratulieren, bevor ich gehe", erklärte er. Ich drückte ihn noch einmal, dann verschwand er auch schon.

„Danke für die Blumen", sagte ich zu John. Ich musste nicht fragen, um zu wissen, dass sie von ihm waren. Denn es war dieselbe Sorte, die er in seinem Zimmer verteilt hatte, als wir das erste Mal miteinander geschlafen hatten, und die er mir jedes Jahr zum Geburtstag schenkte, seitdem wir uns kannten. „Sie sind sehr schön."

„Ich habe noch etwas für dich." Er reichte mir eines der vielen Päckchen, die auf dem gedeckten Tisch neben dem Kuchen lagen.

Ich setzte mich und begann es auszupacken. Zum Vorschein kam eine rote Schatulle. Aufgeregt öffnete ich sie. „Wow. Sie ist wunderschön." Darin lag eine Kette mit einem silbernen Anhänger in Form eines makellosen Herzens.

Dieses perfekte Herz konnte jedoch weder seines noch meines darstellen, denn unsere waren verletzt, trugen Narben, weil wir so viel Unglück erfahren hatten. Aber vielleicht waren die Wunden heilbar und würden verblassen. Unser Ziel war es, unsere Herzen heilen zu lassen, sodass sie wieder aussahen wie dieser Anhänger. Doch die Kette symbolisierte gleichsam, dass er mir sein Herz schenkte, bedingungslos und auf ewig.

„Danke", raunte ich ergriffen, umarmte ihn fest und drückte meine Lippen auf die seinen.

„Soll ich sie dir anlegen?"

„Ja, gerne." Ich kniete mich vor John auf den Boden, damit er die Kette leichter verschließen konnte, und hielt meine langen Haare hoch.

Danach packte ich die anderen Geschenke aus. Mama hatte mir eine neue Handtasche und eine DVD geschenkt, die ich mir gewünscht hatte. Von Johns Mutter bekam ich „Das große Babybuch". Darin standen sehr viele Dinge, die ich über Kindererziehung lernen und wissen musste, zum Beispiel wann das Kleine welche Nahrung bekam und welche Kinderkrankheiten es gab.

„Vielen Dank", sagte ich schließlich in die Runde. „Ihr habt die perfekten Geschenke ausgesucht."

Danach schnitten wir den Kuchen an und aßen ihn zum Frühstück.

„Und du willst heute zum Frauenarzt?", fragte Mama.

„John und ich“, korrigierte ich sie.

„Um wie viel Uhr denn?“, wollte Monika wissen.

„Halb vier“, antwortete ich.

„Dann würde ich sagen, nachdem ich euch von der Schule abgeholt habe, könnt ihr noch ein bisschen bei uns bleiben und später fahre ich euch zum Arzt, wenn ihr wollt“, schlug sie vor.

„Ja, so ähnlich hatten wir uns das auch schon überlegt“, antwortete John.

Ich warf ihm einen Blick zu. „Danach würden wir den restlichen Tag gern zusammen verbringen. Können wir nach dem Termin wieder zu euch?“

„Natürlich“, sagte Johns Mutter. „Aber dann werde ich nicht zu Hause sein, weil ich mit einer Freundin verabredet bin, aber das macht euch bestimmt nichts aus.“ Sie lächelte.

Ich grinste. „Nein, ganz und gar nicht.“

„Soll ich die beiden nicht lieber fahren?“, schlug Mama vor. „Wird dir das nicht zu stressig?“

„Nein, ich habe sowieso etwas in der Stadt zu erledigen, solange die beiden beim Arzt sind.“

„Dann machen wir das so“, stimmte ich zu.

In der Schule wurde ich von Verena beinahe umgeworfen, weil sie mich so doll umarmte, um mir zu gratulieren. Die anderen waren nicht ganz so stürmisch. „Alles Gute zum Geburtstag“, rief sie und überreichte mir einen Umschlag. „Das ist das Geschenk von uns vieren, wir haben zusammengelegt.“

Ich öffnete ihn und ahnte bereits, was sich darin befand: ein Gutschein im Wert von vierzig Euro von C&A.

„Ich danke euch. Das ist spitze.“

„Jetzt kannst du sagen, dass du mit sechzehn Jahren schwanger bist und nicht mehr mit fünfzehn“, stellte Tobias fest.

„Da hast du wohl ausnahmsweise mal recht“, gab ich lachend zu.

„Sie kann es nicht mal an ihrem Geburtstag lassen, sich über mich lustig zu machen“, schmollte er.

„Das kann ich gar nicht verstehen.“ Ironie schwang in Verenas Stimme mit. Nun brachen wir alle in schallendes Gelächter aus, als wir Tobias’ übertrieben beleidigten Gesichtsausdruck sahen.

„Die Kette ist schön. Hast du sie heute bekommen?“ Nadine hatte sich wieder beruhigt und betrachtete den Anhänger genauer.

„Ja, von John“, antwortete ich.

„Du hast wirklich Ahnung, was Mädchen gefällt“, meinte Florian anerkennend.

John prustete erneut los. „Und du wohl nicht?“

„Ich weiß nicht genau ...“ Er schaute Verena unsicher an.

„Doch, hast du.“ Sie kicherte.

„Das meint sie garantiert nicht ernst“, stellte Florian fest.

Wir warfen einander belustigte Blicke zu.

„Und was hast du nun an deinem Ehrentag geplant?“, fragte Tobias.

„Ich habe einen Termin beim Frauenarzt und werde dann den Tag mit John verbringen. Ich dachte mir, dass es schön wäre, das Baby an meinem Geburtstag sehen zu können“, erklärte ich.

„Du rufst uns doch an, wenn du das Geschlecht weißt, oder?“, fragte Verena.

„Klar.“

„Dann gehst du wohl heute zum ersten Mal mit?“, wandte sich Tobias an John.

„Ja, ich freue mich schon darauf“, meinte dieser. Da wurden die Türen geöffnet und wir schlenderten in das Gebäude hinein.

Nachdem uns Johns Mutter nach der Schule abgeholt hatte und wir zu Mittag gegessen hatten, machten wir beide es uns auf dem Sofa im Wohnzimmer bequem und sahen uns den Film an, den ich von Mama bekommen hatte.

Mein Kopf lag auf Johns Oberkörper und seine Hand befand sich auf meinem Bauch. So lauschte ich seinen Herzschlägen. Vor drei Monaten hatte ich sie sechzehn Tage lang nur durch das Piepen eines Apparates hören können und gebetet, dass sein Herz niemals aufhören würde zu schlagen. Wusste er, dass das passiert war, als er geschlafen hatte? Wusste er, dass er dem Tod nur knapp entkommen war? Ich hoffte nicht. Es wäre besser, wenn er es nicht wüsste. Ich war den Ärzten dankbar, dass sie ihn retten konnten, er nun bei mir war und nicht länger in Gefahr schwebte.

Johns schneller Herzschlag brachte mich zum Schmunzeln, weil meines fast im selben Takt pochte. Wenn wir zusammen waren, schlugen unsere Herzen immer schneller. Ich ließ meine Hand zu dem Anhänger gleiten, den er mir geschenkt hatte.

Plötzlich konnte ich die Bewegungen des Babys wieder spüren, aber es war nach wie vor ein sehr schwaches Gefühl, nur wie ein Kribbeln oder eine leichte Berührung.

„Es bewegt sich." Ich war überrascht, dass John es trotzdem jedes Mal merkte. Er streichelte meinen Bauch.

„Heute Morgen hat es das auch gemacht, kurz nachdem ich aufgewacht bin."

„Es wollte dir bestimmt gratulieren." Ich lachte. „Hast du eigentlich schon über Kindernamen nachgedacht?", fragte er.

„Ja", erwiderte ich. „Ich habe mir schon einen Mädchen- und einen Jungennamen überlegt, aber ich würde auch gerne Vorschläge von dir hören." Es kam mir seltsam vor, mit ihm darüber zu sprechen, weil ich ihm das alles schon einmal erzählt hatte, und zwar an dem Tag, an dem er aufgewacht war, als er mich noch nicht hören konnte. Ich hatte Angst, ihn zu verletzen, wenn ich ihm den Jungennamen verriet.

„Mir fallen keine Namen ein, die nicht allzu häufig vorkommen, zu schlicht sind oder aus denen man keine blöden Spitznamen machen kann." Er streichelte meinen Rücken. „Wie lauten deine Vorschläge?"

Ich biss mir vor Nervosität auf die Unterlippe. „Wenn es ein Mädchen wird, würde ich sie Joana nennen. Das ist eine Mischung aus unseren Vornamen. Der Anfang von John und das Ende von Diana."

„Der Name gefällt mir. Es ist schön, dass er etwas von uns beiden enthält, genauso wie das Baby. Und es gibt ihn wirklich."

Ich wandte den Blick vom Fernseher ab und schaute ihn an. „Du bist also einverstanden?"

„Ja." Sein Blick bereitete mir Herzrasen, wenn er mich so wie jetzt direkt ansah. „Und was ist mit dem Jungennamen?"

„Vielleicht ist das doch keine so gute Idee", begann ich. „Ich habe Angst, dass es dich verletzen könnte, wenn wir das Baby wirklich so nennen."

„Ich glaube, ich weiß, welchen Namen du im Sinn hast", bekannte er.

Ich war überrascht. „Sag ihn mir."

„Ich habe auch schon daran gedacht, wollte ihn dir jedoch genauso wenig verraten." Er stockte. „Du hast doch gesagt, dass sich ein Teil meines Vaters nun in deinem Bauch befände und dass du nicht schwanger wärst, wenn er nicht gestorben wäre. Es klingt zwar verrückt, aber vielleicht hat sich wirklich ein Teil von ihm auf das Baby übertragen, als er gestorben ist, und er hat dadurch unserem Kind das Leben geschenkt. Obwohl das eigentlich nicht möglich ist, weil du schon vorher schwanger warst."

„Ich denke, dass nichts unmöglich ist. Man muss nur daran glauben", widersprach ich.

John fuhr fort: „Deshalb ist mir die Idee gekommen, das Kind nach ihm zu benennen." Ich schüttelte ungläubig den Kopf. „Das war auch dein Vorschlag, oder?", hakte er nach.

„Ja. Ich hätte wirklich nie für möglich gehalten, dass du dasselbe denken könntest wie ich. Du willst es also wirklich nach deinem Vater benennen?"

„Ja. Es wäre schön, auf diese Weise seiner zu gedenken und ihn in unserem Kind wiederzuentdecken. Ich habe nur Sorge, was Mama dazu sagen wird. Wir wissen nicht, wie sie darauf reagiert. Vielleicht wäre sie begeistert, aber vielleicht auch nicht."

„Ich glaube, es wäre leichter, wenn sein Verlust nicht so frisch wäre. Jetzt würde sie es vermutlich verletzen, aber in vier Monaten, wenn das Baby da ist, wird sie es bestimmt mit anderen Augen sehen. Hast du vor, den anderen den Namen vor der Geburt zu verraten?"

„Nein", antwortete er. „Ich fände es schöner, wenn das eine Überraschung bleibt. Aber das Geschlecht möchte ich ihnen sagen, sobald wir es wissen, damit sie sich darauf einrichten können. Unsere Mütter wollen uns bestimmt erste Strampelanzüge für das Baby schenken und sie müssen schließlich wissen, welche Farbe sie nehmen können. Außerdem werden uns sowieso alle fragen und früher oder später verplappern wir uns wahrscheinlich."

„Sehe ich genauso", stimmte ich zu.

„Glaubst du immer noch, dass es tatsächlich ein Junge ist?", fragte er.

„Ja. Ich bin davon überzeugt. Und du?"

„Ich auch. Obwohl Kinder oft nicht das Geschlecht haben, welches man sich wünscht."

„Aber solange das Kleine gesund ist, ist mir das egal", meinte ich schulterzuckend.

„Das stimmt natürlich. So wichtig ist es mir eigentlich gar nicht, dass es ein Junge wird“, gab er zu.

„Ich habe Angst, es zu verlieren. Angst, dass etwas schiefgeht“, bekannte ich bedrückt. „Ich meine, wir haben so viel Unglück erfahren, dass ich das für möglich halte.“

„Nein, Diana. Das wird nicht geschehen, es wird uns nicht verlassen.“

„Warum bist du dir da so sicher?“, zweifelte ich.

„Weil du seine Mutter bist und du bist ein Engel. Das Baby ist also ebenfalls ein Engel.“

„Du hast recht. Ohne das Baby hätte ich diese schwere Zeit nicht überstehen können“, fügte ich hinzu.

„Du hast mich gerettet und das Baby hat dich gerettet. Und mir hat es neue Kraft gegeben, weil es sich nun lohnt zu kämpfen. Es hat mir Mut verliehen. Ihr beide seid Engel.“ John streichelte meinen Bauch und kam mir näher, um mich zu küssen. In diesem Moment spürte ich eine wohlige Wärme, die teilweise von unserem Baby, aber auch von mir selbst ausging.

Ungefähr eine Stunde später betraten wir die Praxis der Frauenärztin, nachdem uns Johns Mutter dort abgesetzt hatte. Bevor wir im Wartezimmer Platz nahmen, meldete ich mich wie immer an. Es war heute ziemlich leer, denn nur eine junge Frau saß uns gegenüber.

„Und heute bekommen wir ein 3-D-Bild?“, fragte John. „Ich bin gespannt, wie das aussieht.“

„Ja, das bin ich auch“, gab ich zurück.

Die andere Frau im Wartezimmer ließ ihre Zeitschrift, die sie las, sinken, sodass sie uns mustern und uns einen ungläubigen Blick zuwerfen konnte. Sie starrte zuerst auf meinen kleinen Bauch, dann auf Johns Rollstuhl. Gerade als ich ihr ein paar wütende Worte an den Kopf schleudern wollte, weil sich das Messer in meinem Herzen wieder bemerkbar machte, wurde sie zur Ärztin gerufen.

„Dumme Kuh“, flüsterte John, als sie weg war.

Ich grinste. „Vielleicht sollten wir uns daran gewöhnen. Schließlich ist sie nicht die Erste, die uns schräg anguckt. Und sicherlich wird sie nicht die Letzte sein.“ Ich erinnerte mich an die alte Dame in Johns Krankenhauszimmer, die uns einen ebensolchen Blick zugeworfen hatte, und an die vielen Mitschüler, die uns angestarrt hatten.

„Nein, daran sollte man sich nicht gewöhnen müssen. Diese Leute sollten sich lieber an uns gewöhnen“, erwiderte John zornig.

Ein paar Minuten später wurden wir aufgerufen und betraten das Zimmer der Ärztin. Sie lächelte freundlich und begrüßte uns. „Schön, dass dein Freund diesmal mitkommen konnte. Ich bin Dr. Jessen. Wie heißt du?“, fragte sie.

„John“, antwortete er.

„Hallo, John. Ich habe von deinem Unfall gehört. Wie geht es dir denn jetzt?“

„Ganz gut. Ich komme mit der Situation zurecht und fühle mich besser“, beantwortete er höflich ihre Frage.

„Das freut mich. Und wie geht es dir, Diana?“ Sie schaute auf den Computerbildschirm auf ihrem Schreibtisch. „Du hast heute Geburtstag?“

„Ja.“ Sie musste das meiner Akte entnommen haben.

„Herzlichen Glückwunsch“, sagte sie und gab mir die Hand.

„Danke.“ Ich wurde rot. „Mir geht es gut. Vor zwei Wochen habe ich zum ersten Mal die Bewegungen des Babys gespürt“, ging ich nun auf ihre eigentliche Frage ein und reichte ihr meinen Mutterpass.

Die Ärztin nickte. „Es ist üblich, dass das zu Anfang des fünften Monats passiert.“ Sie stand auf. „Dann wollen wir uns das Baby mal ansehen.“ Wir folgten ihr in den Ultraschallraum, in dem sie alles vorbereitete, während ich mich auf der Liege platzierte und meinen Bauch frei machte. John wich nicht von meiner Seite.

„Heute machen wir also die erste 3-D-Aufnahme“, verkündete die Frauenärztin. „Das Geschlecht wissen wir noch nicht, oder?“

„Nein“, sagte ich.

„Nun wird es spannend, denn das wird sich gleich herausstellen.“ Sie legte das Gerät an meinen Bauch.

Mit rasendem Herzen schaute ich auf den Bildschirm. Und endlich konnte ich unser Baby sehen. Die Aufnahme war in einem gelben Farbton gehalten anstatt in Schwarz-Weiß und zeigte unser Kind sehr deutlich von allen Seiten. Dieses Mal befand sich der Kopf rechts, soeben begann es, mit den Beinen zu strampeln und seine Arme zu bewegen. John nahm meine Hand und lächelte mich an. Ich strahlte ebenfalls vor Glück.

„Können Sie schon etwas erkennen?", fragte John gespannt.
„Es bewegt sich gerade zu viel. Wir warten noch ein bisschen ab." Sie wandte den Blick nicht vom Monitor ab. „Die ersten Haare sind schon zu sehen."
„Ja, wie süß!" Ich konnte es auch erkennen.
„Die Nieren produzieren schon Urin und der Fötus ist jetzt fünfzehn Zentimeter lang und zweihundertvierzig Gramm schwer. Damit ist er also schon weitaus größer als eine Grapefruit. Das Kleine kann bereits die Stirn runzeln, die Augen verdrehen und schlucken."
Unser Baby hörte auf, mit den Beinen zu strampeln, und ballte stattdessen seine Händchen zu Fäusten. Ich musste lachen und gleichzeitig unter großer Anstrengung die Tränen zurückhalten.
„Nun sehe ich es." Die Frauenärztin zeigte mit dem Finger auf die Stelle zwischen den Beinchen des Babys. „Es ist ein Junge."
Nun flossen mir doch die Tränen in Strömen über die Wangen, John drückte meine Hand ein bisschen fester und streichelte meinen Arm. Er schaute mich freudig an und ich drückte ihm einen Kuss auf die Lippen. Die Ärztin beobachtete uns interessiert. „Das war wohl euer Wunsch?"
„Ja", antwortete John, weil ich nicht in der Lage dazu war. Mir fehlten die Worte.
Dr. Jessen machte mehrere Bilder und begann, sie auszudrucken.
Mir war es ein bisschen peinlich, dass ich so emotional reagierte, und ich wischte mir schnell die Tränen weg. Das Ultraschallgerät wurde abgestellt und ich stand auf, um meinen Pullover wieder über meinen Bauch zu ziehen.
„Dann sehen wir uns in ein paar Wochen wieder." Die Ärztin gab mir die Bilder, nachdem sie etwas in meinem Mutterpass notiert hatte.
Wir verabschiedeten uns, dann ließ ich mir wie immer einen neuen Termin geben und wir verließen die Praxis. Kaum waren wir aus der Tür getreten, zog John mich vorsichtig auf seinen Schoß und küsste mich zärtlich.
Glücklich strahlte ich ihn an. „Unglaublich, dass es wirklich ein Junge ist."
„Das ist so wunderbar!" Er drückte seine Lippen erneut auf meine, anschließend holte er sein Handy aus der Hosentasche. „Ich rufe Mama kurz an, damit sie uns abholen kann."

„Gut. Und ich rufe währenddessen Nadine an." Ich wählte ihre Nummer und stand auf, um mich ein paar Meter von John zu entfernen, damit wir ungestört telefonieren konnten.

Meine Freundin nahm nach wenigen Sekunden ab und zur Begrüßung tönte mir ein aufgeregtes „Und ... was ist es?" durchs Telefon entgegen.

„Ist Verena auch da?", wollte ich zuerst wissen.

„Ja, warte, ich stelle dich laut. Aber nun sag schon!"

„Es ist ein Junge!", rief ich.

Die beiden lachten. „Habt ihr euch einen Jungen gewünscht?"

„Ja", antwortete ich stolz.

„Das freut mich für euch", meinte Nadine.

„Mich auch", rief Verena aus dem Hintergrund.

„Danke, ihr seid lieb." Ich sah, dass John sein Gespräch bereits beendet hatte und das Auto seiner Mutter vorfuhr. „Ich muss auflegen, wir werden abgeholt."

„Okay, dann sehen wir uns morgen in der Schule", entgegnete Nadine.

„Ja, genau, bis dann." Ich steckte mein Handy wieder ein.

„Sie war schon auf dem Weg hierher, als ich angerufen habe", erklärte John die schnelle Ankunft seiner Mutter, als wir ins Auto stiegen.

„Na, wie war's?", fragte Monika.

„Es war sehr schön, das Baby zu sehen. Es hat sich total viel bewegt. Die Ärztin ist sehr nett und wir wissen jetzt das Geschlecht", erzählte John.

„Und?" Neugierig wandte sie sich uns zu.

„Es wird ein Junge."

Monika prustete los. „Das ist perfekt, mit Jungs habe ich schon Übung. Schließlich habe ich zwei großgezogen."

Zu Hause angekommen verzogen wir uns in Johns Zimmer und riefen Ben an, der rasch abnahm.

„Hier ist John."

„Und Diana", rief ich dazwischen. Mein Freund hatte den Lautsprecher am Telefon angestellt, so wie Nadine es vorhin getan hatte.

„Hallo, ihr beiden. Alles Gute zum Geburtstag, Diana", meinte Ben.

Ich runzelte die Stirn. Woher wusste er das denn? Schließlich kannte ich seinen Geburtstag nicht. „Danke."

Ich warf John einen irritierten Blick zu. Er musste es ihm erzählt haben.

„Wie geht es euch?", fragte sein Bruder.

„Wir haben gerade das Baby gesehen und das Geschlecht erfahren", platzte ich mit der Neuigkeit heraus.

„Es ist ein Junge", fügte John hinzu, der sich ebenfalls nicht mehr zurückhalten konnte, sein Glück hinauszuposaunen.

„Ein Thronfolger also", stellte Ben fest.

Wir mussten über diese Bemerkung lachen.

„Er hat bereits Haare und strampelt wie wild", berichtete John.

„Er steckt also voller Energie. Wisst ihr denn schon, wie er heißen soll?"

„Ja, das haben wir vorhin besprochen. Aber wir verraten es niemandem bis zur Geburt", erklärte ich.

„Schade", murmelte Ben bedauernd.

„Und wie geht es euch?", fragte John seinen Bruder.

„Uns geht es gut. Larissa ist gerade noch mal in den Supermarkt gefahren, weil wir etwas vergessen haben, und ich decke unterdessen den Tisch. Ein paar Freunde kommen zum Essen."

„Dann wollen wir dich nicht länger aufhalten. Sag ihr einen schönen Gruß von uns. Bis bald, Bruderherz!"

„Mache ich. Und grüß du Mama. Tschüss!"

Als John aufgelegt hatte, sah er mich fragend an. „Möchtest du noch jemandem Bescheid sagen?"

Ich schüttelte den Kopf. „Ich werde es meinen Eltern heute Abend erzählen, wenn beide zu Hause sind. Ich denke, das ist persönlicher, als es ihnen am Telefon mitzuteilen."

„John?", rief seine Mutter von unten. „Ich fahre jetzt. Ich denke, ich bin in zwei oder drei Stunden wieder da. Macht euch ruhig etwas zu essen, wenn ihr Hunger habt."

„Gut, bis später. Viel Spaß!"

Und schon fiel die Haustür zu.

„Was willst du jetzt machen?", fragte John. „Du darfst heute entscheiden. Ist schließlich dein Ehrentag."

Ich biss mir auf die Unterlippe. Ich wusste, was ich wollte, aber ich hatte Angst, dass er noch nicht dazu bereit war. Mein Herz schlug schneller, weil wir nun alleine waren. Ich würde es bereuen, mich nicht getraut zu haben. Aber wovor hatte ich eigentlich Angst? Wir hatten es vor dem Unfall auch getan und immer genossen. Und dadurch war unser Baby entstanden. Das flößte mir auf merkwürdige Art und Weise Mut ein. John würde diesen ersten Schritt nicht von sich aus wagen.

Also schlenderte ich zu unserem neuen Bett und setzte mich darauf. Dann streckte ich eine Hand in Johns Richtung aus, um ihm zu verdeutlichen, dass er zu mir kommen sollte. Tatsächlich rollte er herbei und ich half ihm dabei, auf das Bett zu gelangen. Er setzte sich hin, indem er sich hinter seinem Rücken mit den Händen auf der Matratze abstützte, während ich mich auf ihn zuschob, um meine Lippen auf die seinen zu drücken. Er küsste mich verlangend und umfasste mit einer Hand meine Taille, sodass ich gezwungen war, noch näher an ihn heranzurücken. Jetzt trennten uns nur noch Millimeter.

Zärtlich umfasste ich mit beiden Händen seinen Oberkörper, um ihm gleichzeitig ein bisschen Halt zu geben, und küsste ihn immer wilder, bis sich unsere Atmung und unser Herzschlag beschleunigten. Doch plötzlich hielt er inne und zog seine Hände zurück.

Ich fühlte mich verletzt. „Was ist los?“, fragte ich außer Atem. Mein Herz pochte so heftig, dass ich es hören konnte.

Er schüttelte langsam den Kopf und mied meinen Blick. „Es geht nicht.“ Er war also doch noch nicht bereit. „Es tut mir wirklich leid.“

„Das muss es nicht. Wenn du noch nicht bereit bist, müssen wir das nicht tun. Ich kann warten.“

„Ich habe Angst, dich zu enttäuschen“, gab er zu.

„Ich bin sicher, dass der Arzt mit dir darüber gesprochen hat“, stellte ich in den Raum. Er nickte. „Dann weißt du, dass es nicht unmöglich ist. Und wenn ich die eine von zehntausend Frauen bin, die trotz richtiger Einnahme der Pille schwanger wird, dann halte ich es auch für möglich, dass du zu jenen gehörst, bei denen es hin und wieder funktioniert. Aber wenn wir es nicht versuchen, werden wir es nie herausfinden“, versuchte ich ihn zu ermutigen.

„Aber was ist, wenn es nicht klappt? Es wäre mir unangenehm und du wärst enttäuscht“, erwiderte er.

„Enttäuscht wäre ich nur, wenn wir es nicht einmal versuchen würden.“

„Ich will nicht, dass du denkst, es läge an dir, wenn es nicht funktioniert“, gestand er seine Befürchtungen.

Ich verstand zunächst nicht, wie er das meinte, aber dann musste ich ein Seufzen unterdrücken. „Ich weiß seit Langem, dass du mich unwiderruflich liebst und es an mir nicht liegen kann. Ich meine, es gibt einen anderen offensichtlichen Grund, wenn es nicht klappen sollte."

„Ist es für dich nicht unangenehm, wenn ich mich nicht so bewegen kann wie vorher?"

„Nein", antwortete ich sofort. „Wir werden uns daran gewöhnen müssen, dass du deine Beine nicht mehr benutzen kannst. Ich akzeptiere und liebe dich so, wie du bist. Im Grunde ist es mir völlig gleich." Ich machte eine kurze Pause, bevor ich ihn anflehte: „Bitte, versuchen wir es wenigstens! Aber wenn du es wirklich noch nicht möchtest, dann würde ich damit klarkommen. Ich will dich zu nichts drängen und dich auch nicht unter Druck setzen, denn dann klappt es mit Sicherheit nicht."

Er zögerte einen Moment, bis er mir eine meiner schwarzen Strähnen aus dem Gesicht strich und hauchte: „Doch, ich will."

Ich lächelte und rutschte wieder näher an ihn heran. Wir küssten und streichelten uns, bis unsere Atmung und unsere Herzen schneller wurden. Damit unsere Kleidung uns nicht weiter davon abhielt, uns noch intensiver zu berühren, zog ich mir meinen Pullover über den Kopf und warf ihn ans Bettende. Als er das ebenfalls tat, sah ich zum ersten Mal das Korsett um seinen unteren Rücken.

„Was ist das?", fragte ich.

„Das muss ich ein halbes Jahr tragen, damit die Wirbelsäule nach der Operation weiterhin stabilisiert wird. Man kann es abnehmen, beim Duschen tue ich das auch."

Also öffnete ich vorsichtig die Klettverschlüsse an den Seiten des Korsetts und legte es auf den Boden. Dann führte ich seine Hände zu meiner Jeans, weil er sie mir ausziehen sollte, damit ich ihn nicht in Verlegenheit brachte, wenn ich ihm anschließend dabei half, die seine abzulegen. Als wir uns auch unserer Unterwäsche entledigt hatten, trennte uns endlich nichts mehr voneinander.

Nachdem ich ihn abermals geküsst hatte, wanderten meine Lippen zu seiner Schulter, dabei streichelte ich sanft seinen Rücken. Ich hielt inne, als ich eine feine, gerade Linie spürte. Küssend gelangte ich zu der Stelle, wo das Korsett gesessen hatte, um nachzusehen. Dort, wo die Wirbelsäule saß, befand sich eine ungefähr fünfzehn Zentimeter lange

Narbe. Sie musste von der Operation stammen, die noch am Tage des Unfalls durchgeführt worden war.

Vage spürte ich das Messer in meinem Herzen, weil sich gleichzeitig Liebe dort breitmachte. Ich begann, die Narbe zu küssen, als wollte ich ein Kind trösten, das sich verletzt hatte. Ich erinnerte mich daran, wie Mama das früher immer bei mir gemacht hatte, wenn ich hingefallen war und blutete. Sie hatte gesagt, dass der Schmerz verginge, wenn man die Wunde küsste. Und dass sie verheilt sei, bis man heiratete. Doch Letzteres stimmte wohl nicht, denn diese Narbe würde nie verschwinden.

„Ich kann mir denken, was du machst, aber leider kann ich es nicht spüren", unterbrach er mich plötzlich.

Ich stoppte meine Bewegung. „Daran habe ich gar nicht gedacht. Tut mir leid." Nun küsste ich die Narbe weiter, bis ich an ihrem oberen Ende angelangt war. „Und wie ist es hier?"

„Ja, das fühle ich."

Die Stelle, an der das Knochenmark verletzt worden war, musste sich also ziemlich genau in der Narbenmitte befinden.

Jetzt presste ich meine Lippen wieder auf die seinen, zuerst langsam und zärtlich, dann schnell und verlangend. John ließ sich nach hinten gleiten, bis wir zum Liegen kamen. Ich fuhr mir durch meine langen Haare, sodass sie nur noch an einer Seite hinunterhingen und uns nicht beim Küssen störten. Er ließ seine Hände von meinem Nacken bis zu meinem Oberschenkel meine heiße Haut entlangstreifen, während ich ihm durch die strubbligen Haare fuhr und ihm tief in die Augen sah. Mein Herz setzte für einen kurzen Moment aus, bevor es doppelt so schnell wieder zu schlagen begann. Dann schloss ich die Augen und stöhnte auf, als diese warme, energiereiche, wunderbare Flamme in mir aufloderte und sich in meinem ganzen Körper breitmachte. John küsste mich weiter und legte eine Hand an meinen Bauch. Ich fragte mich, ob das Baby das starke Kribbeln ebenfalls spüren konnte, das alle paar Sekunden meinen Unterleib wie ein Blitz durchzuckte.

Mich überraschte es nicht, dass dies passierte, ohne dass es zu einer richtigen Vereinigung zwischen John und mir gekommen war. Natürlich wäre es schöner, wenn das möglich wäre, aber auch auf diese Weise war ich zufrieden. Mich frustrierte nur, dass er dasselbe nicht bei sich spüren konnte, das machte mich traurig. Und so stach das Messer wieder leicht in meinem Herzen, weil ich mir so sehr für ihn wünschte, dass dieses Gefühl zurückkam.

Doch noch gaben wir nicht auf, küssten uns weiter innig und streichelten unsere Körper. Unsere Atmung ging nur noch in kurzen, flachen Stößen und unsere Herzen waren am Limit angekommen. Ich stöhnte immer wieder auf, weil das Feuer in mir noch lange nicht erloschen war. Aber in John loderte keine Flamme auf.

So kamen wir langsam wieder zur Ruhe, berührten und küssten uns nur noch langsam und zärtlich und legten uns dann nebeneinander, damit unsere Herzen ihren normalen Rhythmus wiederfinden konnten. John schlang seinen Arm um mich.

„Es ist grausam, dass du das schönste Gefühl auf Erden nicht mehr spüren kannst – zumindest nicht jetzt oder dann, wenn du es willst. Ich wünschte, ich könnte mit dir tauschen“, sagte ich.

„Das würdest du wirklich tun?“ Er war gerührt.

„Ja, klar. Aber nun ist es so, wir sollten nicht den alten Zeiten nachtrauern, sondern nach vorne blicken und versuchen, es zu akzeptieren. Denn ich glaube, wenn wir das hinbekommen haben, können wir alles schaffen. Und dann wird auch das hier funktionieren. Wir müssen nur daran glauben. Außerdem bin ich hier und jetzt glücklich.“

Da spürte ich wieder eine Bewegung in meinem Bauch und führte sofort seine Hand an diese Stelle.

„Und er ist es scheinbar ebenfalls und will es dir mitteilen“, meinte John. „Es ist schön, nicht mehr es sagen zu müssen.“

Ich lächelte und streichelte meinen Bauch.

Am Samstag blickte ich in das Feuer vor uns, das uns in dieser kalten Nacht Wärme spendete. Ich konnte das verbrannte Holz und die Kohle riechen, aber auch, dass es bald regnen würde. Im November kam das ziemlich häufig vor, weshalb ich es manchmal bedauerte, in dieser Jahreszeit Geburtstag zu haben. Sterne standen am Himmel, doch sie wurden immer wieder von vorüberziehenden Wolken verdeckt. Der Sand hatte durch den hellen vollen Mond eine weiße Farbe angenommen. Das Meer war ruhig und erzeugte nur ab und zu kleine Wellen. Auf unseren Gesichtern haftete der orangerote Schatten der Flammen und unsere Stimmen klangen deutlich und laut in dieser stillen Nacht.

„Wir wollen auf dich anstoßen, Diana. Auf deinen sechzehnten Geburtstag und auf den kleinen Mann in deinem Bauch", verkündete Verena und erhob ihr Glas.

Es klirrte, als wir unsere Gläser gegeneinanderstießen. John und ich tranken Cola, die anderen ein Bier. Mir war der Grund nicht klar, warum John keines genommen hatte. Entweder wollte er mich unterstützen, weil ich wegen der Schwangerschaft kein Bier trinken durfte, dabei nahm ich rein aus Prinzip schon keinen Alkohol zu mir, hatte es noch nie gemacht und wollte es auch in Zukunft nicht tun. Mir würde es gar nicht schmecken. Oder er verzichtete, weil der Autounfall durch einen Betrunkenen verursacht worden war.

Ich versuchte, nicht länger darüber nachzudenken, sondern den Abend zu genießen. Heute Nachmittag hatte ich zusammen mit meinem Vater verschiedene Getränke, einen Grill, Klappstühle, Gläser und etwas zu essen an den Strand gebracht, dorthin, wo sich die Feuerstelle befand. Florians Eltern hatten ihren Wohnwagen entbehren können, in dem wir schlafen würden.

„Ich komme mir viel älter vor", gab ich zu. „Ich meine, ich bin schwanger, besitze ein Ehebett ... und wir hocken hier gemütlich am Strand herum und grillen, anstatt in die Disco zu gehen."

Wir lachten.

„Aber das hier ist doch eine schöne Art zu feiern. Ich meine, man muss schließlich nicht immer Party machen", sagte Nadine.

„Ich würde mich gar nicht trauen, in die Disco zu gehen. Das wären mir zu viele Menschen auf engem Raum. Ich hätte Angst, dass mich jemand anrempelt, ich hinfalle und das Baby in Gefahr gerät."

„Solltest du nicht mal nach dem Grill sehen?", warf John ein.

„Mist, das habe ich ganz vergessen." Florian sprang auf und schaute nach, ob die Würstchen fertig waren. Wenig später brachte er sie uns in einer Schüssel.

Wir bedienten uns an Brötchen, Würstchen sowie Ketchup und stapelten alles zu leckeren Hotdogs, die wir genüsslich verspeisten.

„Hoffentlich regnet es später nicht", äußerte Verena. „Sonst geht unser Feuer aus."

„Wir sollten froh sein, dass es bis jetzt nicht geregnet hat, sonst hätten wir nichts zu essen gehabt", entgegnete Nadine.

„Im Wohnwagen gibt es einen Herd", sagte Florian.

„Das wird später ziemlich eng werden da drin", meinte Tobias.

„Das bekommen wir schon hin, schließlich kuscheln wir doch alle gerne", flötete Florian und klimperte ihn an.

Nun brachen wir alle in schallendes Gelächter aus.

„Da oben", rief John plötzlich und zeigte in den Himmel. „Da war eine Sternschnuppe."

Aufgeregt schaute ich in die Richtung, in die er zeigte. Auch ich sah ein goldenes Glitzern zwischen zwei Wolken. „Da ist noch eine."

„Du darfst dir etwas wünschen", sagte er zu mir.

Ich musste nicht lange überlegen und schloss kurz die Augen, um meinen Wunsch im Stillen zu formulieren: „Ich möchte, dass unser Baby gesund und munter auf die Welt kommt."

Ich hätte mir auch wünschen können, dass John wieder laufen lernt, aber ich wusste, dass selbst Sternschnuppen nicht so mächtig waren, um Krankheiten heilen oder die Toten auferstehen lassen zu können. Wir sollten uns damit abfinden, denn wichtiger war nun, unseren Blick auf die Zukunft zu lenken und die Vergangenheit hinter uns zu lassen.

Der sechste Monat

Mit geschlossenen Augen lauschte ich dem schnellen Pochen. Ein wunderbarer Beweis dafür, dass es ihm gut ging. Sein Herz schlug stark und kräftig. John hielt meine Hand und war ebenfalls gerührt von den Herztönen unseres Babys. Als ich die Augen wieder öffnete, schaute ich zuerst auf die Aufzeichnungen des Gerätes, dessen Kabel an meinem Bauch hafteten, nur um dann auf den Monitor des Ultraschallgerätes zu blicken. Unser Baby war nun schon so groß, dass es nicht mehr vollständig ins Bild passte. Es bewegte seine Glieder zunächst langsam, dann immer schneller. Ich konnte sein Gestrampel schon viel deutlicher spüren.

„Darf ich die Aufnahme beenden?", fragte die Frauenärztin.

Ich warf John einen Blick zu. Er nickte.

Die Ärztin hatte den Ultraschall und die Herztöne mitgeschnitten. Nachdem sie die CD beschriftet und uns überreicht hatte, entfernte sie die Kabel von meinem Bauch, der gewaltig an Größe zugenommen hatte, und schaltete das Gerät aus, das hörbar die Herzschläge gemessen hatte. Auf dem Ultraschallbild konnte man deutlich erkennen, wie das kleine Herz unseres Sohnes pochte.

„Der Fötus ist jetzt schon etwas größer als eine Banane, genauer gesagt ist er im Sitzen siebzehn Zentimeter lang und wiegt ungefähr dreihundertachtzig Gramm. In ein oder zwei Wochen wird er auf Geräusche reagieren und einen Schlaf-Wach-Rhythmus entwickeln. Du kannst ihn durch deine Bewegungen aufwecken", erklärte Dr. Jessen. „Nun kann ich das Geburtsdatum anhand seiner Kopfgröße mit der Genauigkeit von einer Woche festlegen. Vorher haben wir das lediglich mithilfe deiner letzten Periode berechnet." Sie schaute in meinen Mutterpass. „Auf diese Weise hatte ich den 22. April ausgerechnet, richtig?"

„Ja", bestätigte ich.

Sie zog mit der Computermaus einen Strich auf dem Kopf unseres Babys. „Nun, nach dieser Messung müsste der Kleine zwei Wochen später, also am achten Mai kommen. Das wird sich aber bei der nächsten Untersuchung wahrscheinlich noch einmal ändern. Nur bei vier Prozent der Schwangeren wird das Baby tatsächlich am errechneten Termin geboren. Aber dass es so viel später kommt, habe ich noch nie erlebt."

„Ist das schlecht?", fragte ich erschrocken.

„Nein, ich denke nicht. Es wächst langsamer, vielleicht passt es sich deinem Körper an. Aber wir werden davon ausgehen, dass es Ende April kommt, es könnte jedoch ein oder zwei Wochen länger brauchen." Sie warf wieder einen Blick auf das Ultraschallbild. „Das Baby ist völlig gesund, Herzfehler oder andere körperliche Besonderheiten könnte man schon frühzeitig mit dem normalen Ultraschall feststellen. Im nächsten Monat können wir wieder eine 3-D-Aufnahme machen und außerdem das NT-Screening. Das ist die Messung der Nackentransparenz des Ungeborenen. Damit lassen sich chromosomale Besonderheiten wie zum Beispiel das Downsyndrom diagnostizieren. Ihr könnt euch überlegen, ob wir diese Untersuchung das nächste Mal durchführen wollen. Sie ist nicht verpflichtend. Ihr entscheidet also."

Wir nickten. Die Frauenärztin druckte ein paar Bilder aus und überreichte sie sowie den Mutterpass John, weil ich gerade mein Oberteil zurechtzupfte. „Dann sehen wir uns im neuen Jahr wieder." Erst als sie das sagte, wurde mir klar, wie schnell die Zeit vergangen war.

„Ja. Wir wünschen Ihnen einen guten Rutsch", sagte ich. Anschließend verließen wir zum letzten Mal in diesem Jahr die Praxis.

„Warum sind wir hier?", fragte ich John, nachdem ich ihn zur Begrüßung geküsst hatte.

An diesem Abend wusste ich noch nicht, dass er mir in wenigen Minuten meinen Wunsch erfüllen würde. Ich hatte nicht damit gerechnet, obwohl ich unterbewusst immer darauf gehofft hatte. Doch solche Dinge geschehen immer dann, wenn man am allerwenigsten damit rechnet.

John hatte gesagt, er wolle sich heute Abend mit mir am Strand treffen. Ich fand das etwas merkwürdig. Schließlich hatten wir Dezember, deshalb war es kalt. Außerdem waren wir – bis auf meinen Geburtstag – lange nicht mehr hier gewesen.

Ich schaute John gespannt an, weil ich auf eine Antwort wartete, aber er lächelte mich nur an und sagte: „Setz dich." Also nahm ich auf einer Bank neben ihm Platz. Er ergriff meine Hand und gemeinsam schauten wir auf das Meer hinaus. Die Sonne ging gerade unter. Dadurch wurden Wasser und Wolken von einem warmen roten Licht überzogen.

Nur noch wenige Leute waren am Strand, einige gingen spazieren, andere schauten auf das Meer hinaus so wie wir. Bis auf die Stimmen der anderen Menschen in der Ferne und das Rauschen der Wellen war es still. In der Luft lag der Geruch nach Schnee, der bald kommen würde, und nach dem Salz des Meeres. Johns Hand war angenehm warm. Mit dem Daumen streichelte er meinen Handrücken.

„Es ist wunderschön", sagte ich.

„Deshalb sind wir hier." John gab mir grinsend einen Kuss auf die Wange. „Aber es gibt noch etwas anderes."

Erwartungsvoll sah ich ihn an.

„Eigentlich wollte ich das anders machen", begann er. „Wenn der Unfall nicht passiert wäre, hätte ich das vermutlich ein paar Jahre nach hinten verschoben. Außerdem hätte ich einen Kniefall gemacht wie in diesen alten Filmen." Er grinste. „Aber ich hoffe, dass du dennoch zufrieden sein wirst." Er schwieg kurz und schaute mich mit seinen tiefblauen leuchtenden Augen an. „Du bist eine so wertvolle und liebevolle Frau, dass du es nicht verdient hast, auf deiner Hochzeit nicht zu tanzen."

Mich verletzte dieser Satz, weil es mir zeigte, dass er sich selbst noch immer nicht akzeptieren konnte. Er stellte sich immer auf die unterste Stufe, als sei er durch diese Veränderung weniger wert. Doch das stimmte nicht. Zugleich stieg jedoch unbändige Freude in mir auf, da ich nicht fassen konnte, was nun geschah.

John holte eine hübsche Schatulle aus seiner Hosentasche. „Trotzdem möchte ich dich fragen: Willst du mich heiraten?" Bei diesen Worten öffnete er das Kästchen, zum Vorschein kamen zwei silberne Ringe, die in einem weißen Seidentuch steckten. Zum größten Teil waren sie matt, aber in jeden war ein glänzender Engelsflügel eingraviert worden. Die Ringe lagen so dicht beieinander, dass sie zusammen ein komplettes Flügelpaar bildeten. Auf einem der beiden Schmuckstücke befanden sich drei kleine Diamanten.

Mein Herz raste, weil ich so glücklich über seinen Heiratsantrag und verzaubert von der Schönheit der Ringe war. „Ja, ich will“, hauchte ich atemlos, Freudentränen traten in meine Augen. „Natürlich will ich das. Ich liebe dich.“ John strahlte und küsste mich zärtlich. Dann nahm er den Ring mit den Diamanten und steckte ihn mir an. Ich lächelte und schob ihm den anderen auf den Finger. „Sie sind wunderschön.“ Ich war gerührt.

„Weißt du, wofür die Anzahl der Diamanten steht?“

Als er das fragte, musste ich nicht lange überlegen. „Für die Jahre, die wir bis jetzt zusammen sind.“

„Genau.“

„Du bist unglaublich. Ich will nie wieder ohne dich sein. Es lässt sich nicht in Worte fassen, welcher Schmerz mir durch deine Abwesenheit zugefügt wurde. Ich meine, du warst da, aber doch immer fort. So als wäre deine Seele auf einer Reise gewesen und nur dein Körper zurückgeblieben.“

„Aber das ist jetzt vorbei“, erwiderte er. „Du bist es, die mich zurückgeführt hat. Du musst darüber nicht mehr nachdenken. Ich werde dich nie wieder verlassen, ich verspreche es.“

Für dieses Versprechen gab ich ihm einen langen, innigen Kuss.

„Wir müssen zwar nicht vor der Geburt des Kleinen heiraten, aber ich dachte mir, so wäre es besser“, sagte John.

„Das möchte ich auch gerne. Aber lass uns nicht in den letzten Schwangerschaftswochen heiraten, weil das für mich eine zu große Belastung wäre. Außerdem hätte ich Angst, dass ausgerechnet dann das Baby kommt“, erklärte ich. „Meinst du, wir schaffen es, die Hochzeit bis Februar zu organisieren? Eigentlich wollte ich nie im Winter heiraten, aber anders geht es nun mal nicht. Dann wäre ich am Anfang des achten Monats.“

„Das schaffen wir bestimmt. Wir werden sicherlich eine Menge Unterstützung von unseren Familien bekommen“, ermutigte mich John.

„Meinst du, sie werden sich darüber freuen, dass wir so früh heiraten?“ Zweifelnd sah ich ihn an.

„Jeder freut sich doch, wenn sein Kind heiratet. Verbieten können sie es uns nicht.“

„Ein Glück, dass du schon achtzehn bist.“ Ich grinste. „Oh Mann, ich werde wahrscheinlich Probleme mit dem Kleid haben.“

„Da wirst du schon etwas finden“, versicherte er mir.

„Unsere Hochzeit soll nicht so sein wie jede andere. Sie soll etwas Besonderes werden. So wie die Ringe", äußerte ich meinen Wunsch.

„Das wird sie, ich verspreche es dir."

Ich drückte meine Lippen abermals auf die seinen und genoss das Gefühl unendlicher Liebe, von dem wir erfüllt waren.

Am nächsten Tag lief ich durch die verschneiten Straßen und atmete die kalte, frische Luft ein. Ab und zu flogen mir ein paar Schneeflocken ins Gesicht und blieben in meinen Haaren oder auf meiner Jacke haften. Die Stimmen der spielenden Kinder waren deutlich zu hören. Viele bauten Schneemänner im Garten oder auf dem Fußgängerweg.

Als Verena und Nadine die Tür öffneten, konnte ich meine Freude nicht länger unterdrücken und rief: „Er hat mir einen Antrag gemacht!"

Sie schienen zunächst gar nicht zu verstehen, was ich meinte, sondern schauten mich bloß fragend an.

„John und ich werden heiraten", erklärte ich.

Die beiden kreischten und umarmten mich.

„Warum hast du uns das nicht schon längst erzählt?", warf Verena mir vor.

„Es ist doch gestern erst passiert", beschwichtigte ich sie.

Gemeinsam machten wir uns auf den Weg in die Stadt.

„Wann wollt ihr denn heiraten?", fragte Nadine.

„Noch vor der Geburt des Babys, voraussichtlich im Februar."

„Habt ihr denn schon Ringe?"

Ich nickte. „John hat sie besorgt. Sie sind wunderschön. Am liebsten würde ich meinen schon vor der Hochzeit tragen."

„Wie sehen sie aus?", fragte Verena.

„Beide haben einen eingravierten Engelsflügel und meiner ist sogar mit Diamanten verziert."

„Wow. Er muss dich wirklich lieben." Beeindruckt sah Verena mich an.

Ich runzelte die Stirn. „Wertvolle Geschenke sind kein Ausdruck wahrer Liebe. Das hat damit nichts zu tun. Natürlich habe ich mich gefreut, aber teure Ringe hätte ich niemals verlangt."

Sie starrte verlegen zu Boden. „Vielleicht hast du recht."

„Hast du schon eine Vorstellung, wie dein Hochzeitskleid aussehen soll?", fragte Nadine.

„Nein, noch nicht. Es ist gut, dass wir uns heute zunächst um Umstandsmode kümmern. Mir passt nur noch eine Hose und sehr wenige Oberteile. Mein Mantel und die dünne Jacke sind weit geschnitten, ich denke, sie werden mir auch später noch passen.“ Mein Bauch wuchs mit jedem Tag und war nun nicht mehr zu übersehen.

„Zu Anfang deiner Schwangerschaft habe ich gedacht, dass es noch so lange dauern wird, bis das Baby endlich zur Welt kommt, aber nun ist es gar nicht mehr lange hin“, sinnierte Nadine.

„Ja, nur noch vier Monate“, bestätigte ich.

„Hast du Angst vor der Geburt?“, warf Verena dazwischen.

„Nein, aber eigentlich habe ich mir darüber noch nicht viele Gedanken gemacht. Ich kann mir nicht vorstellen, mich von dem Kleinen zu trennen. Es geht mir richtig gut, seitdem er sich in mir befindet.“ Ich streichelte meinen Bauch. „Und vor den Schmerzen werde ich keine Angst haben, wenn ich dafür das Baby gesund auf die Welt bringe.“

Ein paar Minuten später betraten wir das Geschäft, in dem ich meinen Gutschein einlösen konnte. Wir gingen sofort in die Etage mit der Schwangerschaftsmode. Dort befanden sich nur ein paar Frauen, die alle um die dreißig Jahre alt zu sein schienen. Deshalb fühlte ich mich zunächst etwas unsicher, aber das verflog schnell, als ich sah, dass sie wie ich schon einen dicken Bauch hatten. An den Wänden hingen Plakate von niedlichen Babys und Müttern mit einem runden Bauch.

Wir begannen die Kleiderständer zu durchstöbern. „Wenn ich diese Sachen sehe, wünsche ich mir, noch ein Kind zu bekommen oder sie zumindest länger tragen zu können.“ Ich hielt einen weißen Pullover in die Höhe, der mir bis zu den Oberschenkeln reichen musste.

„Du hast recht“, stimmte Nadine mir zu. „Die Oberteile hier sind wirklich hübsch.“ Nachdem ich meine Größe herausgesucht hatte, behielt ich den Pullover in der Hand und schaute mich nach weiteren Teilen um. Nadine hatte sich ebenfalls ein paar Oberteile für mich über den Arm gehängt.

„Wo ist Verena?“ Ich hatte ihre Abwesenheit bemerkt und schaute mich suchend um. Da entdeckte ich sie ein paar Kleiderständer weiter. Sie hielt eine schwarze Jeans in die Höhe. Ich ging zu ihr und kommentierte ihren Fund: „Ja, eine Hose brauche ich auch.“

„Wie findest du sie?“

„Ganz schön. Ich werde sie anprobieren.“ Ich nahm ihr das gute Stück ab. „Braucht ihr denn auch etwas?“

Verena schüttelte den Kopf. „Heute kümmern wir uns nur um dich."

Lächelnd machte ich mich auf den Weg zu den Umkleiden.

Nach ungefähr zwei Stunden hatte ich mehrere Oberteile und zwei Hosen gekauft. Ich hatte den Einkaufswert des Gutscheines deutlich überschritten und musste noch etwas dazubezahlen. Bevor wir das Geschäft verließen, kamen wir an dem Bereich mit den Babysachen vorbei.

„Seht mal!", rief ich begeistert, als ich einen kleinen blauen Strampelanzug entdeckte, auf dem Micky Maus abgebildet war. „Ist der nicht süß?"

Auch Verena staunte. „Und diese kleinen Socken erst."

„Und die Handschuhe", fügte Nadine hinzu. „Aber die werdet ihr noch nicht brauchen."

„Ja", sagte ich. „Zum Glück ist es ein Frühlingskind." Ich spürte Vorfreude in mir, als ich diese niedlichen Babysachen sah.

„Es wird sicher eine schöne Zeit, wenn der Kleine da ist", meinte Nadine.

„Ja, ganz bestimmt." Es gab kaum etwas, dessen ich mir so sicher war.

Vorsichtig brachte ich die nächste Kugel im oberen Teil des Weihnachtsbaumes an, während John sich um den unteren Bereich kümmerte. Der Duft nach Tannenzweigen und Kerzen lag in der Luft des warmen Wohnzimmers und wir lauschten der Musik, die John aufgelegt hatte.

„Kaum zu glauben, dass schon wieder Ferien sind", meinte ich.

„Ja, die Zeit vergeht wirklich schnell – zumindest seitdem ich wieder zu Hause bin."

„Du hast recht. Die schlechten Zeiten wollen nicht vergehen, aber die schönen rasen an uns vorbei wie ein schneller Zug. Das ist traurig." Die sechzehn Tage, in denen er im Koma gelegen hatte, hatten sich angefühlt wie sechzehn Monate. Doch nun waren wir wieder glücklich, und obwohl ein kleiner Teil des Schmerzes immer spürbar war, hasteten wir von einem Tag zum anderen.

„Aber wir sollten nicht traurig sein", erwiderte er.

„Nein, das sollten wir wirklich nicht mehr. Die Zeit, die uns geschenkt wurde, ist zu wertvoll, um sie nicht zu nutzen und zu genießen." Ich holte einen neuen Karton Weihnachtskugeln. „Ich bin gespannt, wie meine Eltern gucken werden, wenn wir ihnen von unseren Zukunftsplänen erzählen. Deine Mutter wird das bestimmt nicht so eng sehen, schließlich hat sie schon sehr entspannt reagiert, als ich ihr von meiner Schwangerschaft erzählt habe."

„Da wäre ich mir nicht so sicher", meinte John zweifelnd.

„Na ja, wir werden sehen." Schulterzuckend machte ich mich wieder daran, den Baum zu behängen.

„Was gibt es denn heute Abend bei euch zu essen?", fragte John. Wir hatten vor, Heiligabend zusammen bei meinen Eltern zu verbringen.

„Gänsebraten mit Klößen und Rotkraut", antwortete ich.

„Hört sich gut an. Da läuft mir ja das Wasser im Mund zusammen."

Plötzlich klingelte es an der Haustür. Wir warfen uns einen überraschten Blick zu.

„Wer kann das denn sein?", murmelte er, als wir uns auf den Weg machten, um zu öffnen.

Vor der Tür stand eine junge Frau, die uns mit verweinten Augen ansah und keinen Ton von sich gab. Als sie John entdeckte, brach sie unvermittelt in Tränen aus und holte ein Taschentuch aus ihrem Mantel.

„Wer ist es denn?", rief Monika. Ich hörte, wie sie hinter uns die Treppen herunterkam. Niemand antwortete ihr. Als Johns Mutter bei uns angelangt war, musterte auch sie die weinende Frau vor uns sprachlos.

„Wer sind Sie?", brachte ich schließlich hervor.

Schluchzend begann die Fremde zu sprechen: „Mein Name ist Katrin Müller. Ich bin die Frau von Thorsten Müller. Er ist der Autofahrer, der vor vier Monaten den Unfall verursacht hat." Ihre Stimme klang unsicher und leise. „Ich bitte Sie, mir zuzuhören, aber ich habe Verständnis dafür, wenn Sie das nicht wollen."

Monika schaute die Frau zunächst wütend an, doch dann wurde ihr Blick ebenfalls traurig. „Kommen Sie doch für einen Moment herein", antwortete sie schließlich und führte uns ins Wohnzimmer. „Setzen Sie sich doch. Kann ich Ihnen etwas anbieten? Einen Tee vielleicht?" Es hörte sich nicht so an, als wolle Johns Mutter der fremden Frau wirklich etwas anbieten. Sie schien es eher aus reiner Höflichkeit zu fragen.

„Nein, ich möchte nichts", antwortete Frau Müller sofort. „Aber vielen Dank. Sie sollten mir nichts geben, vielmehr möchte ich Ihnen etwas geben." Nun nahmen wir alle an dem Tisch neben dem Weihnachtsbaum Platz.

Frau Müller sprach weiter: „Ich möchte das Ganze gerne wiedergutmachen, aber ich habe keine Idee, wie ich das anstellen könnte. Ich meine, es gibt nichts, womit sich der Schaden, den mein Mann angerichtet hat, rückgängig machen lässt." Ihr traten erneut Tränen in die Augen. „Es tut mir so leid, dass das passiert ist. Ich habe vom Arzt gehört, Ihr Mann sei verstorben. Aber dass Ihr Sohn nun im Rollstuhl sitzen muss, habe ich nicht gewusst." Sie stockte.

„Aber das ist doch nicht Ihre Schuld", schaltete John sich ein.

Ich konnte in diesem Moment nichts sagen, weil sich ein dicker Kloß in meinem Hals gebildet hatte. Es berührte mich, dass die Frau des Unfallverursachers extra hergekommen war, nur um sich für etwas zu entschuldigen, wofür sie keine Verantwortung trug.

„Sie werden wahrscheinlich nicht sagen, dass Ihnen der Tod meines Mannes leidtut, und das müssen Sie auch nicht", sprach Frau Müller weiter. „Natürlich trauere ich um ihn, aber ich weiß nicht, warum das passieren musste. Er war mit Freunden feiern und ist allein zurückgefahren. Glauben Sie mir, hätte ich das gewusst, hätte ich ihn aufgehalten."

„Das glaube ich Ihnen. Sie müssen sich für nichts entschuldigen oder rechtfertigen, denn Sie haben doch nichts damit zu tun", sagte Johns Mutter.

„Aber ich habe so ein schlechtes Gewissen. Wenn ich Ihren Namen und Ihre Adresse früher herausgefunden hätte, wäre ich viel eher gekommen. Ich dachte mir, heute an Weihnachten wären die Chancen besser, dass Sie mich hereinlassen, weil an diesem Tag die Gnade und Güte der Menschen größer ist."

„Wo wohnen Sie denn?", fragte John.

„In Wismar."

Ich musste mich zusammenreißen, nicht auch zu weinen, weil man von dort aus ungefähr zwei Stunden bis hierher fuhr. Ich konnte nicht glauben, dass die verzweifelte Frau eine so lange Strecke bei Schnee und Glätte auf sich genommen hatte, nur um sich für ihren Mann zu entschuldigen.

„Sagen Sie mir, wie ich es wiedergutmachen kann", flehte sie.

Monika schüttelte den Kopf. „Wir wollen nichts von Ihnen. Das Einzige, das Sie für uns tun können, ist, sich ein Hotelzimmer zu nehmen und sich morgen auf den Heimweg zu machen, damit Sie mit Ihrer Familie das Weihnachtsfest feiern können. Und es würde mich beruhigen, wenn Sie uns kurz anrufen, nachdem Sie angekommen sind." Die beiden Frauen tauschten ihre Telefonnummern aus.

„Sie sind sehr liebevoll. Sie haben dieses Schicksal nicht verdient", flüsterte die junge Frau. „Kann ich Ihnen wenigstens Geld hierlassen?"

„Nein, wir wollen wirklich nichts von Ihnen", wiederholte Johns Mutter.

„Aber ich möchte gern eine Kerze für Ihren Mann anzünden und ihm ein Gesteck auf das Grab legen. Ist er hier in Travemünde begraben?"

„Ja, am St. Lorenz Friedhof." Johns Mutter hatte die Stimme gesenkt, weil sie nun ebenfalls den Tränen nahe war.

Da wandte sich die Frau des Unfallverursachers mir zu: „Erwartest du ein Baby?"

„Ja. Als ich kurz nach dem Unfall erfahren habe, dass ich von meinem Freund schwanger bin, habe ich mich entschlossen, das Baby zu behalten. Es ist wie ein Geschenk für uns", erläuterte ich der Frau unsere Situation.

„Es freut mich, dass ihr auf diese Weise glücklich sein könnt", gab sie ehrlich zurück. „Ich will nicht länger stören, ich werde mich wieder auf den Weg machen."

Wir begleiteten sie zur Tür.

„Ist er das?" Frau Müller zeigte auf ein Bild mit John und seinem Vater, das an der Wand hing.

„Ja", antwortete mein Freund.

„Tun Sie bitte, was ich Ihnen geraten habe", ermahnte Monika die Frau.

„Wenn das alles ist, was ich tun kann, werde ich es tun."

„Und machen Sie sich keine Vorwürfe mehr", fügte ich hinzu.

„Danke. Das werde ich versuchen." Sie schüttelte unsere Hände zum Abschied.

„Kommen Sie gut zu Hause an", sagte John.

„Ich werde mich melden." Eilig verließ sie das Haus und stieg in ihr Auto. Wir schauten uns sprachlos an, als die junge Frau davonfuhr. Mein Hass gegen diesen betrunkenen Autofahrer war plötzlich verschwunden.

Johns Mutter setzte sich für einen Augenblick auf die Treppe. „Das war sehr nett von ihr. Vielleicht hilft es uns, besser damit klarzukommen.“ John und ich nickten stumm, denn auch wir waren von der Begegnung mit der jungen Frau berührt.

„Wollen wir den Baum weiterschmücken?“, fragte ich schließlich.

Nachdem John genickt hatte, gingen wir zurück ins Wohnzimmer, um unsere Arbeit fortzusetzen.

Als es dunkel wurde, traten wir hinaus in die Kälte, um uns auf den Weg zu mir zu machen.

„Wollen wir das kurze Stück zu Fuß gehen?“, fragte Johns Mutter.

„Sehr gern“, antwortete er. „Die Wege müssten alle gestreut sein.“ Als der Schnee zum ersten Mal liegen geblieben war und niemand die Fußgängerwege geräumt hatte, waren wir mit dem Rollstuhl nicht vorwärtsgekommen.

Doch nun war der Bürgersteig problemlos zu benutzen. Man hatte zwar Salz gestreut, aber trotzdem hatte ich immer Angst, dass John mit dem Rollstuhl wegrutschen und hinfallen könnte. Deshalb lief ich hinter ihm, um ihn anschieben und festhalten zu können, falls das nötig werden sollte.

„Es schneit selten ausgerechnet an Weihnachten“, bemerkte ich.

„Stimmt“, pflichtete mir John bei. „In den letzten Jahren hatten wir immer Regen.“

Ich beobachtete die Menschen, die ihre Autos am Straßenrand parkten und mit Geschenken in den Händen ausstiegen, um jemanden zu besuchen. Manchmal kamen uns Fußgänger entgegen, die aussahen, als hätten sie gerade ihr letztes Geschenk in der Stadt besorgt. Auch Johns Mutter trug einen Beutel mit Geschenken. Die Straßenlaternen und die Lichterketten an den Häusern wiesen uns den Weg, denn es war schon sehr dunkel und der Himmel bewölkt. Man hörte keinerlei Geräusche bis auf die Motoren einiger Autos. Ich zog den Reißverschluss meines Mantels höher, weil mir kalt war. Zum Glück lief man nur zehn Minuten.

„Hallo.“ Mama öffnete lächelnd die Tür. „Kommt rein.“

Vorsichtig schob ich John die improvisierte Rampe hinauf. Papa hatte auf alle Treppen in unserem Haus Holzbretter gelegt. Als wir unsere Jacken auszogen, wehte uns der verlockende Duft des Essens entgegen und ich sah vor meinem inneren Auge, wie Papa energisch den Braten in der Küche vorbereitete.

„Es dauert noch ein bisschen, bis das Essen fertig ist. Ich habe mir gedacht, in der Zeit können wir schon mal die Bescherung machen", erklärte Mama.

Nachdem wir uns gegenseitig Geschenke überreicht und uns in den Armen gelegen hatten, saßen wir nun beim Essen.

„Es schmeckt wirklich gut", lobte Johns Mutter. „Aber ihr hättet euch nicht solch eine Mühe machen müssen."

„Es ist doch nur einmal im Jahr Weihnachten", erwiderte Papa. „Dann kann man das schon machen."

„Und außerdem kommen wir morgen zu euch. Ich bin sicher, du gibst dir genauso viel Mühe mit dem Essen", meinte Mama. „Ich kann morgen gerne früher kommen und helfen. Schließlich hatte ich heute auch Unterstützung." Fröhlich blinzelte sie Papa zu.

Ich hörte abrupt zu essen auf und blickte meine Mutter fassungslos an. Merkte sie eigentlich, was sie redete? Ihren Worten fehlte jegliches Einfühlungsvermögen. Meine Eltern hatten heute zusammen das Essen vorbereitet und morgen würden John und seine Mutter dasselbe für uns tun. Wieso sollten sie also in der Unterzahl sein? Meinte meine Mutter wirklich, nur weil John nicht mehr laufen konnte, wäre er völlig nutzlos? Oder war sie der Ansicht, dass Johns Mutter ohne ihren Mann nichts mehr auf die Reihe bekam? Ich biss mir auf die Unterlippe, um sie nicht harsch anzufahren.

„Unterstützung habe ich doch auch", meinte Johns Mutter nun.

Ich warf John einen fragenden Blick zu. Er schüttelte den Kopf, als wollte er sagen: „Noch nicht."

Monika wechselte nun das Thema und begann zu erzählen: „Heute Morgen hat uns die Frau des Unfallverursachers besucht."

Meine Eltern ließen überrascht ihre Gabeln sinken und schauten irritiert auf. „Warum?", fragte Papa konsterniert.

„Sie wollte sich für ihren Mann entschuldigen und den Schaden wiedergutmachen. Aber ich habe nichts von ihr angenommen. Sie war sehr betroffen, weil das alles passiert ist."

„Was hat sie euch denn angeboten?", wollte Mama wissen.

„Geld oder irgendetwas anderes, was ich verlangt hätte."

„Das war ziemlich nett von ihr", meinte Papa.

„Und dabei ist sie so weit gefahren. Sie kommt aus Wismar", fügte Monika hinzu.

Wir aßen still weiter, bis alle Teller leer waren. Plötzlich legte John eine Hand auf meinen Oberschenkel. Ich schaute ihn an. Jetzt nickte er.

Zögernd setzte ich zu sprechen an. „Ein Weihnachtsgeschenk haben wir euch noch nicht gegeben", verkündete ich.

Die drei Erwachsenen schauten uns fragend an. Ich reichte meinen Eltern und Johns Mutter jeweils einen Briefumschlag. Danach ergriff ich aufgeregt Johns Hand und beobachtete, wie die Beschenkten die Karten aus den Umschlägen zogen und sie lasen.

Johns Mutter lächelte, während meine Eltern mich mit weit aufgerissenen Augen anstarrten.

„Ihr wollt wirklich heiraten?", stieß Papa fassungslos hervor. Ich nickte nur. „Darüber haben wir doch schon geredet, Diana."

„Ich weiß. Aber wir lieben uns. Wir wollen noch vor der Geburt des Kleinen heiraten."

„Das hat dir Opa in den Kopf gesetzt, oder?" Mama war zornig.

„Nein, ich habe vorher schon darüber nachgedacht", antwortete ich ehrlich.

„Und außerdem habe ich ihr den Antrag gemacht", stellte John klar.

„Aber das hat doch alles Zeit", entgegnete Mama.

„Hört jetzt bitte damit auf!", forderte Johns Mutter meine Eltern auf. „Freut euch lieber mit eurer Tochter!" Wir waren ihr dankbar für diese Worte. „Ich freue mich nämlich für die beiden." Sie beglückwünschte uns von ganzem Herzen.

„Außerdem ist das Wichtigste schon organisiert", erklärte John. „Der Termin beim Standesamt steht fest und die Einladungen sind verschickt. Wir werden am 5. Februar heiraten."

„Aber das ist doch schon in weniger als fünf Wochen", stellte Papa fest.

„Das ist kein Problem", sagte ich. „Das schaffen wir."

Meine Mutter wurde ganz blass. „Wie viele Leute habt ihr denn eingeladen?"

„Zuerst haben wir überlegt, nur einen Teil der Verwandtschaft einzuladen, aber wir wollten niemanden ausschließen. Es werden um die sechzig Leute kommen“, sagte ich.

Meine Eltern warfen sich einen erschrockenen Blick zu.

„Es wird unsere erste und letzte Hochzeit sein. Wir wollen auf nichts und niemanden verzichten, nur weil ihr Angst habt, dass wir mit so vielen Gästen nicht zurechtkommen werden“, äußerte John. „Wir werden das alles hinbekommen, macht euch darum keine Sorgen.“

Dann ergriff ich wieder das Wort: „Wir werden nicht in Schwarz und Weiß heiraten, so wie es jeder macht. Wir finden, dass das ein bisschen traurig wirkt.“ Und traurig waren wir schließlich lang genug gewesen.

„Was wollt ihr denn dann?“, fragte Papa. „Macht keinen Blödsinn!“

„Wir werden noch eine Farbe dazunehmen“, erklärte John, ohne zu viel zu verraten.

„Ich glaube, wir brauchen uns keine Sorgen um die Organisation der Hochzeit zu machen. Die beiden sind zwar noch sehr jung, aber viel reifer, als man denkt“, warf Monika ein. John und ich schenkten ihr einen dankbaren Blick. „Wollt ihr uns die Ringe zeigen?“, fragte sie dann. Wir nickten und ich stand auf, um sie aus meinem Zimmer zu holen. Ich bewahrte die Schmuckstücke sicher in der Schublade meines Nachttisches auf, seit John mir den Antrag gemacht hatte. Als ich wieder im Esszimmer angekommen war, öffnete ich die kleine Schatulle und reichte sie zuerst Johns Mutter.

Beim Anblick der Ringe begann sie zu strahlen. „Sie sehen sehr hübsch aus.“

Sie gab das Kästchen an meine Mutter weiter. „Habt ihr sie zusammen ausgesucht?“, fragte Mama.

„Nein, ich“, antwortete John.

„Warum die Engelsflügel?“

Er schaute mich fragend an, weil er nicht wusste, ob er ihr verraten sollte, dass ich sein Engel war, da ich in seinen Augen wie einer aussah und ihm das Leben gerettet hatte. Das würden unsere Eltern nicht verstehen.

„Das ist eine lange Geschichte. Aber die Ringe sind außergewöhnlich, also genau das, was wir wollten“, antwortete ich stattdessen.

„Sie sind eine Spezialanfertigung, ein Unikat. Diese Ringe wird man nirgendwo kaufen können“, fügte John hinzu.

Mein Herz schlug schneller, als er das sagte, weil ich das zuvor nicht gewusst hatte und mich sehr darüber freute.

„Sie sehen gut aus“, sagte Mama und gab sie Papa.

„Wirklich schön“, meinte auch dieser.

„Wenn man sie zusammenhält, ergeben die Flügel ein Paar. Das soll symbolisieren, dass wir nur zusammen stark sind“, erläuterte ich.

Wir hatten diese schwere Zeit kurz nach dem Unfall nur überstanden, weil wir gemeinsam gekämpft hatten. Johns und auch meine Welt wäre zusammengebrochen, wenn wir uns getrennt hätten. Als ich mich an den zweiten Tag nach seinem Erwachen erinnerte, spürte ich das Messer in meinem Herzen, weil er mir angeboten hatte, ihn zu verlassen, damit ich ein besseres Leben führen könnte. Natürlich wusste ich, wie er das meinte. Er liebte mich so sehr, dass er nur mein Bestes wollte. Er hätte mir die Möglichkeit gegeben, einen Jungen zu finden, mit dem ich auf nichts verzichten musste, einen Jungen, der gesund war.

Aber ich würde niemals mit einem anderen glücklich sein können, das war mir schon klar gewesen, als ich John das erste Mal in meinem Leben gesehen hatte. Ich war über alle Maßen dankbar, dass er mich damals angesprochen hatte. Das Warten bis zu unserem ersten persönlichen Kontakt und das Warten auf sein Erwachen hatten sich gelohnt. Daran hatte ich niemals gezweifelt.

Der siebte Monat

Wieder schoss ein bunter Schweif in den sternklaren Himmel und explodierte mit einem lauten Knall, der unsere Stimmen übertönte. Ich beobachtete die Menschen auf der Straße, die immer neue Raketen anzündeten oder ihren Kindern Wunderkerzen in die Hand drückten, mit denen sie fröhlich herumtanzten.

Die Nacht war kalt, aber der Schnee war wieder getaut. Ich wusste nicht, warum mich dieser Moment mehr berührte als in den letzten Jahren. Ich verstand nicht, warum mir Tränen in die Augen stiegen und ich gleichzeitig doch glücklich war. Vielleicht weil mir klar wurde, dass nun ein neuer Lebensabschnitt begann, von dem ich hoffte, dass er besser werden würde. Ich wünschte mir, dass wir im neuen Jahr vom Schicksal verschont blieben und neues Glück erfahren durften.

John musste dasselbe fühlen wie ich, denn auch er schwieg und legte einen Arm um meine Taille. „In diesem Jahr werden wir unseren zweiten kleinen Engel kennenlernen“, sagte er nach einiger Zeit.

„Ja“, brachte ich hervor. „Ich glaube, das Glück, das wir durch ihn erfahren werden, können wir uns noch gar nicht ausmalen.“

„Und wir werden heiraten“, fügte er hinzu. „Ich bin sicher, dieses Jahr wird sensationell.“

„Ja, das wird es“, versicherte ich ihm und drückte zärtlich meine Lippen auf die seinen. Als wir uns wieder losließen, traten die anderen zu uns.

„Und wie war das?“, fragte Tobias. Er hatte mit Florian ein paar Raketen gezündet.

„Sah schön aus“, lobte ich die beiden. „Eine wunderbare Art, das neue Jahr zu begrüßen. Ich bin sicher, es wird für uns alle großartig!“

Eine Woche später stiegen mir erneut Tränen in die Augen, als ich das kleine Gesicht unseres Babys betrachtete.

John hielt wie immer meine Hand und lächelte mir stolz zu. „Die Form der Augen sieht so aus wie bei deinen.“

„Aber ich hoffe, er bekommt deine Augenfarbe“, sagte ich.

„Warum?“, fragte Mama. „Deine Augen sind doch auch schön.“ Ich verzog das Gesicht. „Obwohl ich mich frage, von wem du sie hast“, sprach sie weiter. „Niemand aus unserer Familie hat grüne Augen.“

Ich war froh, dass sie mitgekommen war, weil ich hoffte, dass sie ihre negativen Gefühle wegen meiner Schwangerschaft endlich ablegte, wenn sie unser Baby nicht immer nur auf Bildern, sondern bei der Ultraschalluntersuchung auf dem Monitor strampeln sehen konnte. Natürlich hätte ich ihr einfach die Aufnahme mit den Herzschlägen vom letzten Besuch zeigen können, aber ich fand, dass es etwas anderes war, wenn man richtig dabei war.

„Unglaublich, wie deutlich man das Gesicht sehen kann“, meinte Mama.

„Das ist die neue 3-D-Ultraschalltechnik“, erklärte die Frauenärztin.

„Das Gesicht sieht aus wie das deines Vaters, John“, sagte Monika, die ebenfalls mitgekommen war, um ihren Enkel im Ultraschall zu begutachten.

Ich warf John einen Blick zu. Vielleicht hatten wir recht mit der Annahme, dass sich ein Teil Alexanders in unserem Baby befand.

„Der Fötus ist jetzt etwa dreiundzwanzig Zentimeter lang und über achthundertfünfzig Gramm schwer. Seine Füßchen sind nun fünf Zentimeter lang“, erklärte die Ärztin. „Er öffnet und schließt schon seine Augen.“

Lächelnd betrachtete ich das hübsche Gesicht des Kleinen. Es war wunderbar zu sehen, wie er später aussehen würde. Nun passte er nur noch mit der Hälfte seines Oberkörpers und dem Kopf auf den Monitor des Ultraschallgerätes. Ab und zu drehte er seinen Kopf und bewegte seine Arme.

„Wollen wir das NT-Screening, die Messung der Nackentransparenz des Ungeborenen, durchführen? Habt ihr euch das überlegt?“, fragte die Ärztin.

Ich schüttelte den Kopf. „Nein, danke.“ Ich war mir mit John einig, dass wir nicht wissen wollten, ob das Baby eine Krankheit hatte, weil man sowieso nichts mehr ändern konnte und wir es trotzdem lieben würden.

„Können wir das nächste Mal wieder den 3-D-Ultraschall machen?“, fragte John.

„Ja, die nächsten beiden Monate auf jeden Fall." Nun hielt Dr. Jessen einige Aufnahmen fest und begann sie auszudrucken. Dann machte sie das Ultraschallgerät aus und gab mir die Bilder und meinen Mutterpass. „Du musst darauf achten, genügend zu essen. Bis zur Geburt solltest du noch ein paar Kilos zunehmen."

„Das werde ich", versprach ich.

„In Ordnung. Dann sehen wir uns nächsten Monat. Schön, dass eure Mütter dabei waren."

„Finden wir auch", stimmte Monika zu. „Vor der Tür warten mein anderer Sohn, seine Freundin und Dianas Vater. Aber wir dachten, wenn wir zu sechst hereinkommen, wird es ein bisschen zu voll."

„Unsinn!" Die Frauenärztin machte eine wegwerfende Handbewegung. „Sie hätten gern alle mitkommen können."

„Vielleicht das nächste Mal", sagte ich.

„Aber ich glaube, die Männer sind ein bisschen unsicher bei solchen Untersuchungen, wenn sie nicht die werdenden Väter sind", meinte Monika.

„Da haben Sie vielleicht recht", stimmte ihr die Ärztin schmunzelnd zu.

Ich zog meinen weiten Pullover zurecht. Mein Bauch hatte ziemlich an Größe zugenommen und nun sah es so aus, als befände sich ein halber Fußball darin.

Als wir die Praxis verließen, warteten die anderen auf einer Bank auf der gegenüberliegenden Straßenseite auf uns. Wir gingen zu ihnen. Sie waren sofort aufgestanden, als sie uns gesehen hatten, und kamen uns entgegen.

„Und wie war's?", fragte Papa.

„Sehr schön." Ich holte die neuen Ultraschallbilder aus meiner Tasche und gab sie ihm.

Er lächelte und zog überrascht die Augenbrauen hoch. „Er ist wunderschön." Ich spürte, dass er sich im Gegensatz zu Mama mittlerweile mit mir freuen konnte. Er warf ihr einen Blick zu. „So sahen unsere Ultraschallbilder aber nicht aus, oder?"

„Nein", stimmte Mama zu. „Die Technik hat große Fortschritte gemacht."

Nun sahen sich auch Ben und Larissa mit strahlenden Gesichtern das Bild an.

„Wenn ich das sehe, wünschte ich, dass ich auch schwanger wäre." Larissa grinste Ben an.

„Nächstes Jahr vielleicht", meinte er.

„Warum warten?", neckte sie ihn.

„Wir wollen doch keine Nachmacher sein, oder?"

John und ich lachten, doch Larissa wurde nun ein klein bisschen wütend und begann, mit Ben zu diskutieren. „Und was ist mit Heiraten?", fragte sie.

Er nickte eifrig. „Darauf sollten wir uns zuerst konzentrieren."

„Und wo bleibt der Antrag?", meinte sie provokant.

„Jetzt kümmern wir uns erst mal um Dianas und Johns Hochzeit. Wir sollten uns auf den Weg machen", lenkte Ben ab.

Also liefen wir los, um in zwei verschiedenen Geschäften getrennt die Sachen für die Hochzeit zu besorgen.

„Also gehen Ben und ich mit John und ihr Damen begleitet Diana?", fragte Papa.

„Das ist der Plan", bestätigte Mama.

„Müsst ihr euch noch absprechen, oder ..."

Ich unterbrach ihn. „Papa, mach dir darum keine Sorgen. Wir haben alles geregelt."

„Nun werden wir ihnen die dritte Farbe doch verraten müssen", sagte John.

Ich nickte. „Unsere Kleider sollten ein paar rote Details haben. Der Raum wird ebenfalls in dieser Farbe dekoriert."

„Dann müssen unsere Kleider wohl auch rot sein?", scherzte Larissa.

„Nein." John lachte. „Wir hoffen, dass alle Farben vertreten sein werden. Unsere Hochzeit soll farbenfroh und hell sein, auch wenn wir im Winter heiraten."

„Ist es das?" Seine Mutter deutete auf ein Geschäft, in dessen Schaufenster Brautkleider ausgestellt waren.

„Ja." Mein Herz schlug schneller, als ich die wunderschönen Roben sah. Ich genoss die Vorstellung, bald eine solche tragen zu dürfen.

„Wo müsst ihr hin?", fragte Mama.

„Nur ein paar Straßen weiter", antwortete John.

„Dann bis später." Ich gab ihm einen Kuss. „Und viel Spaß!"

Als wir die Tür des Ladens öffneten, läutete eine kleine Glocke. Hier war es angenehm warm, denn draußen hatte ich gefroren. Überall hingen Brautkleider an Ständern und an den Wänden befanden sich große Leinwände, auf denen Hochzeitsringe und Rosen in Ölfarben abgebildet waren.

Das gesamte Geschäft wirkte durch die weißen mit Blumenranken aus Porzellan verzierten Wände sehr edel und vornehm. Es duftete nach Parfüm und frisch gewaschener Wäsche. Nur eine weitere Kundin war auf der Suche nach einem Hochzeitskleid, denn sie trat gerade aus einer der vielen Umkleidekabinen, um sich vermutlich einer Freundin und einer Verkäuferin zu präsentieren.

Eine zweite Verkäuferin, deren hübsches Kostüm zu der Gestaltung des Ladens passte, kam auf uns zu. „Guten Tag. Kann ich Ihnen helfen?“, fragte sie freundlich. Die Dame sah Larissa an in der Annahme, sie wäre diejenige, die bald heiraten würde. Natürlich war das nachvollziehbar, weil ich für eine Hochzeit zu jung und Mama und Monika zu alt aussahen.

„Ich suche ein Hochzeitskleid“, klärte ich die Verkäuferin schließlich auf.

Die Frau schaute mich zunächst verblüfft an, doch dann ging sie, ohne weitere Fragen zu stellen, ihrer Arbeit nach. „Haben Sie schon eine bestimmte Vorstellung?“

Ich nickte. „Auf unseren Ringen sind Engelsflügel eingraviert, also suche ich etwas Engelhaftes, etwas Besonderes. Etwas, das nicht so häufig getragen wird. Und ein rotes Detail sollte im Kleid mit eingearbeitet sein.“

„Das wird schwierig, aber ich bin sicher, dass wir etwas Passendes finden werden.“ Sie schaute auf meinen Bauch. „Ich sehe, Sie erwarten ein Baby?“

„Ja.“ Ich lächelte.

„Ich nehme an, Sie haben vor, noch vor der Geburt zu heiraten?“

„Richtig.“

„Dann werden wir das Kleid erst kurz vor der Hochzeit anpassen. Aber darauf müssen wir bei der Auswahl keine Rücksicht nehmen“, erklärte sie. „Kommen Sie mit.“ Sie führte uns in die hintere Ecke des Geschäfts und begann, ein paar Kleider herauszusuchen. „Sie können sich natürlich auch gern selbst umsehen.“

Wir begannen, die Kleiderständer zu durchforsten. Die Roben waren alle sehr verschieden, doch jede auf ihre Art hübsch.

„Möchten Sie lieber ein langes oder ein kurzes Kleid?“, fragte die Verkäuferin.

Darüber hatte ich noch nicht nachgedacht, weil Brautkleider in meiner Vorstellung lang waren, so wie man es immer in Filmen oder auf alten Familienfotos sieht. Ich fand es schöner, diese Tradition beizubehalten. „Lang“, antwortete ich deshalb. „Aber ich würde mir auch gerne ein paar kurze ansehen.“

Nach einigen Minuten hielt jede von uns mindestens ein Kleid in Händen.

„Können Sie schon etwas ausschließen?“, fragte die Verkäuferin.

Zuerst sah ich mir die beiden Kleider an, die Larissa mir zeigte. Eines war schlicht, besaß eine lange Schleppe und um die Hüfte schlang sich ein Zierband. Ich deutete darauf. „Das gefällt mir, aber an dem anderen ist mir zu viel Schmuck.“ Unzählige Perlen und Blumen aus Stoff verzierten das Gewand.

Dann betrachtete ich Mamas Fundstück. Sie hielt ein kurzes Kleid mit einem welligen Rock in den Händen. „Das gefällt mir sogar, obwohl es kurz ist.“

Johns Mutter zeigte mir zwei lange, schlichte Roben. Eine hatte einen V-Ausschnitt, die andere keine Träger. „Die gefallen mir beide nicht so gut, tut mir leid.“

„Das muss es doch nicht. Schließlich hat jeder einen anderen Geschmack. Es ist wichtig, dass Sie Ihre ehrliche Meinung sagen“, erklärte mir die Verkäuferin.

Ich nickte und schaute mir nun die drei Kleider an, die jene für mich herausgesucht hatte. Das erste reichte bis zum Boden und darin waren verschiedene Weißtöne eingearbeitet. „Das gefällt mir nicht, aber die anderen beiden sind hübsch.“ Ich grinste, als ich das Kleid betrachtete, das vorne so kurz wie ein Minirock war, aber hinten eine lange Schleppe besaß. Das andere hatte einen Rock, der wirklich wie das Gewand eines Engels aussah. Er reichte bis knapp über den Boden und sah aus wie ein Fächer, der um die Beine herum abstand, wenn man es anzog. Der obere Teil war schlicht gearbeitet und wurde von zwei breiten Trägern gehalten.

„Zeigen Sie uns Ihre Wahl“, forderte mich die Frau auf.

Ich hob die beiden Kleider in die Höhe, die ich ausgesucht hatte. Bei einem waren an der Schulterpartie ein weißer und ein durchsichtiger

Stoff zusammengenäht worden. Wenn man die Arme hob, musste es so aussehen, als hätte man Flügel. Das andere Kleid besaß eine Schleppe, die über zwei Meter lang sein musste und mit der man aussah wie eine Prinzessin.

„Dann haben wir also sechs Kleider zur Auswahl“, stellte die Verkäuferin fest.

Wir gingen zu den Umkleidekabinen und ich probierte die Kleider in der Reihenfolge an, in der ich sie mir gerade angeschaut hatte. Aufgeregt zog ich den Vorhang der Kabine zu und versuchte, das lange Kleid zu überlisten, welches Larissa ausgesucht hatte. Es war ein Kunststück, mit meinem runden Bauch hineinzukommen.

„Wenn du Hilfe brauchst, musst du Bescheid sagen, dann komme ich zu dir“, rief Mama mir zu.

„Es geht schon, aber beim Reißverschluss am Rücken müsst ihr mir helfen.“ Ich trat aus der Kabine und ließ mir von meiner Mutter den Reißverschluss zuziehen. Als sie ihn bis zur Mitte verschlossen hatte, kam sie nicht weiter.

„Wir brauchen das Kleid ein paar Nummern größer. Dein Bauch versperrt den Weg, obwohl wir es schon größer ausgesucht haben“, meinte sie.

Larissa brachte mir das Kleid sofort in einer größeren Ausführung. Dieses Mal passte es. Als ich mich im Spiegel betrachtete, erkannte ich mich selbst nicht wieder. In dem edlen Gewand sah ich mindestens zehn Jahre älter aus, hinzu kam mein Bauch. Lächelnd ließ ich meine Haare nach vorne fallen und drehte mich zu allen Seiten. Dabei trat ich aus Versehen auf den Innensaum des langen Kleides und wäre um ein Haar gestolpert. Doch Johns Mutter griff intuitiv nach meinem Arm und hielt mich fest. Mein Herz hatte einen Schlag ausgesetzt.

„Danke.“ Ich spürte, wie ich rot wurde, weil mir meine Ungeschicktheit peinlich war. „Ich glaube, auf so ein langes Kleid muss ich wohl verzichten. Ich meine, es ist wunderschön, aber ich hätte ständig Angst hinzufallen. Und die Schuhe sollten nur einen kleinen Absatz haben, wenn überhaupt, sonst ist mir das mit meinem Bauch zu anstrengend und auch zu gefährlich.“

„Du siehst wirklich toll aus“, meinte Larissa.

„Ich finde die Idee mit dem Band um die Hüfte gut. Sollte ich mich doch für dieses Exemplar entscheiden, könnten wir vielleicht eines in

Rot nehmen, dann wäre meine Wunschfarbe mit eingebracht", schlug ich vor.

„Das wird kein Problem sein", versicherte die Verkäuferin.

„Ich probiere das nächste an." Mit diesen Worten verschwand ich in der Umkleidekabine.

Wenig später führte ich meinen Begleiterinnen das kurze Kleid vor, das Mama ausgesucht hatte. In dieses war ich viel leichter hineingekommen. Ich staunte, als ich vor dem Spiegel stand. „Es sieht sehr hübsch aus. Zu diesem Kleid könnte ich rote Schuhe tragen, die würden bei dieser Länge wunderbar zur Geltung kommen."

„Das Dress betont deine schönen Beine", meinte die Verkäuferin.

„Danke." Ich überlegte, welches Kleid nun an der Reihe war. „Mal sehen, wie das Exemplar aussieht, das vorne kurz und hinten lang ist. Das wäre eine gute Alternative, denn ich will, dass man die Schuhe sieht, der Rock aber trotzdem lang ist." Als ich mich darin sah, prustete ich los.

„Was ist?", fragte Mama verwirrt.

Ich wusste nicht, was ich antworten sollte. Das Teil sah richtig geil aus, einfach heiß. Ich weiß nicht, woran es lag, aber irgendwie wirkte es gleichzeitig tatsächlich ein bisschen engelhaft. Dennoch würde ich dieses Kleid nicht im Ernst zu einer Hochzeit tragen, sondern eher zu einer verrückten Party. „Nein, ich finde, so etwas steht mir nicht", verkündete ich deshalb diplomatisch.

„Ich finde im Gegenteil, dass es dir sehr gut steht, aber das ist Geschmackssache", widersprach die Verkäuferin.

Larissa warf mir einen Blick zu und schüttelte leicht den Kopf. Anscheinend war sie derselben Meinung wie ich.

Das nächste Kleid, das ebenfalls die Verkäuferin ausgesucht hatte, hatte mir von Anfang an gefallen.

„Es ist wunderschön. Ich finde, der untere Teil sieht aus wie der Rock eines Engels." Wie vermutet, stand er ein paar Zentimeter um meine Beine herum ab, weil der leichte Stoff aussah wie ein Fächer. Man konnte den Rock am ehesten mit dem Tutu einer Ballerina vergleichen, allerdings mit dem Unterschied, dass dieser hier beinahe bis zum Boden reichte, man aber trotzdem noch die Schuhe sehen würde. Perfekt. Nur der obere Teil mit den breiten Trägern und dem tristen Stoff gefiel mir nicht besonders. „Dieses Kleid werde ich in die engere

Wahl nehmen.“ Ich betrachtete mich lange im Spiegel und zupfte an dem Dress herum. „Was meint ihr?“, wandte ich mich schließlich an meine Beraterinnen.

„Es sieht klasse aus“, meinte Larissa.

„Mir gefiel das erste Kleid am besten“, tat Johns Mutter kund.

„Ich fand das kurze sehr schön, aber sie stehen dir alle gut“, ließ sich Mama vernehmen.

„Das finde ich auch“, warf die Verkäuferin ein. „Aber zwei Kleider haben wir ja noch.“

Ich nickte. Die beiden, die ich ausgesucht hatte, waren noch übrig. Als Erstes zwängte ich mich in das Kleid mit der langen Schleppe, deretwegen ich ziemliche Mühe hatte hineinzukommen. Als ich aus der Kabine trat, hatte ich große Probleme, damit zu laufen, weil ich eine schwere Masse Stoff hinter mir herzog. Ich brauchte gar nicht in den Spiegel zu schauen.

„Ich komme mit der Länge nicht zurecht, das habe ich ja schon beim ersten Kleid gemerkt, obwohl das nicht ganz so lang war.“

Die letzte Robe, die ich probierte, gefiel mir hingegen sehr gut, als ich mich betrachtete. Es war das Kleid, das aussah, als hätte man Flügel, weil ein langer, leichter Soff an den Schultern befestigt war. „Das ist wirklich super.“ Ich drehte mich nach allen Seiten und wandte den Blick dabei nicht vom Spiegel ab. „Ich möchte das Kleid mit dem hübschen Rock, das Sie ausgesucht haben“, dabei schaute ich die Verkäuferin an, „und das hier noch mal miteinander vergleichen.“ Ich zögerte und wandte mich an meine Begleiterinnen: „Oder hat euch noch ein anderes gut gefallen?“

Larissa schüttelte den Kopf. „Sie sind alle sehr schön. Probiere die beiden einfach noch mal an, wenn sie dir am besten gefallen.“

Nachdem ich das mehrmals getan hatte, war ich jedoch nicht schlauer als vorher. Beide Kleider hatten ein Detail, das ich sehr mochte, und eines, das mir nicht gefiel.

„Was meint ihr?“, fragte ich unentschlossen.

„Ich könnte mich auch nicht entscheiden“, gab Johns Mutter zu.

„Ich finde das Kleid, das du dir ausgesucht hast, am schönsten“, meinte Mama.

„Und ich würde das andere nehmen“, gab Larissa zu.

„Das Stück mit dem auffälligen Rock wird nicht oft genommen, weil manche sagen, es würde zu sehr nach Prinzessin aussehen, aber ich finde, Ihnen steht es ausgezeichnet. Und das Dress mit dem durchsichtigen Stoff an den Schultern sieht sehr gut an Ihnen aus und hat Ihnen von Anfang an gefallen“, fasste die Verkäuferin das Ergebnis zusammen.

Ich nickte. „Aber wie kommt ein bisschen rote Farbe ins Spiel?“

„Die Farbe muss man nicht zwingend ins Kleid einarbeiten. Wie schon gesagt könnten Sie rote Schuhe anziehen oder man flicht Ihnen ein rotes Band in die Haare oder wir befestigen eines um Ihre Hüfte so wie beim allerersten Kleid“, schlug die Verkäuferin vor.

Ich staunte. Auf die Idee mit dem Haarschmuck war ich gar nicht gekommen, denn ich hatte mir noch keine Gedanken darüber gemacht, wie ich meine Haare zur Hochzeit tragen würde. Nun betrachtete ich die Kleider erneut. Da kam mir ein Einfall. „Nähen Sie auch?“, fragte ich. „Also nehmen Sie Änderungswünsche entgegen?“

„Meine Kollegin macht das“, antwortete sie.

„Wäre es möglich, den auffälligen Rock des einen Kleides an das schöne Oberteil des anderen zu nähen?“

„Das wird schwierig werden, aber es ist sicher machbar.“

„So würde mir das Kleid am besten gefallen. Und man könnte eine rote Schleife um die Hüfte schlingen.“ Das ergäbe dann eine Mischung aus drei Kleidern, ein richtiges Unikat so wie unsere Ringe. Außerdem würde es auf diese Weise wirklich wie ein Engelsgewand aussehen. „Wie findet ihr den Vorschlag?“, fragte ich meine Begleiterinnen.

„Das ist keine schlechte Idee“, meinte Mama.

„Es würde sicherlich hübsch aussehen“, pflichtete Larissa bei, während Johns Mutter nickte.

„Okay, dann werden wir das so machen. Kommen Sie doch nächste Woche vorbei, um es sich anzusehen“, schlug die Verkäuferin vor.

„Ja, sehr gerne“, antwortete ich begeistert.

„Wollen wir gleich noch nach einem Paar Schuhe für Sie suchen? Ich habe einige farbige hier. Es müssten sogar rote dabei sein.“

Wir folgten der Dame in eine andere Abteilung, in deren Ecke eine Vielzahl Regale mit Schuhkartons stand. Davor befanden sich vier altmodische Ledersessel. Ich ließ mich erschöpft in einen hineinplumpsen und legte eine Hand an meinen Bauch. Mit der Zeit spürte ich das Gewicht des Babys stärker. Zwischendurch fühlte ich immer wieder die Tritte des Kleinen, aber daran hatte ich mich schon gewöhnt. Nun brachte mir die Verkäuferin das erste Paar Schuhe. Sie waren aus rotem Leder und hatten einen Absatz, der nicht zu hoch und nicht zu flach war. Ich musste den Fuß auf dem Knie des anderen Beines ablegen, um sie anziehen zu können, weil mein Bauch im Weg war. Dann stellte ich mich langsam hin. „Sie sind zu groß“, war mein Kommentar.

„Ich habe der Dame gesagt, dass du Größe achtunddreißig hast. Stimmt das nicht?“, fragte Mama.

„Doch.“ Ich setzte mich wieder.

„Die Schuhe fallen unterschiedlich groß oder klein aus“, erklärte die Verkäuferin. „Und gerade bei solchen Exemplaren kann es passieren, dass man eine Nummer kleiner tragen muss.“

Die kleineren Schuhe drückten allerdings vorne.

„Dann müssen wir wohl ein anderes Paar probieren“, meinte die Frau bedauernd.

„Schade.“ Die Schuhe hatten mir gefallen. Doch die nächsten fand ich noch besser. Sie waren natürlich ebenfalls rot und mit einem glänzenden Stoff überzogen. Außerdem besaßen sie nur einen sehr flachen Absatz. In ihnen konnte ich problemlos laufen. „Die sind toll“, meinte ich begeistert. „Ich werde sie nehmen.“

Also kauften wir die Schuhe und verließen das Geschäft, nachdem die Verkäuferin noch meinen Hüftumfang und meine Größe ausgemessen hatte, damit man das Kleid anfertigen konnte.

Als wir aus der Tür traten und mit demselben Glockengeläut verabschiedet wurden, das uns willkommen geheißen hatte, entdeckten wir John, Ben und Papa, die freudestrahlend auf uns zukamen. Auch sie schienen erfolgreich gewesen zu sein.

Eigentlich begann dieser Schultag wie jeder andere, aber ich konnte nicht wissen, was gleich noch geschehen würde. Ich sah etwas, das mich, John und unser Baby zutiefst verletzte. Wir hatten es nicht verdient, dass uns das widerfuhr, aber leider war es geschehen. Ich hasse den Menschen, der dafür verantwortlich war, bis heute, aber bedauerlicherweise kennt niemand seine Identität.

Nachdem wir die ersten beiden Unterrichtsstunden geschafft hatten, standen wir mit unseren Freunden zusammen auf dem Schulhof und unterhielten uns. Die Gespräche der anderen Schüler und Schülerinnen nahm ich nur als leises Raunen wahr. Obwohl es sehr kalt war, lag kein Schnee. Kurz nach Weihnachten war er verschwunden und bis jetzt nicht wiedergekommen.

Ich fragte mich, ob John die Blicke der anderen auch spürte. Er ging nun schon seit über zwei Monaten wieder zur Schule, trotzdem wurde er nach wie vor von dem ein oder anderen neugierig angestarrt. Auch mir passierte das immer öfter, weil man meinen runden Bauch von Tag zu Tag deutlicher sehen konnte. Es interessierte mich zwar, was die anderen wohl bei unserem Anblick dachten, gleichzeitig war ich mir jedoch nicht sicher, ob ich das wirklich wissen wollte. Die meisten dachten bestimmt, dass ich nicht ganz bei Sinnen wäre, weil ich schon so jung ein Kind bekam. Aber einige verstanden meine Gründe dafür bestimmt, wenn sie John sahen oder unsere Geschichte kannten. Bis auf meine Klassenkameraden wusste niemand von den Beweggründen, die für mich ausschlaggebend gewesen waren, das Baby zu behalten, es sei denn, es hatte sich herumgesprochen. Eigentlich war es mir völlig gleich, was andere dachten, aber wenn ich spürte, wie sich die Blicke in meinen Rücken bohrten, ließ es sich nicht vermeiden, nachdenklich zu werden.

„Was habt ihr am Wochenende gemacht?“, fragte Verena in die Runde.

„Am Freitag waren John und ich bei der Frauenärztin und danach haben wir gemeinsam mit unserer Familie die Hochzeitsoutfits besorgt“, erzählte ich.

„Ihr wart aber getrennt unterwegs, oder?“, fragte Nadine streng.

„Klar.“ Natürlich sollte John mein Kleid vor der Hochzeit nicht sehen und ich seine Sachen ebenfalls nicht.

„Die Einladungen sehen echt toll aus“, warf Florian ein. „Habt ihr die selbst gestaltet?“

„Ja“, antwortete John. „Ich habe sie am Computer entworfen und Diana gezeigt. Sie haben ihr sofort gefallen.“

„Wir werden natürlich alle kommen. Das lassen wir uns nicht entgehen“, versicherte Tobias.

„Oh je, da müssen wir uns auch noch passende Kleidung besorgen“, stellte Verena erschrocken fest.

Ich grinste. „Ihr habt noch drei Wochen Zeit dazu. Ich komme auch gerne mit und helfe euch beim Aussuchen.“

„Das wäre spitze, wenn wir zusammen zum Shoppen gehen“, freute sich Nadine.

„Hast du eigentlich das neue Ultraschallbild dabei?“, erkundigte sich Verena. „Ich würde es gerne sehen.“

„Natürlich. Ich muss meinen Mutterpass doch immer dabei haben.“ Ich holte ihn aus meiner Schultasche und gab ihn meinen Freundinnen. „Das ist die erste 3-D-Aufnahme, bei der das Gesicht zu sehen ist.“

„Wahnsinn“, staunten die beiden.

„Zeigt doch mal“, rief Tobias und rückte an sie heran, um besser sehen zu können.

„Ihr habt ein wirklich hübsches Baby gemacht“, meinte Florian, der sich ebenfalls dicht an die anderen gedrängt hatte und die Aufnahme betrachtete.

Ich musste lachen, als er den Ausdruck „machen“ verwendete. John grinste auch, bevor er einen Blick auf seine Armbanduhr warf. „Ich glaube, wir müssen uns auf den Weg machen.“

Nach jeder Pause nahmen wir gemeinsam den längeren Weg zur Hintertür um das Schulgebäude herum, damit John hineingelangen konnte. Deshalb mussten wir uns rechtzeitig auf den Weg machen, um pünktlich da zu sein, wenn die Stunde begann.

Als wir John und Tobias abgesetzt hatten, verabschiedeten wir uns von ihnen und nahmen die Treppen zu unserem Unterrichtsraum, der in der zweiten Etage lag. Als wir vor der verschlossenen Tür unsere Jacken aufhängten, waren schon einige unserer Mitschüler da. Nach wenigen Minuten erschien unsere Klassenlehrerin. Ich hatte Glück, dass die folgende Gemeinheit in ihrer Anwesenheit passierte, denn andere Lehrer hätten die Situation bestimmt nicht so gut verstanden wie sie.

Eigentlich steuerten wir zielsicher auf unsere Plätze zu, so wie wir es immer taten, aber kurz nachdem wir den Raum betreten hatten, fiel mein Blick zufällig auf die Tafel und ich blieb wie angewurzelt stehen. Nadine, Verena und Florian, die nicht von meiner Seite gewichen waren, hielten ebenfalls abrupt inne. Unsere Klassenlehrerin schien ebenso geschockt zu sein wie wir, als sie die Gemeinheit entdeckte.

Ich biss die Zähne zusammen, um nicht zu schreien, als ich spürte, wie das Messer tiefer eindrang. Und dieses Mal befand es sich nicht in meinem Herzen, sondern in dem unseres Babys. Tränen strömten ungehindert über meine Wangen, denn ich konnte sie nicht länger zurückhalten, auch wenn das fünfundzwanzig andere Menschen mitbekamen.

Schützend legte ich eine Hand an meinen Bauch, doch ich konnte den Kleinen nicht vor dem Schmerz bewahren. Mich trafen diese Worte zwar auch, aber ich hatte mir geschworen, nichts auf die Meinung anderer zu geben. Und so wurden die Wunden größtenteils unserem Baby zugefügt. Ich wusste nicht, warum man uns das antun musste, da wir doch bereits so viel Leid und Kummer erfahren hatten. Ich konnte mir nicht erklären, warum es so weit gekommen war.

Jemand hatte etwas an die Tafel geschmiert, herzlose Worte, die ich niemals mehr vergessen werde: „In deinem Alter sollte man verliebt sein und nicht schwanger!"

„Diana, möchtest du vielleicht einen Moment rausgehen?", bot Frau Lange geistesgegenwärtig an. „Nimm Nadine und Verena mit, wenn du willst."

Ich nickte und schritt Richtung Tür. Meine Freundinnen folgten mir. Ich konnte die lodernde Wut in mir nicht ignorieren. „Derjenige, der das geschrieben hat, hat keine Ahnung davon, was Liebe bedeutet!" Ich schrie es so laut, dass meine Kehle brannte und meine zitternde Stimme im Flur widerhallte.

„Hat er auch nicht." Nadine nahm mich in den Arm. „Er hat bestimmt nicht nachgedacht, als er das geschrieben hat."

„Ja, das ist sicher eine totale Hohlbirne, die dich einfach nur angreifen wollte", stimmte Verena zu. „Lass dich davon nicht verletzen. Vielleicht war es ein Mädchen, das eifersüchtig auf dich ist, weil es dieses Glück auch gern erfahren möchte." Ich wischte mir die Tränen weg. „Sollen wir John holen?", bot sie an.

„Nein, auf keinen Fall", war ich mir sicher. „Er soll davon nichts erfahren. Es reicht, wenn einer verletzt wurde."

„Er wird merken, dass du traurig bist und etwas nicht stimmt", protestierte Nadine.

„Sagt es ihm trotzdem nicht, bitte! Vielleicht gelingt es mir doch, es geheim zu halten."

Die beiden nickten.

„Ich habe Angst, wieder reinzugehen. Es ist mir so peinlich", bekannte ich.

„Das muss es nicht. Sie werden es verstehen“, meinte Verena.

Langsam schritten wir auf die Tür zu und traten nach einem kurzen Zögern ein. Frau Lange redete bereits über chemische Formeln, während die Schüler in ihre Bücher guckten. Ich traute mich nicht, zur Tafel zu blicken, denn ich wollte diese bösartigen Worte nicht noch einmal lesen.

Nadine bemerkte es. „Sie hat sie weggewischt.“

Nun schaute ich doch hin, sie hatte recht. Meine Augen brannten vom Weinen. Obwohl ich nur wenige Minuten vor mich hin geschluchzt hatte, fühlte es sich an, als wären drei Liter Tränen auf einmal aus meinen Augen geströmt.

Unsere Lehrerin stoppte ihren Redefluss und sah mich an. „Es tut mir sehr leid, dass das passiert ist. Ich wusste davon nichts und der Lehrer, der vor mir in diesem Raum war, bestimmt auch nicht. Wie ihr wisst, ist der Chemieraum in den Pausen immer abgeschlossen und darf nicht ohne eine Lehrkraft betreten werden. Ich könnte mir aber vorstellen, dass das jemand kurz nach dem Unterricht auf die Tafel geschmiert hat, als er nicht beachtet wurde. Es kann also nur jemand aus der Klasse gewesen sein, die vor uns hier Unterricht gehabt hat. Ich habe die Schrift abfotografiert, bevor ich sie weggewischt habe, und werde der Sache nachgehen. Ich sage euch Bescheid, sobald ich etwas weiß. Ich kann mir beim besten Willen nicht erklären, was man sich dabei gedacht hat, und bedauere diesen Vorfall zutiefst.“

Ich nickte nur, brachte jedoch kein Wort heraus.

„Möchtest du lieber nach Hause, Diana?“, fragte Frau Lange. „Du siehst sehr blass aus.“

War ich das nicht immer? Blasser als sonst konnte ich doch gar nicht sein. „Nein, danke“, antwortete ich.

In den restlichen vier Unterrichtsstunden konnte ich mich nicht mehr konzentrieren. Während der nächsten Pause wurde ich von vielen meiner Mitschüler und auch von John, dem ich es trotz meines Vorhabens natürlich nicht hatte verschweigen können, getröstet. Auch er war geschockt und verletzt. Er bot mir an, heute Nacht bei ihm zu schlafen, und ich willigte sofort ein. Seit er wieder zu Hause war, hatten wir das jede Woche mindestens einmal gemacht und gerade heute würde es uns sicherlich guttun, nicht alleine einschlafen zu müssen.

Ich konnte mir vorstellen, wie die Nacht nach den heutigen Ereignissen ohne ihn verlaufen wäre: Ich hätte mich stundenlang im Bett herumgewälzt, weil mir die gemeinen Worte nicht aus dem Kopf gegangen wären.

Nun war es schon halb elf und wir lagen gemeinsam im Bett. John hatte mich an sich gezogen und einen Arm um meine Schultern gelegt, sodass mein Kopf auf seinem Brustkorb lag und ich seine Herzschläge hören konnte. Das ließ mich zur Ruhe kommen und half mir, meine Gedanken auf etwas anderes zu lenken. Zärtlich streichelte er über meinen Bauch und ich schloss die Augen. Da spürte ich einen leichten Tritt unseres Sohnes. Schnell führte ich seine Hand zu der Stelle und lächelte.

„Ich kann ihn immer deutlicher spüren“, sagte John.

„Ich auch. Wenn ich morgens aufstehe, wird er ebenfalls wach und trampelt.“ Nach einer Weile fügte ich nachdenklich hinzu: „Ich frage mich, ob er gemerkt hat, was heute los war.“

„Vielleicht hat er mitbekommen, dass du traurig warst.“

„Das glaube ich auch. Er hat sich nämlich seitdem nicht mehr bemerkbar gemacht. Bis gerade eben.“

„Ich weiß, dass es schwer ist, mich hat es auch sehr getroffen, aber versuch so schnell wie möglich zu vergessen, was heute in der Schule passiert ist. Schließlich war unsere Entscheidung richtig. Warum wir sie getroffen haben und wie wir damit umgehen, ist unsere Sache. Vermutlich machen sich viele Schüler darüber Gedanken und einer konnte damit nicht hinter dem Berg halten. Aber die Meinung anderer sollte uns nicht interessieren. Ich weiß natürlich, dass diese Worte an der Tafel beleidigend und verletzend sind. Anscheinend weiß dieser Typ nicht, dass das Alter in der Liebe keine Rolle spielt. Deswegen ist auch die Liebe zu unserem Baby nicht falsch. Wir werden uns trotz allem gut um unseren Sohn kümmern.“

„Ich weiß“, flüsterte ich. „Du hast recht, aber es hat den Kleinen verletzt.“

„Eigentlich ist es mir egal, wer das an die Tafel geschrieben hat, weil es nichts ändern würde. Wir wären für den Rest unseres Lebens sauer auf diesen Menschen. Es ist nicht wichtig, wer es war, sondern nur, dass es überhaupt passiert ist. Es hätte nicht geschehen sollen, aber nun können wir nichts mehr ändern, außer nicht länger darüber nachzudenken, wer dafür verantwortlich ist.“

Wir schwiegen einen Augenblick, bis ich ihn fragte: „Es fällt dir schwer einzuschlafen, oder?"

„Ja", antwortete er. „Woher weißt du das?"

„Ich kann mich an keinen einzigen Tag erinnern, an dem du eher eingeschlafen bist als ich."

„Wie merkst du das? Schließlich drehe ich mich im Bett nicht so oft um."

„Ich höre es an der Art, wie du atmest", erklärte ich.

Erst nach ein paar Sekunden gestand er: „Seitdem der Unfall passiert ist, schlafe ich sehr schlecht. Es ist zwar mit der Zeit besser geworden, aber nie ganz verschwunden. Ich schlafe irgendwann ein, bin jedoch sehr unruhig und wache nachts oft auf. Am nächsten Morgen bin ich genauso müde wie am Abend zuvor."

„Du denkst zu viel nach", stellte ich fest.

„Ja", gab er zu. „Anfangs habe ich ständig an Papa gedacht. Und jetzt will ich mich einfach nicht damit abfinden, nie wieder laufen zu können. Ich weiß, dass ich meinen Zeh bewegen kann, ist ein kleiner Erfolg, aber wenn sich weiter nichts ändert, fällt es mir immer schwerer, auf eine Besserung zu hoffen. Ständig versuche ich mir die Frage zu beantworten, warum das alles passiert ist."

„Das geht mir genauso. Du kannst es mit den Worten an der Tafel vergleichen. Ein Fremder hat uns verletzt und es gibt einfach keinen Grund dafür." Ich hielt inne und schaute ihn fragend an. „Oder hast du eine Antwort gefunden?"

„Nein, leider nicht." Er zögerte kurz, bevor er weitersprach. „Außerdem schießen mir ständig Erinnerungsfetzen durch den Kopf."

„An den Tag des Unfalls?", fragte ich aufgeregt. Die ganze Zeit über hatte ich angenommen, dass er nichts mehr davon wusste.

„Etwa zwei Wochen nachdem ich aufgewacht bin, konnte ich mich erinnern, was passiert war." Ich hatte Angst, ihn zu drängen, wenn ich nach Details fragte, doch er redete schon weiter. „Ich konnte mich an den Abend bei Michael erinnern. Ich weiß noch, dass wir viel Spaß hatten und ich später mit meinen Eltern gemeinsam losgefahren bin. Als ich dir im Auto eine Nachricht schreiben wollte, wurden wir plötzlich gerammt und in die Tiefe gestoßen. Es war ziemlich laut und alles drehte sich, sodass ich die Orientierung verlor. Das Handy ist mir aus der Hand geglitten und ich habe versucht, mich irgendwo festzuhalten, aber so schnell kann niemand reagieren. Noch bevor das Auto zum Liegen kam, war ich schon weggetreten. Das Schlimmste waren die Schreie meiner Mutter, sie rief immer wieder Papas Namen, aber er sagte nichts. Er blieb still. Ich glaube, er war sofort bewusstlos. Beim Erste-Hilfe-Kurs für den Führerschein hat man uns immer gesagt: Kümmert euch zuerst um die stillen Menschen, denn denjenigen, die schreien, geht es nicht ganz so schlecht. Und so war es auch in diesem Fall."

Als ich das hörte, biss ich mir auf die Unterlippe, weil sich das Messer wieder in mein Herz bohrte. Ich hatte mir gewünscht, dass John sich an nichts aus der Unfallnacht erinnern möge, aber nicht einmal von diesen quälenden Heimsuchungen blieb er verschont. „Das muss wirklich schrecklich gewesen sein. Ich hoffe, du kannst das irgendwann vergessen."

„Ich versuche es, aber ich fürchte, diese Erinnerungen werden mich mein ganzes Leben lang begleiten. Und du? Du konntest damals bestimmt auch nur schlecht schlafen?

„Ja. Als ich von dem Unfall erfahren habe, war ich ziemlich am Ende. Ich konnte kaum schlafen, weil ich in der Angst lebte, dich zu verlieren. Aber als ich entdeckt habe, dass ich schwanger bin, wurde es besser."

„Einmal hast du mich fast verloren", murmelte er unvermittelt.

Das Messer verpasste mir einen weiteren Stich, denn daran hätte er sich wirklich nicht erinnern müssen. „Die Vorstellung daran, dich nie wieder bei mir haben zu können, war unerträglich." Ich hob meinen Kopf und sah ihn direkt an. „Aber nun bist du hier und dein Herz schlägt kräftig." Ich drückte meine Lippen auf die seinen.

„Und ich werde dich nie wieder verlassen." Er nahm mein Gesicht in seine Hände, um mich noch einmal zärtlich zu küssen.

Nachdem wir ein paar Stunden geschlafen hatten, wachte ich von den heftigen Tritten des Babys auf und streichelte meinen Bauch, um den Kleinen zu beruhigen. Er schien tatsächlich zu merken, dass es mir nicht gut ging, oder er spürte die Wunden, die uns beiden in der Schule zugefügt worden waren. Ich glaube, John war dieses Mal sogar eher eingeschlafen als ich, weil sich die Worte an der Tafel in meinen Kopf eingebrannt hatten und mich nicht mehr loslassen wollten. Es hatte bestimmt über eine Stunde gedauert, bis mich endlich der Schlaf übermannt hatte. Doch mit einem Blick auf die Uhr stellte ich fest, dass ich nur drei Stunden geschlafen hatte. Hoffentlich schlief ich schnell wieder ein.

Plötzlich stöhnte John neben mir auf und begann, in kurzen Stößen zu atmen. So schnell es mir mein runder Bauch erlaubte, setzte ich mich auf, um seine Hand zu nehmen. „John!", rief ich.

Er drückte meine Finger und jammerte, als hätte er große Schmerzen.

„Was ist bloß los? Soll ich Hilfe holen?" Tränen traten mir aus purer Verzweiflung und Panik in die Augen.

In dem dunklen Zimmer konnte ich nicht das Geringste sehen. Schnell tastete ich nach der Nachttischlampe in dem Versuch, seine Hand dabei nicht loszulassen. Als sich der Raum erhellte, bemerkte ich Johns schmerzverzerrtes Gesicht. Verzweifelt wartete ich auf eine Antwort, die er mir nicht geben konnte. Ich wusste nicht, ob ich seine Mutter holen, einen Krankenwagen rufen oder weiterhin abwarten sollte. Schließlich ließ ich seine Hand los und rannte zum Fenster. Ich weiß nicht, woher der Instinkt kam, es aufzureißen. Mein Herz schlug mir bis zum Hals und ließ meinen Brustkorb schmerzen. Nun war ich es, die hektisch atmete, während es John etwas besser zu gehen schien.

Als er mich anschaute, konnte ich immer noch den Schock in seinen Augen lesen. „Lass uns rausgehen", stieß er hervor.

Schnell half ich ihm in den Rollstuhl, gab ihm eine Strickjacke aus seinem Kleiderschrank und deckte ihn mit der Bettdecke zu. Er zitterte vor Aufregung und bewegte sich kaum. Dann zog ich mir selbst eine Jacke und Schuhe an und schob ihn in den Garten. Dort lehnte ich mich an die Hauswand und versuchte, in Bewegung zu bleiben, weil ich fror. Nur der halbe Mond und die Sterne spendeten uns ein bisschen Licht. Durch die kalte Luft bildeten sich Wölkchen vor unseren Gesichtern, die bei jedem unserer Atemzüge entstanden. Die Stille war angenehm, aber nun wollte ich wissen, was mit John gerade losgewesen war. Er atmete ruhiger und schien wieder sprechen zu können.

„Was ist passiert?", fragte ich.

„Ich hatte Phantomschmerzen", lautete seine schlichte Antwort.

Als er das sagte, kam ich mir dumm vor. Warum war ich darauf nicht selbst gekommen? Davon hatte ich doch schon gehört. Phantomschmerzen hatten Menschen, deren Körperteile gelähmt oder amputiert waren. Sie spürten diese, obwohl sie sie eigentlich nicht spüren konnten. Mir war es ein Rätsel, ob die Schmerzen tatsächlich da waren oder ob man sie sich nur einbildete. John hatte sie sicherlich in den Beinen gefühlt.

„Ist dir das schon öfter passiert?“, fragte ich.

„Das war das zweite Mal. Ich bin froh, dass es das erste Mal im Krankenhaus passiert ist, sonst hätte ich selbst nicht gewusst, was mit mir los ist. Die Pfleger haben sich sofort um mich gekümmert, mich beruhigt und mir alles erklärt, aber dagegen gibt es keine Medikamente. Zum Glück war Mama damals noch nicht mit mir in einem Zimmer. Sie hätte bestimmt einen Schrecken bekommen.“ Er stockte. „Den hast du jetzt, oder?“

„Ja“, gab ich zu.

„Du hast aber gut reagiert. Ich konnte nicht antworten. Die Schmerzen rauben einem die Luft. Hier draußen fühle ich mich wohler.“

„Gibt es eine Ursache dafür?“

„Das weiß ich nicht, aber vielleicht bekommt man Phantomschmerzen häufiger, wenn man Stress hat. Schließlich ist es das erste Mal passiert, kurz nachdem ich aufgewacht bin und das alles erfahren habe. Und dann erst wieder heute, nachdem diese Sache in der Schule geschehen ist.“

Er sprach meine Gedanken aus. Das hätte ich auch vermutet. „Das heißt, deine Mutter weiß davon nichts?“

„Nein“, antwortete er. „Wenn sie uns vorhin gehört hat, würde ich ihr erklären, was passiert ist, aber ansonsten braucht sie es nicht zu wissen. Sie macht sich bestimmt nur Sorgen und traut sich nicht mehr, mich allein zu lassen.“

„Ich verstehe, was du meinst. Aber wenn ich heute Nacht nicht bei dir gewesen wäre, was hättest du dann gemacht? Deine Mutter hätte dir helfen müssen und nicht gewusst, was sie tun soll. Vielleicht passiert das noch einmal. Ich finde, du solltest es ihr sagen.“

„Du hast vielleicht recht. Irgendwann werde ich das machen.“

Ich nickte. „Kann man Phantomschmerzen auch tagsüber bekommen?“

„Im Krankenhaus ist es am Tag passiert, aber der Arzt hat gesagt, dass es die meisten nachts quälte.“

„Warst du vorher schon wach?“

„Nein, ich bin von den Schmerzen aufgewacht.“

„Hast du etwas geträumt?“, wollte ich wissen.

„Nein.“

„In der Nacht, als ich von dem Unfall erfahren habe, hatte ich einen seltsamen Traum. Erst später habe ich seinen Sinn verstanden.“ Ich erinnerte mich nicht gerne daran, doch berichtete ihm nun davon. „Ich stand im Dunkeln auf dem Mittelstreifen einer Straße. Dauernd fuhren Autos an mir vorbei und haben mich nass gespritzt oder gehupt. Plötzlich habe ich den Schrei eines Babys gehört und mich umgesehen. In einem kleinen Wald gegenüber habe ich deine Augen gesehen. Als ich zu dir gerannt bin, hat mich ein Auto angefahren und ich habe den Schmerz gespürt.“

„Und das hast du geträumt, bevor du von der Schwangerschaft erfahren hast?“

„Ja. Ich weiß, dass es verrückt klingt, aber es sieht so aus, als hätte ich eine Vorahnung gehabt.“

„Aber es ist nicht merkwürdig, dass man Vorahnungen durch Träume erfährt. Das Unterbewusstsein spürt, dass etwas Besonderes passieren wird, und will denjenigen warnen, damit der Schock nicht so groß ist, wenn das Geträumte tatsächlich eintritt. Das ist eine normale Schutzfunktion des Körpers. Ich habe darüber schon mal etwas gelesen. Ich könnte mir vorstellen, dass dein Unterbewusstsein wusste, dass du deine Periode nicht bekommen hast, oder dein Körper den Kleinen schon wahrgenommen hat. Deshalb sind die Babyschreie in deinem Traum aufgetaucht.“

Ich war erstaunt. Das klang logisch.

Als wir später wieder ins Bett gingen, küsste John mich, bevor wir uns hinlegten, und flüsterte: „Danke.“

Das warme Wasser tat gut auf meiner Haut. Unserem Baby schien es auch zu gefallen, denn ab und zu spürte ich einen zaghaften Stoß. Heute trampelte er nicht so wild wie sonst, verhielt sich aber auch nicht gerade ruhig. Bis auf das Rauschen des Wassers war es still hier. Der Geruch nach Chlor lag in der Luft. Mein Körper befand sich bis zu den Schultern unter Wasser. Meine Arme hielten John fest, der vor mir auf dem Wasser lag.

Natürlich befanden wir uns nicht im Meer – immerhin hatten wir Ende Januar, sondern in einem kleinen Schwimmbecken im Krankenhaus. Wir waren allein hier, bis auf den Mann von der Rezeption, der ab und zu hereinkam, um nach dem Rechten zu sehen. Vor wenigen Minuten hatte er uns beiden ins Becken hineingeholfen und mir gezeigt, wie ich John am besten festhalten konnte. Das war einfach, weil sein Gewicht durch das Wasser nicht spürbar war.

Nach dem schrecklichen Tag, an dem diese furchtbaren Worte an der Tafel und die Phantomschmerzen aufgetaucht waren, hatten wir beschlossen, gemeinsam etwas zu unternehmen, das uns entspannen würde. John hatte mir erzählt, dass er in der Reha an einer Wassertherapie teilgenommen hätte. So kamen wir auf die Idee, baden zu gehen. Das Hallenbad in Travemünde war zwar so eingerichtet, dass John dort problemlos hineinkönnte, aber ich dachte mir, dass er sich zunächst wohler fühlen würde, wenn sich keine anderen Menschen um uns herum befänden.

„Gibt es nicht auch eine bekannte querschnittsgelähmte Schwimmerin?“, fiel mir ein.

„Ja“, antwortete er. „Sie heißt Kirsten Bruhn und war die erfolgreichste Athletin bei den Paralympics in Peking. Ich bewundere sie. Und sogar der Minister Wolfgang Schäuble sitzt im Rollstuhl.“

„Meinst du, dass du auch schwimmen könntest?“

„In der Kur habe ich es ausprobiert, aber wegen des frischen Wirbelbruchs durfte ich mich nur eingeschränkt bewegen.“ Er grinste. „Ich denke, wenn man mich ohne Begleitung ins Wasser schmeißen würde, könnte ich es.“

Ich zog ihn zu mir. „Ja, weil du müsstest, aber du hast ja mich ...“ Zärtlich drückte ich meine Lippen auf die seinen. Kleine Wellen stießen an unsere Körper, weil wir uns ein wenig bewegten.

„Ich kann dir gar nicht sagen, wie froh und dankbar ich dir bin, dass du bei mir bist.“ Seine leuchtend blauen Augen sahen mich an.

„Und ich erst. Wenn du mich damals nicht angesprochen und den ersten Schritt gemacht hättest, wäre ich jetzt nicht bei dir.“

„Dann hättest du dieses Unglück und die Sorgen nicht durchstehen müssen“, entgegnete er.

Mich verletzte, dass er so dachte. „Das war es wert, weil wir nun sehr glücklich sind und es vorher schon waren.“

„Du bist mir nur aufgefallen, weil du immer in meiner Nähe warst. Damit hast du eigentlich den ersten Schritt gemacht." Er lächelte.

„Wollen wir das Schwimmen ausprobieren? Traust du dir das zu?", fragte ich. „Ich werde dich festhalten."

„Ja, ich vertraue dir."

Also nahm ich meine Hände von seinem Oberkörper, um ihn nur an den Beinen und der Hüfte festzuhalten. „Geht das so?"

„Ja." John begann, seine Arme zu bewegen, als würde er rückenschwimmen.

Als ich merkte, dass er beinahe von selbst an der Wasseroberfläche blieb, lockerte ich meinen Griff und hielt nur seine Füße fest. „Das klappt doch gut", lobte ich. Wir waren am Rand des kleinen Beckens angekommen und ich hielt ihn wieder oben, damit er die Bewegungen einstellen konnte.

„Es ist ein schönes Gefühl, sich bewegen zu können. Aber in einem größeren Becken würde es besser funktionieren."

„Vielleicht gehen wir nächste Woche doch mit den anderen ins Schwimmbad. Das wäre bestimmt lustig." Ich schritt wieder in die Mitte des Beckens und zog John mit mir.

„Bist du schon aufgeregt wegen der Hochzeit?", fragte er mich plötzlich.

„Ja", gab ich zu. „Ich freue mich darauf, aber ich habe Angst, dass etwas schieflaufen könnte."

„Was sollte denn schieflaufen? Wir haben alles bestens organisiert."

„Du weißt doch, wie unsicher ich durch meinen dicken Bauch bin. Ich sehe meine Füße nicht und könnte hinfallen." Ich grinste, er jedoch nicht. Zwar meinte ich das ernst, was ich sagte, aber eigentlich sollte es ein Spaß sein.

„Du wirst nicht hinfallen. Du trägst so viel Kraft in dir, das hast du in den letzten Monaten Hunderte Male bewiesen", war er sich sicher.

Auf einmal spürte ich ein drückendes Gefühl in meinem Hals, weil mich seine Worte so sehr berührten. „Es wird alles gutgehen. Du hast recht."

„Aber es bedrückt mich, dass ich dich im Rollstuhl heiraten werde." Ich schüttelte ablehnend den Kopf. „In meinen Vorstellungen sah unsere zukünftige Hochzeit immer perfekt aus. Mit mir kann sie das nicht sein."

Mir tat es weh, wie er von sich selbst redete. Noch immer schien er zu denken, wertlos zu sein, nur weil er nicht mehr laufen konnte, obwohl er doch so wichtig für mich und viele andere Menschen war. „Die Hochzeit wird traumhaft. Nur mit dir könnte meine Hochzeit perfekt sein, egal, ob du bei der Trauung sitzt oder stehst."

Sein Blick verriet mir, dass ich es nicht ganz geschafft hatte, seine Meinung zu ändern. Doch für meine Antwort küsste er mich leidenschaftlich.

„Unsere Hochzeit wird perfekt sein, weil ich die beiden Menschen um mich haben werde, die ich über alles liebe." Ich legte eine Hand an meinen Bauch.

John lächelte und tat es mir nach. „Ich liebe euch auch."

Der achte Monat

Langsam setzte sich das weiße Auto meines Onkels in Bewegung, in dem Papa und ich chauffiert wurden. Auf der Motorhaube war ein Kranz aus roten Rosen befestigt worden. Es war seltsam, meinen Vater in einem Anzug zu sehen. Vermutlich war er nervöser als ich. Meine feuchten Hände klammerten sich fester um den Blumenstrauß, der ebenfalls aus roten Rosen und weißen Perlen bestand. Bis auf das Geräusch des Motors war es still im Wageninneren.

Nun hielt das Auto an, doch ich stieg nicht aus, weil ich noch nicht bereit war. Ein paarmal atmete ich tief ein und aus in der Hoffnung, dass das meinen rasenden Puls etwas beruhigen würde. Onkel Jörg machte sich unterdessen auf den Weg zur restlichen Hochzeitsgesellschaft. Da öffnete Papa mir die Tür und hielt mir lächelnd eine Hand entgegen. Zögernd nahm ich sie und ließ mir beim Aussteigen helfen. Sofort strich der eiskalte Wind durch meine offenen Haare und ließ mich frösteln. Um gegen das Zittern anzukämpfen, verkrampfte ich mich. Aber mir wurde schnell klar, dass ich es nur unterbinden konnte, wenn ich mich entspannte.

Schließlich umschlang ich den Arm meines Vaters und wir stolzierten langsam los. Unser Weg führte über Holzplatten, die auf dem Sand ausgelegt und mit einem seidigen weißen Stoff ummantelt worden waren. Auf dem Boden waren rote Rosenblätter verteilt worden, deren süßer Duft den des Salzes überdeckte. Nun konnte ich das Rauschen der Wellen hören. Trotz der Kälte schien die Sonne hinter ein paar Wolken hervor und am Horizont konnte ich den Mond erkennen. Ich lächelte, als ich die dicken Schneeflocken um uns herumtanzen sah.

Ich achtete darauf, gerade zu gehen und sichere Schritte zu machen. Meine roten Schuhe mit dem kleinen Absatz hatte ich nicht lange zu Hause einlaufen müssen, weil sie sehr bequem waren. Jedoch konnte ich sie kaum sehen, weil sie erstens teilweise unter meinem Kleid versteckt waren und zweitens mein Bauch die Sicht versperrte.

Unser Baby wog bereits um die eineinhalb Kilo, weshalb ich sein Gewicht deutlich spüren konnte. Ich war wirklich froh, dass der Kleine bei mir war und sich ab und zu durch einen ordentlichen Tritt bemerkbar machte. Er gab mir in diesem Moment Sicherheit, genauso wie mein Vater, der mich gut festhielt.

Als ich mein Kleid vor zwei Wochen zum ersten Mal gesehen hatte, war ich begeistert gewesen. An der Hüfte, wo der ausladende Rock mit dem engelhaften Oberteil zusammengenäht worden war, befand sich ein rotes seidenes Band, das dem Stoff meiner Schuhe glich. Zwei schmalere Bänder hatte Mama mir ins Haar geflochten und die Strähnen an meinem Hinterkopf zusammengebunden, sodass sie wie ein Kranz wirkten. Dort wurden die Strähnen von einer silbernen Spange gehalten, an der mein Schleier und eine rote Rose befestigt waren. Die Haarspange hatten wir im Stil der Kette ausgesucht, die John mir zum Geburtstag geschenkt hatte, da ich diese als einziges Schmuckstück trug, um sie hervorzuheben.

So schritten wir in gleichbleibendem, ruhigem Tempo weiter, bis wir um eine letzte Ecke bogen, bevor wir den Altar erreichten. Ich strahlte über das ganze Gesicht, als ich John vor einem riesigen bogenförmigen Rosenspalier auf mich warten sah. Er trug eine rote Krawatte und ein rotes Tuch, das in seinem Anzug stecke. Er erwiderte mein glückliches Lächeln und ich konnte sehen, dass seine Augen heute noch heller leuchteten als sonst.

Auch unsere Gäste, die links und rechts unseres Weges standen, lächelten uns zu. Sie alle trugen hübsche Kleider und Anzüge. Da entdeckte ich meine Mutter in der Menge sowie Verena, Nadine und die Jungs. Meine Tante richtete wie viele andere eine Kamera auf uns, machte aber keine Fotos. Ich wurde noch nervöser, als ich ohnehin schon war, als mir klar wurde, dass man unsere Trauung aufnahm. Doch schließlich wandte ich den Blick von ihnen ab, denn ich wollte mein Ziel nicht aus den Augen lassen.

Als wir am Altar ankamen, ließ Papa meine Hand los, um sie John symbolisch zu übergeben. Dieser umschloss fest meine Finger und nickte meinem Vater zu. In diesem Augenblick bemerkte ich, dass ich nicht mehr fror, sondern mir nun eher warm war, weil mein Herz raste. Unsere Liebe konnte Eis zum Schmelzen bringen.

Nachdem John und ich uns einen letzten Blick zugeworfen hatten, wandten wir uns dem Standesbeamten zu, der daraufhin zu sprechen begann.

„Wir haben uns heute hier versammelt, um Diana Schmidt und John Hoffmann zu vermählen." Er machte eine kurze Pause, um uns nacheinander zu mustern. „Die beiden haben sich in der Schule auf dem Pausenhof kennengelernt und sind nun seit über drei Jahren ein Paar. Damals war Diana dreizehn und John fünfzehn Jahre jung." Wieder hielt der Standesbeamte kurz inne und schaute erst zu uns, dann zu den Gästen. „Der Spruch *Drum prüfe, wer sich ewig bindet* gilt nicht für Diana und John, denn trotz ihres jungen Alters haben sie schon mehrfach bewiesen, dass auch schwere Schicksalsschläge sie nicht zu trennen vermögen, sondern im Gegenteil ihre Liebe wachsen lassen. Nun erwarten die beiden ein gemeinsames Kind und haben beschlossen zu heiraten." Nach diesen Worten nickte der Standesbeamte John auffällig zu. Ich war verwirrt, weil ich nicht wusste, was das zu bedeuten hatte, denn dies war nicht geplant gewesen.

John schaute mir tief in die Augen und begann zu sprechen: „Bevor wir uns gleich das Jawort geben, möchte ich dir ein paar Sätze sagen." Mein Herz schlug schneller und es fiel mir schwer, seinem Blick standzuhalten, weil ich so aufgeregt war und seine strahlenden Augen mir weiche Knie verursachten. „Eigentlich könnte ich ewig reden, wenn ich in Worte fassen sollte, wie sehr ich dich liebe. Keine tausend Sätze würden reichen, um auszudrücken, was ich für dich empfinde. Zuerst möchte ich dir sagen, wie hübsch du heute bist. Ich meine, du bist jeden Tag wunderschön, aber heute strahlst du noch heller und siehst wirklich wie ein Engel aus." Nur wir beide wussten, was das zu bedeuten hatte. „Ohne dich hätte ich die schwere Zeit nach dem Unfall nicht überstanden. Ich hätte den Verlust meines Vaters und meine Querschnittslähmung ohne dich nicht ertragen können. Du hast mich von Anfang an so akzeptiert, wie ich bin, auch wenn ich nicht mehr laufen kann. Du hast sogar gesagt, es sei dir völlig gleich. Durch unser Baby habe ich neue Kraft geschöpft und ich bin dankbar, dass du wie durch ein Wunder schwanger geworden und jetzt bei mir bist. Ich möchte die Zeit mit dir genießen, weil sie so wertvoll ist. Ich liebe dich über alles und bin unendlich froh darüber, dass du in mein Leben getreten bist."

Tränen stiegen mir in die Augen und mein Herz schlug so schnell, dass es schmerzhaft gegen meine Rippen donnerte. „Ich liebe dich bedingungslos und möchte dir danken, dass du damals den ersten Schritt gemacht und mich angesprochen hast.“ Da einige der Gäste leise lachten, musste auch ich grinsen.

Nun fuhr der Standesbeamte mit seinem Text fort: „Wollen Sie, Diana Schmidt, John Hoffmann zum Mann nehmen?“

Ich versuchte, meine Stimme laut und deutlich klingen zu lassen. „Ja, ich will.“ Es war mir gelungen, weil ich mir in meinem ganzen Leben einer Sache noch nie so sicher gewesen war. Um meine Bestätigung kraftvoller klingen zu lassen, hatte ich nicht nur mit *Ja* geantwortet, denn ich war der Meinung, dass jenes „Ich will“ ebenfalls eine große Rolle spielte. Die Entscheidung, John zu heiraten, war neben der, das Baby zu behalten, die richtigste, die ich jemals getroffen hatte.

„Und wollen Sie, John Hoffmann, Diana Schmidt zur Frau nehmen?“, richtete der Standesbeamte seine Frage nun an John.

„Ja, ich will“, antwortete auch dieser.

Als wir uns glücklich anlächelten, spürte ich die Wärme zwischen uns, die heute noch viel stärker zu sein schien als sonst.

„Dann bitte ich Sie nun, gemeinsam mit Ihren Trauzeugen Ihre Unterschrift auf die Heiratsurkunde zu setzen.“

Wir machten ein paar Schritte zu dem kleinen Tisch vor, der sich unter dem bogenförmigen Rosenspalier befand, und unterschrieben das Dokument. Anschließend taten es uns Johns Trauzeuge, sein Bruder Ben, und meine Trauzeugin, meine Cousine Yvonne, gleich.

Sie war die Tochter meiner Tante Gabi und wir hatten uns schon immer gut verstanden. Aber dadurch, dass sie vor zwei Jahren mit ihrem Verlobten zusammen in eine andere Stadt gezogen war, sahen wir uns recht selten. Als sie auf uns zukam, bemerkte ich, dass sie sich bemühte, nicht gleich vor Freude loszuheulen. Als wir unsere Unterschriften geleistet hatten, kehrten John und ich an unseren Platz zurück und verschränkten erneut unsere Hände ineinander, während die Trauzeugen sich an der Seite aufstellten.

„Nun bitte ich Sie, Ihre Ringe anzulegen.“ Der Standesbeamte hielt uns die Schatulle mit den Eheringen entgegen. Zuerst steckte mir John meinen auf den Finger, danach tat ich dasselbe bei ihm. Es beruhigte mich, dass seine Hände ebenfalls ein bisschen zitterten. Für einen Augenblick betrachteten wir die wunderschönen Ringe mit den Engelsflügeln.

„Hiermit erkläre ich Sie zu Mann und Frau." Der Standesbeamte lächelte zufrieden. „Sie dürfen die Braut jetzt küssen."

Nachdem John sich zu mir gewandt hatte, beugte ich mich ein Stück zu ihm hinunter, damit sich unsere Lippen zärtlich berühren konnten. Dieser Kuss fühlte sich warm, gefühlvoll und in dieser Situation einzigartig an. Ich spürte, wie eine explosive Energie in meinem Körper pulsierte und meine Herzfrequenz nach oben jagte. Unsere Augen waren geschlossen und wir konzentrierten uns nur auf diesen Kuss, nahmen die Kälte und die Schneeflocken, die unsere Haut berührten, kaum wahr. Für diesen Moment vergaßen wir alles um uns herum, bis wir plötzlich unsere Gäste lautstark klatschen hörten. Widerwillig ließen wir voneinander ab und blickten strahlend zu unseren Liebsten, die immer noch jubelnd applaudierten.

Ich würde diesen Moment niemals vergessen, denn es war einer der schönsten meines Lebens.

Am Abend nach der Trauung feierten wir in einem Lokal nicht weit vom Strand entfernt. Die Tische waren zu einem T zusammengestellt worden. John und ich saßen am oberen Querstrich des Buchstabens und in unserer Nähe befanden sich Eltern, Großeltern und Trauzeugen. Die weitere Verwandtschaft und unsere Freunde saßen weiter weg, aber die Sitzordnung wurde ohnehin nur so lange beibehalten, wie wir aßen. Danach wechselten alle Gäste die Plätze, um miteinander reden zu können. Der große Raum wurde von Kerzenleuchtern an den Wänden und auf den Tischen erhellt. Außerdem befand sich auf jedem Tisch ein Blumenstrauß aus roten Rosen auf einer weißen Tischdecke. Im Hintergrund wurde leise Musik abgespielt.

Ich fühlte mich wohl, weil ich nun entspannter war als noch vor ein paar Stunden und mich freute, meine Verwandten und Freunde um mich zu haben.

„Und wie geht es eurem Baby?" Meine Cousine deutete auf meinen Bauch.

„Ich nehme an, ihm geht es sehr gut. Er ist sehr aufgedreht", antwortete ich lächelnd.

„Es ist also ein Junge", sagte sie überrascht.

Ich nickte. „Wusstest du das noch nicht? Hat Tante Gabi es dir noch nicht erzählt?" Seltsamerweise spürte ich immer einen Tritt, wenn ich von dem Kleinen sprach. „Hier." Ich nahm Yvonnes Hand und legte sie an meinen Bauch. „Merkst du das?"

Sie lächelte. „Er tritt dich. In welchem Monat bist du jetzt eigentlich?"

Plötzlich ertönte das Klirren von Glas. Verena und Nadine hatten angefangen, mit dem Besteck gegen ihre Gläser zu schlagen, und einige andere hatten sich angeschlossen. Ich wusste, was das zu bedeuten hatte, und schaute mich nach John um. Er unterhielt sich nur wenige Meter von mir entfernt mit seinem Onkel, unterbrach das Gespräch jedoch sofort und rollte zu mir. Ich kam ihm erwartungsvoll entgegen und wir gaben uns einen zärtlichen Kuss.

„Ich komme gleich wieder zu dir", raunte er mir zu, bevor er sich wieder zu seinem Onkel begab.

Ich nickte und ging ebenfalls an meinen Platz zurück. „Wo waren wir stehen geblieben?", fragte ich meine Cousine Yvonne.

„Er scheint dich echt verrückt zu machen", bemerkte sie treffend.

Grinsend setzte ich mich. „Ja, ich glaube, wenn dich jemand verrückt macht, weißt du, dass er der Richtige ist. Am Anfang hatte ich solche starken Gefühle für John, dass ich mich nicht getraut habe, mit ihm zu reden. Jetzt hat sich das zum Glück etwas gelegt."

Yvonne lächelte ihren Freund Nico an, der auf ihrer anderen Seite saß, und legte eine Hand auf seinen Oberschenkel. „Dann bist du wohl der Richtige, du machst mich nämlich auch verrückt."

„Und du mich erst", gab er neckisch zurück.

Dann wandte sich Yvonne wieder mir zu und griff unser Gespräch von vorher auf. „Ich habe dich gefragt, in welchem Monat du bist."

„Im achten, also in der dreißigsten Woche." Ich streichelte meinen Bauch. „Er ist jetzt ungefähr siebenundzwanzig Zentimeter lang und wiegt eineinhalb Kilo. Seine Augen sind schon vollständig geöffnet, das heißt, er kann Hell und Dunkel unterscheiden. Außerdem besitzt er schon einen Geschmackssinn."

„Das Gewicht fällt dir aber manchmal schon zur Last, oder?"

„Ja, doch es geht noch. Ich bin froh, dass wir nicht später geheiratet haben."

Nun kam John zu uns. Mir fiel auf, dass niemand an diesem Abend über den Autounfall sprach. Vermutlich wollten sie verhindern, dass wir heute daran denken oder darüber reden mussten.

„Freust du dich schon, Vater zu werden?“, fragte ihn Yvonne.

„Ja, klar.“

„Wie wollt ihr das eigentlich machen? Ich meine, zieht ihr zusammen, wenn das Baby da ist?“

„Wir haben bei mir ein Kinderzimmer eingerichtet und ein gemeinsames Bett für Diana und mich aufgestellt. Wir werden die Zeit also überwiegend bei mir verbringen, aber ob wir richtig zusammenziehen, das wissen wir noch nicht“, erklärte er.

„Wir werden es sehen.“ Yvonne grinste.

Ich nickte vielversprechend.

Meine Oma Emma beugte sich über den Tisch zu uns. „Eure Ringe sind wirklich hübsch. Darf ich sie noch einmal sehen?“

„Klar.“ Wir legten unsere Hände, an denen die Ringe steckten, auf den Tisch.

„Sie sind außergewöhnlich. Ich habe noch nie Eheringe mit Engelsflügeln gesehen, aber das ist eine gute Idee.“

„Es war die von John. Er hat sie anfertigen lassen“, sagte ich.

Meine Oma zog die Augenbrauen hoch und warf ihm einen anerkennenden Blick zu.

Dann zückte Opa Henry seinen Fotoapparat und befahl: „Legt die Hände mal übereinander, damit ich sie fotografieren kann.“ Er richtete das Objektiv auf meinen Bauch, wo wir unsere Hände platziert hatten. „Sehr schön“, lobte er und drückte ein paarmal hintereinander auf den Auslöser.

Da Opa schon mal dabei war, küssten wir uns, damit er davon ebenfalls ein paar Aufnahmen machen konnte. Dabei musste ich mich nicht mit John absprechen, denn wir schienen immer dasselbe zu denken.

„Ihr seid fotogen, das muss ich euch lassen“, meinte Opa.

Nun kamen unsere Freunde zu uns. „Hat John dir schon von gestern erzählt?“, fragte Florian.

„Natürlich“, antwortete ich sofort. „Er war total begeistert. Ihr habt euch wirklich etwas Tolles einfallen lassen.“

„Ja“, sagte John. „Das war ein grandioser Junggesellenabschied.“

„Ich verstehe bloß nicht, warum ihr euch so sicher wart, dass er das mitmachen würde“, bemerkte Nadine.

„Was habt ihr denn gemacht?“, mischte sich Johns Cousin Sebastian ein.

„Wir waren beim Gleitschirmfliegen“, antwortete Tobias.

„Was?“, fragte er ungläubig. „Das ist ja cool.“

„Wenn ich bedenke, was da hätte passieren können, finde ich es ziemlich uncool“, meinte Johns Tante.

„Darüber brauchen Sie sich keine Sorgen zu machen, wir haben uns natürlich vorher informiert. Und auch für John ist es möglich, so etwas zu machen“, versuchte Florian sie zu beruhigen.

„Du kannst uns gern duzen, uns alle. Trotzdem finde ich das ein bisschen leichtsinnig“, entgegnete sie.

„Hey“, lenkte ich vom Thema ab, indem ich Verena anstieß. „Bist du das immer, die als Erste mit den Gläsern klirrt?“

Sie lachte und wurde rot. „Florian hat gesagt, dass ich das machen soll“, versuchte sie, die Schuld von sich zu schieben. Doch ich merkte immer, ob jemand log. Und meine Freundin wusste das. „Nein, ehrlich.“ Ihre Stimme kletterte eine Oktave nach oben. „Er will euch fotografieren, wenn ihr euch küsst, aber seine Kamera löst immer zu spät aus. Bald ist seine Speicherkarte voll, weil er schon so oft versucht hat, euch im richtigen Moment vor die Linse zu bekommen.“

Ich musste lachen, denn nun wurde Florian rot.

„Das hättet ihr uns einfach sagen können, falls das die Wahrheit sein sollte“, meinte John.

„Das bezweifele ich“, wandte ich ein. Unsere Freunde wollten uns bestimmt nur ein klein wenig foppen, indem sie ständig durch das Gläserklirren verlangten, dass wir uns küssten, aber das störte uns nicht. In ein paar Stunden würden wir das so oft ungestört tun können, wie wir wollten. Mein Herz stolperte, als ich daran dachte.

Plötzlich küsste mich John auf die Wange. „Dann leg mal los, Florian“, forderte er ihn auf. Wir küssten uns, damit er uns fotografieren konnte.

„Aber stell die Fotos nicht ohne unsere Zustimmung ins Internet“, mahnte ich ihn.

„Das würdest du mir also zutrauen?“ Ironie schwang in seiner Stimme mit.

Frech entgegnete ich: „Natürlich. Bei dir kann man nie wissen.“

Da bemerkte ich, dass meine Cousine aufstand. Ich schaute auf die Uhr, es war gleich acht. John warf mir einen gespannten Blick zu und nahm meine Hand.

Yvonne platzierte sich vor der großen Leinwand neben dem Beamer, der sich auf der Tanzfläche befand, und nahm ein Mikrofon in die Hand. „Einen schönen guten Abend zusammen." Grinsend blickte sie in die Menge. „Diana hat mich gebeten, eine Diashow abzuspielen, die sie vorbereitet hat. Es soll eine kleine Überraschung am Rande werden. Aber zuvor habe ich etwas für das Brautpaar vorbereitet. Dabei hatte ich großartige Unterstützung von den Eltern und Freunden, denn sonst hätten wir diese schönen Fotos nicht bekommen. Natürlich konnten wir nur per E-Mail zusammenarbeiten, aber das war kein Problem. Vielen Dank dafür und viel Spaß beim Ansehen."

Mein Herz schlug schneller. „Was kommt denn jetzt? Wusstest du davon?"

„Nein", antwortete John.

Gebannt schauten wir auf die Leinwand. Der Schriftzug *Diana und John* erschien und schon beim ersten Foto konnte man leises Gelächter vernehmen. Ich spürte, wie mir das Blut in die Wangen stieg und ich rot wurde, als zuerst mein Klassenfoto und dann Johns zu sehen war. Unsere Gesichter waren herzförmig mit einem roten Stift eingekreist worden, damit man uns schnell zwischen den anderen Schülerinnen und Schülern finden konnte.

John legte einen Arm um mich und versonnen betrachteten wir nun die restlichen Klassenfotos sowie die ersten Aufnahmen, auf denen wir als Paar abgelichtet waren. Auf diesen Bildern war ich erst dreizehn und John fünfzehn und wir machten Dinge, die Kinder eben so taten. Sie zeigten uns beim Eisessen, am Strand, bei ihm im Garten oder bei mir. Sobald die aktuelleren Fotos an der Reihe waren, musste ich oft wegen der Fratzen lachen, die John mit Florian und Tobias schnitt. Einige Bilder zeigten nur Nadine, Verena und mich, als wir zusammen bei einer von uns übernachtet oder uns gegenseitig die Fingernägel lackiert hatten.

„Weißt du noch, wie ich an diesem Tag den Fotoapparat meiner Eltern mit Nagellack beschmiert habe?", flüsterte Verena grinsend.

Ich nickte und musste lachen.

Auf den nächsten Schnappschüssen hielt John mich im Arm und küsste mich auf die Wange oder den Hals, während ich in die Kamera lächelte. Doch die folgenden Fotos kannte ich nicht, sie mussten von gestern stammen und zeigten John, Florian und Tobias, wie sie sich für das Gleitschirmfliegen vorbereiteten und eingewiesen wurden. Von jedem war eine Aufnahme dabei, die sie beim Fliegen zeigte.

„Wer hat euch denn da fotografiert?", fragte ich verwundert.

„Wir haben den anderen Leuten, die auf ihren Flug gewartet haben, unseren Fotoapparat gegeben", erklärte Tobias.

„Einfach so? Hattet ihr denn keine Angst, sie würden ihn behalten?"

„Wir haben ihnen versprochen, anschließend Fotos von ihnen zu schießen."

Das letzte Bild zeigte John und mich bei unserem Kuss direkt nach der Trauung. Ich runzelte die Stirn.

Und auch John wunderte sich. „Wie haben sie das denn gemacht?"

Als die Diashow zu Ende war, klatschte ich kräftig in die Hände. John schloss sich an und die restlichen Gäste machten ebenfalls mit.

Meine Cousine trat wieder auf die Tanzfläche und sprach in das Mikrofon: „Vielen Dank." Sie winkte uns strahlend zu. „Das letzte Foto haben wir vor ein paar Minuten schnell auf die CD gezogen", erklärte sie. „Schön, dass es euch gefallen hat. Ich werde euch dieses Werk später überlassen, es ist ein Geschenk von uns. Und nun werden wir uns Dianas Diashow ansehen. Die beiden wollen ihr Glück mit uns teilen und haben deshalb alle Ultraschallbilder ihres kleinen Engels auf eine CD gezogen und auch ein paar Bilder des zukünftigen Kinderzimmers sind dabei. Viel Spaß."

Ich fragte mich überrascht, ob sie die Bezeichnung für unser Baby zufällig so gewählt hatte. Sie konnte nicht wissen, dass wir unseren Sohn als Engel sahen, weil er uns in der Vergangenheit Kraft und Hoffnung geschenkt hatte. Das wusste niemand. Auch John schien sich darüber Gedanken zu machen und drückte meine Hand.

Doch dafür war jetzt keine Zeit, denn auf der Leinwand erschien bereits der Titel: „Unser Baby". Dann liefen alle Ultraschallbilder nacheinander durch, die ich bis jetzt erhalten hatte.

Letzte Woche waren John und ich wieder beim Frauenarzt gewesen und hatten ein neues 3-D-Ultraschallbild bekommen. Auf dieser Aufnahme konnte man das Gesicht des Kleinen nur teilweise sehen, weil er es mit beiden Händen versteckte. Meine Mutter zeigte mit dem Finger auf die Leinwand und flüsterte Papa etwas zu. Vermutlich erklärte sie ihm, wo sich die Körperteile des Babys auf dem Ultraschallbild des dritten Monats befanden. Zu diesem Zeitpunkt hatte es wie ein Gummibärchen ausgesehen. Bevor das Foto vom fünften Monat gezeigt wurde, hatte ich folgenden Text eingegeben: „Da wussten wir, dass du ein Junge bist.“ Einige Gäste tuschelten und lachten leise. John legte seine Hand an meinen Bauch und streichelte ihn. Ich lächelte ihm kurz zu, bevor ich wieder auf die Leinwand blickte.

Nach dem Bild vom sechsten Monat folgte das Video mit den Herzschlägen des Babys. An dieser Stelle wurden alle im Raum still. Offensichtlich waren sie berührt von dem, was sie sahen und hörten.

Nach dem letzten Ultraschallbild erschienen ein paar Fotos des Kinderzimmers. John hatte die zweite Sonnenblume vor ein paar Tagen ausgemalt und ich musste zugeben, dass seine besser aussah als meine. Er hat viel sauberer gearbeitet, obwohl ich mir genauso viel Zeit genommen und mich sehr angestrengt hatte. Danach war ich im Kinderzimmer mit meinem runden Bauch in einem roten Schwangerschaftsoberteil abgelichtet worden. Ich stand seitlich, sodass man gut sehen konnte, wie sehr mein Bauch gewachsen war. John wollte mich jede Woche fotografieren, um nachvollziehen zu können, wie ich mich verändert hatte, und um meinen Babybauch festzuhalten, denn ich würde wahrscheinlich nur dieses eine Mal die Erfahrung machen können.

Als letzten Text hatte ich *Geburtstermin: 8. Mai – wir freuen uns auf dich!* gewählt. Nachdem die Vorstellung beendet war, klatschten die Gäste und lächelten uns an.

Meine Cousine beendete die Diashow und kam zurück zu uns. „Das war wirklich schön.“

„Danke“, sagte ich. „Aber eure war besser.“

„Stimmt“, pflichtete John mir bei. „Die Fotos habt ihr gut gewählt. Wir haben viel gelacht.“

„Die meisten stammen nicht von mir“, wiegelte Yvonne ab.

„Trotzdem hast du dir Mühe damit gemacht“, erwiderte ich.

„Danke. Ich freue mich, dass es euch gefallen hat“, nahm sie das Lob schließlich an.

„Wir bedanken uns bei dir!“, entgegnete ich.

Hitze stieg in mir auf, als ich mich wenige Minuten später selbst auf die Tanzfläche stellte und das Mikrofon in die Hand nahm. „Guten Abend“, sagte ich unsicher. „Ich hoffe, dass sich alle wohlfühlen.“

Als Antwort hoben meine Eltern und ihre Geschwister die vollen Bier- und Weingläser. Ich grinste und hielt den Daumen in die Höhe.

„Ich möchte alle unverheirateten Frauen bitten, nach vorne zu kommen. Ich werde jetzt den Brautstrauß werfen“, verkündete ich.

Sofort sprangen einige weibliche Gäste auf und nach ein paar Augenblicken hatten sie sich vollzählig vor mir aufgereiht.

Lächelnd atmete ich ein letztes Mal den Duft der Rosen ein, die ich den ganzen Tag in der Hand gehalten hatte, bevor ich das Mikrofon beiseitelegte und mich umdrehte. „Alle bereit?“

Sie riefen mir ein lautes, erwartungsvolles „Ja“ entgegen.

Also warf ich den Strauß aufgeregt über meine Schulter. Ich hoffte, ich hatte genug Schwung genommen, damit er überhaupt jemanden erreichte. Hinter meinem Rücken schrie man auf und lachte. Gespannt drehte ich mich um und sah, dass Nadine die Blumen fassungslos in der Hand hielt. Tobias kam zu ihr gestürmt, um sie zu küssen.

Lachend trat ich zu ihnen. „So wie es aussieht, werdet ihr die Nächsten sein, die heiraten.“

„Da hast du es gehört.“ Sie warf ihrem Freund einen bedeutungsvollen Blick zu. „Ich werde auf deinen Antrag warten.“

Weil er nicht wusste, was er darauf sagen sollte, grinste er nur verlegen. Die anderen Frauen, die leer ausgegangen waren, schienen etwas enttäuscht zu sein, lachten aber dennoch.

Nun kam John zu uns. „Ihr könnt schon mal die Einladungen schreiben“, rief er vorlaut.

Nadine lachte. „Ich fange gleich morgen damit an.“

Eine halbe Stunde später forderte die nun lautere Musik zum Tanz auf. Eigentlich hatte ich mir immer vorgestellt, mit John den Eröffnungswalzer zu tanzen. Ich hatte ein Bild vor Augen gehabt, das uns dicht aneinandergeschmiegt und uns im Takt eines Liedes wiegend, das wir selbst ausgesucht hatten, auf der Tanzfläche zeigte, während die Gäste uns zuschauten. Dass ich darauf verzichten musste, bedauerte ich jedoch nicht, weil ich keine begabte Tänzerin bin. Ich hatte mir vorgenommen, mit niemand anderem zu tanzen, um John nicht zu verletzen. Wir würden uns an den Rand stellen, um den anderen zuzuschauen und ein paar Fotos zu machen.

Also begaben wir uns zur Tanzfläche und beobachteten, wie sich ein Großteil der Gäste dort versammelte. Das erste Lied war von Birdy und hieß *People Help the People*. Das war eines meiner Lieblingslieder, obwohl der Text ziemlich traurig war und die Melodie sehr getragen.

Verena konnte vor Lachen kaum tanzen, weil sie Florian ständig auf die Füße trat. Unwillkürlich spürte ich, dass ich froh war, nicht tanzen zu müssen, denn mir wäre es bestimmt genauso ergangen.

Ich fragte mich, warum meine Eltern so gut tanzen konnten. Die beiden harmonierten perfekt miteinander, ihre Schritte waren zwar einfach, aber sie beherrschten sie sehr gut.

Johns Mutter tanzte mit dem Bruder seines Vaters, Onkel Boris. Es bereitete mir große Freude, unsere Gäste beobachten zu können. Der Raum war von Liebe und Fröhlichkeit erfüllt. Ich fühlte mich so wohl wie noch nie seit dem einschneidenden Ereignis vor einem halben Jahr.

Nun wurde die Musik schneller und fröhlicher.

„Bin gleich wieder da", raunte ich John zu. Ich holte die Kamera aus meiner Handtasche, die über dem Stuhl hing, und versuchte, jedes tanzende Paar zu fotografieren.

Immer mehr Gäste schlossen sich an und schon bald war nur noch wenig Platz auf der Tanzfläche. Alle paar Sekunden stieß jemand gegeneinander und lautes Gelächter hob an, wenn man sich beieinander entschuldigte. Ich musste ebenfalls grinsen, als ich beobachtete, wie ihr nächster Tanzschritt Nadine und Tobias zwischen meine umschlungenen Großeltern hineinführte.

Mein Herz schlug schneller, als *Diamonds* von Rihanna gespielt wurde.

„Darf ich um diesen Tanz bitten?" Ich hörte die Unsicherheit aus Johns Stimme heraus, er hatte mit dieser Frage lange gezögert.

Es war mir ein Rätsel, warum er mich bei dem Lied aufforderte, dessen Text ich am Morgen meines Geburtstages mit uns in Verbindung gebracht hatte. Manchmal dachte ich wirklich, er könne meine Gedanken lesen, denn zu diesem Song wollte ich unbedingt tanzen. Ich runzelte jedoch die Stirn, weil ich nicht wusste, wie er sich das vorstellte, doch zugleich machte es mich glücklich, dass er mich das gefragt hatte.

Ich nahm seine Hand. „Sehr gern."

Vorsichtig betraten wir die Tanzfläche, weil wir vermeiden wollten, angerempelt zu werden. Als er meine Hände nahm, biss ich mir vor Nervosität auf die Unterlippe. John hatte den ersten Schritt gemacht und mich hierhergeführt. Nun schien ich an der Reihe zu sein. Er lächelte, als ich zaghaft ein paar Schritte im Takt des Liedes machte. Dabei ließ ich seine Hände nicht los, sondern schwang sie locker mit. Zu unserer Überraschung funktionierte das ganz gut und ich hatte nicht das Gefühl, dass es schlecht aussah.

Shine bright like a diamond – scheine so hell wie ein Diamant.

Das hatten wir geschafft, denn heute strahlten wir wirklich. Wir hatten das Licht zurückgewonnen, das uns in den letzten Monaten verloren gegangen war. Und das konnten wir nun feiern, denn ich war sicher, dass dieses Strahlen nie wieder erlöschen würde.

Zärtlich streiften seine Lippen die meinen. Meine Augen waren geschlossen, um diese wunderbaren Gefühle noch deutlicher wahrnehmen zu können. Langsam wiegte John uns hin und her, während sich seine Hände an den Rädern seines Rollstuhles befanden und ich auf seinem Schoß saß. Ich hatte eine Hand an meinen Bauch gelegt und den anderen Arm um seinen Hals geschlungen.

Nachdem wir einige Lieder lang getanzt hatten, hatten wir eine Pause gemacht, um etwas zu trinken und uns mit unseren Gästen zu unterhalten. Wir tauschten Geschichten von früher aus und lachten viel dabei.

Nun hatten wir auf diese Weise zwei langsame Lieder auf der Tanzfläche verbracht. Als wir vorhin unsere erste Tanzrunde beendet hatten, hatten die Gäste applaudiert, weil sie es bewunderten, wie wir mit der Situation umgingen. Denn nicht nur für John war es schwierig, auch mein Bauch war häufig im Weg. Er störte mich eigentlich nicht, weil ich unendlich dankbar und glücklich war, dass sich dieses kleine Wunder darin befand. Aber ich fühlte mich unsicher, weil ich meine Füße nicht sehen und das Gewicht des Kleinen spüren konnte. Außerdem wurde ich, seitdem ich schwanger war, schnell müde. Glücklicherweise befiel mich die Müdigkeit an diesem Abend nicht so früh wie sonst.

Als könnte er tatsächlich meine Gedanken lesen, fragte John: „Bist du müde?“

„Nur ein bisschen“, flüsterte ich. „Mein Herz schlägt viel zu schnell, um zur Ruhe zu kommen.“ Glücklich legte ich den Kopf auf seine Schulter. „Bald muss die Torte angeschnitten werden.“

„Ich weiß.“

„Der Abend ging viel zu schnell vorbei“, seufzte ich.

„Weil er so schön war.“ Er hatte denselben Gedanken wie ich. Wir dachten an unser Gespräch an Weihnachten, als wir festgestellt hatten, dass die schönen Momente immer viel schneller vergingen als die schlechten.

„Genießen wir den wunderbaren Augenblick, solange er dauert.“ Erst jetzt öffnete ich die Augen und blickte ihn an. Ich gab ihm einen Kuss, bevor ich sagte: „Wollen wir?“ Ich deutete auf meinen Bauch. „Der Kleine hat Hunger.“

„Dann sollten wir ihn nicht länger warten lassen“, schmunzelte John.

Langsam stand ich von seinem Schoß auf. „Wollen wir es ankündigen? Das darfst gerne du übernehmen“, meinte ich. „Ich habe es schon hinter mir.“

John zwinkerte mir zu und schlängelte sich geschickt zwischen den Gästen hindurch. Er hatte seinen Rollstuhl mittlerweile perfekt im Griff und kam sogar spielend um die engsten Ecken. Nun sprach er in das Mikrofon: „Wir werden gleich unsere Hochzeitstorte an dem Tisch beim Buffet anschneiden.“

Die Gäste wurden sofort aufmerksam und blickten gespannt zu dem Tisch, auf dem sich die Torte befand. Einige machten sich sofort auf den Weg dorthin, andere holten ihre Kameras aus den Taschen und kamen nach.

Schließlich hatten sich alle um das gebackene Kunstwerk versammelt, vor dem John und ich uns erwartungsvoll platziert hatten. Die herzförmige Torte bestand, passend zu den Farben der Dekoration, aus rotem und weißem Zuckerguss, aus dem obenauf zwei Ringe und eine Rose geformt waren, deren süßen Duft ich wahrnahm. Nachdem John mir das Messer gegeben hatte, schnitt ich vorsichtig das erste Stück ab. Dann legte ich es auf einen Teller, den er mir reichte. Mit der Gabel, die bereitlag, schob ich nicht mir das erste Stück in den Mund, so wie man es erwartet hätte, sondern meinem frisch angetrauten Mann. Er lachte und nahm mir die Gabel ab, um dasselbe bei mir zu tun. Ich hörte die Auslöser der Fotoapparate und das Gelächter der anderen. Die Torte schmeckte einzigartig, ich genoss jeden einzelnen Bissen und war fast ein bisschen enttäuscht, als wir unseren Teller zunächst beiseitestellen und weitere für unsere Gäste füllen mussten.

Larissa schwärmte. „Die Torte schmeckt wirklich gut.“

Und selbst Oma gab zu, dass sie besser schmeckte als ihre selbst gemachten.

Den Rest des Abends verbrachten wir damit, uns zu unterhalten und die gute Stimmung vollends auszukosten. An diesem Tag konnten wir den Autounfall und seine Folgen zum ersten Mal wirklich vergessen und loslassen.

Unsere Großeltern verabschiedeten sich als Erste. Sie schliefen bei mir und John zu Hause, da wir beide die heutige Nacht an einem anderen Ort verbringen würden. Die übrigen Gäste – natürlich abgesehen von denen, die hier wohnten – würden in einem Hotel übernachten. Manche hatten einen weiten Weg auf sich genommen, um bei unserer Trauung dabei zu sein. Gegen drei Uhr nachts waren bis auf unsere Eltern, Ben und Larissa alle gegangen. Jeder hatte versichert, dass ihm die Feier sehr gefallen habe und es schön gewesen sei, uns wiederzusehen.

„Wir werden nun auch gehen“, verkündete Mama. „Eure Hochzeit war traumhaft.“

„Wir sind sehr stolz auf dich, Diana“, sagte Papa zu mir, bevor er sich John zuwandte. „Und auch darauf, dass du einen solch tollen Mann hast.“ Lächelnd schloss ich meinen Vater in die Arme, soweit es mir mein Bauch erlaubte. Er grinste, als er das Problem bemerkte. „Und darauf sind wir natürlich auch stolz. Wir freuen uns, Großeltern zu werden.“

„Danke“, meinte ich gerührt. Es tat gut zu wissen, dass meine Eltern meine Entscheidung endlich akzeptierten.

Nun umarmte mich Mama. „Habt noch einen schönen Abend.“

„Danke.“ Mein Herz schlug schneller, als ich daran dachte, dass nun meine Hochzeitsnacht bevorstand.

Sie verabschiedeten sich von John und den übrigen Anwesenden und verließen das Lokal.

„Macht es gut, ihr beiden“, verabschiedete sich nun Johns Mutter.

Ich runzelte die Stirn. „Kommst du nicht mit uns?“ Ich dachte eigentlich, Ben würde uns alle chauffieren und John und mich absetzen.

Monika lächelte. „Nein, wir fahren getrennt.“

Das verwirrte mich noch mehr. „Wie, getrennt? Wir sind doch mit einem Auto gekommen.“

„Und mit einem werden wir auch wieder fahren.“ Meine Schwiegermutter sprach in Rätseln. Verstand ich etwas falsch oder erlaubte sie sich einen Spaß?

„Wir werden jetzt gehen“, unterbrach Ben unseren merkwürdigen Wortwechsel.

„Mach dir keine Sorgen, Diana. Das geht schon klar“, beruhigte mich Larissa. „Viel Spaß.“

Ich warf John einen irritierten Blick zu. „Laufen wir?“

„Nein“, antwortete er geheimnisvoll.

Grinsend wandten die drei offensichtlich in den Plan Eingeweihten uns den Rücken zu und verschwanden durch die Tür.

John lachte. „Guck doch nicht so ängstlich.“

Nun wurde ich wütend. Machte er sich etwa über mich lustig? „Kannst du mir bitte verraten, wie wir keine Ahnung wohin kommen? Nehmen wir ein Taxi? Oder fliegst du mit mir auf eine einsame Insel?“

Meine Ratlosigkeit schien ihn zu amüsieren. „Komm mit.“

Wir traten hinaus in die Kälte. Überraschenderweise stand da noch ein Auto auf dem Parkplatz.

„Gehört das zu uns?“ Staunend sah ich meinen Mann an.

„Es gehört mir“, verkündete John stolz.

„Du hast den Führerschein noch mal gemacht?“, fragte ich ungläubig.

„Ja“, war seine schlichte Antwort.

Nun begann ich zu strahlen und küsste ihn glücklich. „Du bist unglaublich“, schrie ich. „Das ist super!“

„Dann steig schnell ein. Es ist kalt.“ Nachdem John das Auto aufgeschlossen hatte, hievte er sich auf den Fahrersitz und verstaute seinen Rollstuhl neben sich.

Als ich ebenfalls eingestiegen war, beobachtete ich ihn. Per Knopfdruck startete er den Motor, gab mit einem Hebel Gas und lenkte mit einem Joystick. Die verschneiten Straßen sahen im Glanz des Mondes traumhaft aus.

„Ich bin gespannt, wo wir diese Nacht schlafen werden.“ John grinste nur geheimnisvoll, denn er hatte es mir vorher nicht verraten. „Wir fahren doch nicht weit weg, oder?“, fragte ich erschrocken.

„Nein.“ Seine leise, aber dennoch kräftige Stimme beruhigte mich. „Wir bleiben in Travemünde.“

Schon nach wenigen Minuten kam das Auto zum Stehen. Aufgeregt schaute ich mich um, konnte aber kaum etwas erkennen, weil es so dunkel war und sich in der Nähe keine Straßenlaterne befand. Schließlich stiegen wir aus.

„Komm mit", forderte John mich auf.

„Was ist mit unseren Taschen?" Ich hatte erwartet, er würde den Kofferraum öffnen, um sie herauszuholen.

„Schon drin", antwortete er.

Ich zog die Augenbrauen hoch. „Okay." Damit hatte ich nicht gerechnet. Wenn sogar unsere Taschen schon in unserer Bleibe waren, was würde mich dann wohl „drin" erwarten? Ich hielt es vor Spannung kaum aus. Vielleicht sollte ich nicht zu viel erwarten. Eigentlich wollte ich doch gar nicht in einer Luxusvilla übernachten, das wäre zu viel des Guten gewesen. Aber ich spürte, dass wir nicht einfach irgendwo schlafen würden, sondern dass er eine Überraschung für mich vorbereitete hatte.

Als wir alleine im Dunkeln standen, zauberte mir die Vorfreude ein Lächeln ins Gesicht. John spürte es.

„Komm mit", wiederholte er.

Leider konnte ich seine Hand nicht nehmen, weil er beide brauchte, um sich fortzubewegen. Ich hatte Angst, dass es auf dem Weg zu unserer Unterkunft überhaupt keine Beleuchtung mehr gäbe, doch als wir um eine Ecke bogen, erspähte ich in der Ferne einen kleinen Bungalow. Neben der Tür befanden sich zwei Leuchter. Erst als ich versehentlich von dem gepflasterten Weg abkam und den Sand unter meinen Füßen spürte, bemerkte ich, dass wir am Strand waren. Mein Lächeln wurde breiter. Das Rauschen der Wellen war verstummt, weil der Wind ruhig und die Nacht kalt war. Schneeflocken berührten immer wieder meine Haut und blieben in meinen Haaren hängen.

„Es ist gar nicht so schlecht, im Winter zu heiraten." Seine Stimme durchbrach die Stille.

„Ja. Der Schnee sieht romantisch aus." Meine Stimme klang heller als sonst.

Nach wenigen Metern kamen wir vor der Tür des Bungalows zum Stehen. Die Wände des kleinen Gebäudes bestanden aus Backsteinen, die unterschiedliche Farben hatten. Die meisten waren gelb und braun. Das Dach war aus roten Ziegeln gefertigt worden.

John schloss die Tür auf, die von einem Rosenkranz geschmückt wurde. Als ich eintreten wollte, hielt er mich sanft zurück und zog mich auf seinen Schoß, um mich auf diese Weise über die Türschwelle zu befördern. Bevor ich wieder aufstand, küsste ich ihn liebevoll. Er schloss die Tür und führte mich durch einen kleinen Flur. Die Wände bestanden aus ähnlichen Farbtönen wie die Außenmauer des Hauses. Auf dem warmen Laminatboden befand sich ein weißes langes Tuch, auf dem Rosenblätter verstreut worden waren, genauso wie auf dem Weg zum Altar. Das Tuch endete vor einem Haufen aus weißen Kissen, Decken und Matratzen auf dem Boden eines gemütlichen Zimmers. Überall waren Kerzen und Rosen aufgestellt worden, sowohl auf den Tischen und Fensterbänken als auch auf dem Boden. Vor diesem einladenden Schlafgemach thronte ein Kamin, in dem ein Feuer prasselte.

Ich wusste nicht, ob meine Handflächen wegen der Hitze feucht wurden oder ob es an meiner Nervosität lag. Mein Herz raste und Tränen stiegen in meine Augen.

„Es ist wunderschön“, brachte ich hervor.

Eigentlich war schon bei der Planung unserer Hochzeit klar gewesen, warum wir so oft wie möglich an diesem Tag rote Rosen einbringen wollten: John hatte sie überall in seinem Zimmer verteilt, als wir das erste Mal miteinander geschlafen hatten, und mir eine von ihnen geschenkt, die sich noch immer eingerahmt und getrocknet in meinem Zimmer befand. Er hatte mir einen Strauß davon wie jedes Jahr, seitdem wir uns kannten, zum Geburtstag geschenkt. Die roten Rosen waren ein Symbol für die Liebe – für unsere Liebe. Aber ich hatte nicht gedacht, dass er sie auch hier ins Spiel bringen würde. Deshalb freute ich mich umso mehr. Rote Rosen waren in meinem Gedächtnis stets mit einem wunderbaren und unvergesslichen Erlebnis verbunden und ich hoffte, das möge auf ewig so bleiben. Doch ich war mir dessen sicher, unser erstes Mal war unglaublich gewesen und unsere Hochzeitsnacht würde es ebenfalls sein.

Bei diesem Gedanken spielten meine Gefühle endgültig verrückt und ich begann, John verlangend zu küssen. Dabei zog ich ihn mit dem Rollstuhl vor den Kamin zu dem Paradies aus unzähligen Decken und Kissen. Nachdem ich ihm geholfen hatte, es sich dort bequem zu machen, presste ich wieder sehnsüchtig meine Lippen auf die seinen. Wir hatten uns heute zwar schon so oft geküsst, doch dabei hatten wir uns stets zurückgehalten. Es war ein anderes, viel intensiveres Gefühl, wenn man unbeobachtet war. Der Stoff der Decken fühlte sich weich an und duftete blumig. John zog den Reißverschluss meines Kleides hinunter und ich begann damit, sein Hemd aufzuknöpfen. Schließlich spürten wir nur noch unsere heiße, feuchte Haut. Mein Herz schlug so schnell, dass es beinahe schmerzte, und seines raste ebenfalls, sodass ich es deutlich hören konnte. Bis auf das Knacken des Kaminfeuers und unseren schnellen Atem, der in kurzen, flachen Stößen ging, nahmen wir nichts um uns herum wahr.

Zuerst küsste ich ihn auf seine geschlossenen Augen, dann wanderte ich mit meinen Lippen zu den seinen und liebkoste ihn schließlich an Hals und Schulter, während ich seinen kräftigen Oberkörper streichelte. Mein Ziel war es, ihn dort zu berühren, wo er es intensiv spüren konnte. Er fuhr mit seinen Fingern durch mein langes Haar, in dem sich noch immer die roten Bänder befanden, drückte seine Lippen auf die meinen und streichelte meinen Bauch sowie die Innenseiten meiner Oberschenkel. Da stieg eine heiße Flut in meinem Körper hoch. Sie war so stark, dass sie mich zum Aufschreien brachte.

Doch das reichte mir nicht, denn ich wollte, dass wir beide es spüren konnten, obwohl ich wusste, dass das beinahe unmöglich war. Also schnappte ich nach Luft und berührte weiter seine Lippen, seine Haut, sein Haar. Millionen Schmetterlinge flatterten von meinem Bauch aus durch meinen ganzen Körper und ließen mich wohlig aufstöhnen. Ich war eine Boje im Meer bei Sturm, ließ mich treiben von der Kraft der Wellen – unserer Liebe.

Mein Herz setzte einen Schlag aus, als ich uns tatsächlich vereinen konnte. Ich lächelte und küsste ihn fassungslos. Das war das erste Mal seit dem Unfall, dass es funktionierte.

John legte eine Hand an meinen runden Bauch, der uns ein bisschen im Weg war, und liebkoste abermals meine Lippen, während ich vor Glück, Freude und Gefühlen zu sterben schien, denn schneller konnte mein Herz nicht rasen.

Der neunte Monat

„Weiter so!“, schrie ich. „Du schaffst das.“ Wenige Sekunden später sprang ich, so schnell es mein runder, schwerer Bauch mir erlaubte, jubelnd auf. „Super!“, kreischte ich.

Johns Mutter, die neben mir saß, lobte ihren Sohn ebenfalls lautstark. Er lächelte kurz zu uns herauf, dann widmete er sich wieder seiner Aufgabe. Versonnen betrachtete ich die Muskeln an seinen Oberarmen, die wegen des ärmellosen Shirts gut zu sehen waren. Trotz der Einschränkungen in seiner Beweglichkeit achtete er darauf, sich fit zu halten. Er machte Liegestütze oder Klimmzüge, sobald sein Bruder ihn an eine passende Trainingsstange gehängt hatte.

„Ich bin so stolz auf ihn“, sagte Monika. „Ich bin dir dankbar dafür, dass du auf diese Idee gekommen bist. Und seit du mit ihm schwimmen warst, macht er das sogar öfter.“ Sie nahm ihren Blick vom Spielfeld, um mir direkt in die Augen zu sehen. „Du unterstützt ihn besser, als ich es jemals könnte, und das von Anfang an. Ohne dich würde ich vielleicht niemals ein Enkelkind von ihm bekommen. Ich könnte mir keine bessere Freundin ... Frau für ihn vorstellen.“

Ich war gerührt. Für sie schien der Ausdruck *Frau und Mann* noch ungewohnt zu sein, doch schon in einem Monat würde sie uns außerdem *Mutter und Vater* nennen können. „Danke. Aber zweifele bitte nicht an deinen Fähigkeiten. Du bist schließlich immer für ihn da und erfüllst deine Aufgabe als Mutter sehr gut.“

Sie lächelte. „Danke, Diana. Ich wüsste nicht, was wir ohne dich machen würden.“

„Denk nicht darüber nach. Ich bin hier und ich werde nicht gehen“, versprach ich. „Und außerdem bin ich ebenso froh, dass ihr bei mir seid.“

Doch ich erkannte an ihrem Blick, dass sie dasselbe dachte wie John. Sie glaubte, dass es möglicherweise besser für mich gewesen wäre, Familie Hoffmann nicht zu treffen. Ich hätte den Unfall und seine Folgen nicht miterleben, mich nicht sorgen und trauern müssen. Aber wir sind nicht dazu bestimmt, ständig glücklich zu sein, das ist unmöglich.

Selbst wenn ich jemand anderen kennengelernt hätte, hätte ich auch mit ihm in absehbarer Zeit ein Unglück erfahren. Mit jedem Menschen macht man positive und negative Erfahrungen. Ich glaube, das ist normal und gehört zum Leben dazu. Vielleicht passieren solche Dinge, weil sie uns auf die Zukunft vorbereiten. Schließlich hört man häufig, dass uns das, was uns nicht umbringt, stärker macht. Durch den Verlust haben wir nicht nur Schmerz empfunden, sondern gleichzeitig Kraft aus ihm geschöpft. Aber auch diese Begründung war nicht ausreichend, um zu rechtfertigen, dass John seine Beine und seinen Vater verloren hatte. Mir war klar, dass diese Frage zeit unseres Lebens unbeantwortet bleiben würde, denn niemand konnte für eine derartige Ungerechtigkeit eine sinnvolle Erklärung finden.

Als das Spiel zu Ende war, bat John mich mit einer Handbewegung, zu ihm zu kommen.

„Ich warte im Wagen auf euch." Mit diesen Worten verließ seine Mutter die Turnhalle.

Etwas unsicher betrat ich die Spielfläche und näherte mich John, der in einer Runde mit sechs weiteren Männern verschiedenen Alters auf mich wartete. Sie waren schätzungsweise zwischen zwanzig und vierzig Jahre alt.

Obwohl sie so unterschiedlich waren, hatten sie vieles gemeinsam: Sie saßen alle im Rollstuhl. Und zwar in einer Spezialanfertigung mit breiteren Rädern, die schräg angewinkelt angebracht waren, um damit schneller und sicherer voranzukommen. Außerdem trugen die Männer das gleiche T-Shirt: ein Basketballtrikot ihrer Mannschaft. Einige der Mitglieder trugen Bandagen oder Schienen um die Handgelenke oder Arme, da sie gleichfalls bei der Bewegung dieser Körperteile eingeschränkt waren. Einer der Jungen hatte den Basketball auf seinem Schoß abgelegt.

„Meine Mannschaft will dich kennenlernen", erklärte John, als ich bei ihnen angelangt war. „Das ist meine Frau Diana."

Ich lächelte in die Runde, während er sie mir der Reihe nach vorstellte. Obwohl er mir schon zuvor von ihnen erzählt hatte, bereitete es mir Schwierigkeiten, mir die Namen auf Anhieb zu merken. Sie waren alle sehr nett zu mir und gaben mir zur Begrüßung die Hand.

„Deine Frau?“, fragte eines der Teammitglieder. „Ihr habt also geheiratet?“

„Ja“, antwortete John. „Vor drei Wochen.“

„Und ein Kind erwartet ihr auch?“, fragte ein älterer Mann.

„Diana ist vor dem Unfall schwanger geworden. Wir haben es aufgrund unserer Situation behalten, obwohl wir noch so jung sind“, erklärte John. Die Spieler warfen sich Blicke zu, denn sie wussten nur zu gut, was das bedeutete.

„Da habt ihr wirklich Glück“, meinte derjenige, der die Frage nach meiner Schwangerschaft gestellt hatte. „Meine Frau und ich haben zwei Kinder adoptiert. Ihr habt auf jeden Fall die richtige Entscheidung getroffen.“

„Und mit der Wahl deiner Frau liegst du ebenfalls goldrichtig“, fügte jemand hinzu. „Sie ist wunderbar.“

Offensichtlich meinte er das ernst, was mich zum Erröten brachte. „Danke“, murmelte ich schüchtern.

„Wir haben gleich einen Termin beim Frauenarzt, dann bekommen wir ein neues Ultraschallbild“, sagte John.

Ich nickte. „Das letzte.“

„Wann ist es denn so weit?“, fragte ein anderer Spieler interessiert.

„Ungefähr in der ersten Maiwoche“, verkündete ich. „Also in etwa acht Wochen. Es wird ein Junge.“

„Wirst du dann immer noch herkommen und mitspielen? Oder hast du nach der Geburt keine Zeit mehr, weil du dich um deinen Sohn kümmern musst?“, fragte der ältere Mann.

„Natürlich werde ich kommen. Vielleicht schaut Diana dann mit dem Kleinen zu“, antwortete John.

„Ihr habt übrigens super gespielt“, lobte ich die Mannschaft.

„Dein Schrei, als John den entscheidenden Korb geworfen hat, war nicht zu überhören“, neckte mich einer der Männer.

„Es war ja auch ein wirklich guter Korb“, entgegnete ich frech. „Aber nein, ihr habt tatsächlich alle sehr gut gespielt.“

„Vielen Dank, aber jetzt wollen wir euch nicht länger aufhalten, nicht dass ihr noch zu spät zum Arzt kommt“, meinte der ältere Mann.

John warf einen Blick auf die Uhr, die an der Wand der Turnhalle hing. „Das werden wir nicht. Wir haben noch Zeit.“ Er wandte sich an mich: „Ich ziehe mich um, wartest du draußen?“

Wenige Minuten später stiegen wir ins Auto. Um wieder nach Travemünde zu gelangen, brauchten wir zwar fast eine Stunde, aber es war den Zeitaufwand wert. Schließlich gab es nur wenige Sportvereine für Rollstuhlfahrer in der Gegend. John spielte seit einem Monat jeden Freitag hier Basketball. Ich war heute das erste Mal mitgekommen, denn er wollte erst ein bisschen üben, bevor ich zusah. Dies war sein erstes Spiel gewesen, denn in den vergangenen Wochen hatte er nur gelernt, das Fangen und Werfen mit dem Lenken seines Rollstuhles zu kombinieren. Obwohl ich diese Erfahrung selbst nie gemacht habe, klingt das für mich sehr schwierig.

Die Spieler waren vermutlich deshalb alle unterschiedlich alt, weil es nicht viele Menschen gab, die diesem Verein beitraten. Bei manchen Querschnittsgelähmten waren die Beeinträchtigungen auch so schlimm, dass sie überhaupt keinen Sport treiben konnten. Eigentlich sollte man froh sein, dass Johns Lähmung „nur" seine Beine betraf. Die Verletzung hätte weitaus schlimmer sein können, als sie ohnehin schon war. Ein paar Zentimeter hatten nur gefehlt und er hätte auch die Arme nicht mehr bewegen können.

Doch glücklicherweise konnten wir immer noch hoffen, denn Johns Knochenmark war nicht vollständig durchtrennt worden, weswegen sich sein Zustand eventuell irgendwann bessern würde. Ich zweifelte nicht daran, denn durch unser Baby hatte ich angefangen, an Wunder zu glauben. Dass John seinen Zeh bewegen konnte und wieder etwas Gefühl in den Beinen hatte, war schon ein kleines Wunder und schürte die Hoffnung auf größere Fortschritte.

Als wir die Praxis der Frauenärztin betraten, lag meine Hand wie so oft an meinem Bauch. Besonders seitdem ich die Bewegungen des Babys deutlich spüren konnte, nahm ich sie kaum weg. Meistens benutzte ich dafür die linke Hand, weil ich die rechte zum Essen und in der Schule zum Schreiben brauchte. Ich liebte unseren Kleinen so sehr, dass ich ihn ständig spüren wollte.

Auch in den ersten Schwangerschaftswochen hatte ich meinen Bauch schon gestreichelt, obwohl noch keine Anzeichen eines Babys wahrzunehmen gewesen waren. Mama hatte mich damals ziemlich schräg angesehen, weil sie meinte, dass das die meisten Frauen erst ab dem fünften Monat machten, wenn der Bauch zu wachsen begänne und man die Bewegungen des Babys spürte. Doch ich war eben nicht wie andere, das wusste ich schon lange. Auf keinen Fall würde ich mich jemals als normal bezeichnen.

Ich dachte an den Tag zurück, als Ben mir bei einem Telefonat mitgeteilt hatte, dass ich geistig schon um die zwanzig sei. Damit hatte er wohl recht. Schließlich erwartete ich ein Kind und war verheiratet.

Mit dreizehn Jahren war ich das erste Mal verliebt gewesen, und zwar sofort in den Richtigen. Deshalb musste John älter sein. Vielleicht waren wir aber auch jünger und unreifer in unserem Denken und Handeln und hatten deswegen diese Entscheidung getroffen. Möglicherweise war sie falsch, weil es selten vorkam, dass Jugendliche in unserem Alter schon heirateten und ein Kind erwarteten.

Doch ich war davon überzeugt, dass jede einzelne Entscheidung, die wir getroffen hatten, hundertprozentig richtig war.

Als wir aufgerufen wurden, betraten wir das Sprechzimmer der Frauenärztin. Ich bedauerte es, dass dies unser letzter Besuch sein würde. Eigentlich konnte ich es kaum erwarten, das Baby endlich kennenzulernen, aber die Schwangerschaft ging viel zu schnell vorüber. Ich fand es unfair, dass ich nur dieses eine Mal ein Baby in mir würde tragen können. Aber ich hatte diese Zeit zusammen mit John in vollen Zügen genossen und noch war sie ja nicht vorbei. Mir blieben immerhin ein paar Wochen.

„Hallo, ihr beiden“, begrüßte uns die Frauenärztin. „Wie geht es dir, Diana?“

„Eigentlich ganz gut. Ich bin nur häufig müde und fühle mich schlapp. Vermutlich macht mir das Gewicht des Kleinen allmählich zu schaffen.“

„Das ist ganz normal. Du solltest dich tagsüber öfter hinlegen und darauf achten, genügend zu essen. Das Baby nimmt sich, was es braucht, aber es muss genug für dich übrig bleiben. In ungefähr drei Wochen wirst du zum ersten Mal das Zusammenziehen der Gebärmutter, die vorgeburtlichen Wehen, spüren können. Du musst ruhig bleiben, wenn das passiert, denn es heißt nicht, dass das Kind auf die Welt kommen wird. Wenn die Schmerzen jedoch länger anhalten sollten, musst du dich in ein Krankenhaus begeben.“

Ich nickte.

„Aber nun wollen wir uns den Kleinen ein letztes Mal ansehen.“ Wir folgten ihr in den Ultraschallraum. „Wir werden wieder eine 3-D-Aufnahme machen."

Ich legte mich auf die Liege und machte meinen Bauch frei. Nun war ich gezwungen, meine Hand wegzunehmen. John kam zu mir, um sie zu halten. Tränen traten in meine Augen und ein Lächeln umspielte meine Lippen, als wir das Gesicht unseres Babys sahen. Es bewegte seine Händchen, als würde es uns zuwinken. Seine Augen, seine Nase, seine Lippen, seine Ohren und überhaupt seine Gesichtszüge waren deutlich zu erkennen.

Die Frauenärztin zog einen Strich mit der Maus auf dem Monitor des Ultraschallgerätes, um die Größe des Kleinen zu bestimmen. „Der Fötus ist jetzt dreiundvierzig Zentimeter groß und wiegt über zwei Kilo. Sein Kopfdurchmesser beträgt schon über acht Zentimeter. Es wird nicht mehr lange dauern, bis er sich in Geburtslage dreht und sich mit dem Kopf in Richtung Becken bewegt." Sie notierte etwas in meinen Mutterpass. „Wenn das Kind ab der siebenunddreißigsten Woche zur Welt kommen würde, gäbe es keine Komplikationen. Aber das wird bei dir eher nicht der Fall sein, weil wir davon ausgehen, dass es später geboren wird."

Mit ein paar Knopfdrücken hielt sie einige Bilder fest und druckte sie aus. „Ich wünsche euch alles Gute", verabschiedete sich die Ärztin von uns.

„Vielen Dank für alles", sagte ich aufrichtig und reichte ihr die Hand.

Es war seltsam, dieses Mal keinen neuen Termin zu erhalten. Ich konnte selbst noch nicht glauben, dass ich in wenigen Wochen ein Kind zur Welt bringen würde.

Vor der Praxis legte John einen Arm um meine Taille und drückte mich zärtlich an sich.

Drei Wochen später in der Schule spürte ich es zum ersten Mal. Es war mein letzter Schultag, bevor ich bis zur Geburt zu Hause bleiben würde. Wir hatten Erdkundeunterricht bei Herrn Jacobsen und hörten ihm aufmerksam zu, während wir die Nasen in unsere Bücher steckten. Plötzlich fuhr ein Schmerz durch meinen Unterleib. Ich zuckte kaum merklich zusammen und begann, meinen Bauch zu streicheln. Mein Herz stolperte, weil ich mich so erschreckt hatte. Hoffentlich würde es nicht schlimmer werden. Doch wenige Sekunden später wurde der Schmerz intensiver und ich krallte die Hand, die auf dem Tisch lag, am Buchdeckel fest. Nun merkten auch meine Freundinnen, dass etwas nicht stimmte. „Alles okay?", flüsterte Nadine. Sie saß mit Verena neben mir, Florian war weiter hinten.

Ich wurde noch aufgeregter, als ich die Blicke der anderen Schüler und Schülerinnen bemerkte, die auf mich aufmerksam geworden waren. Doch gerade als ich Nadine antworten wollte, schoss wieder ein Schmerz durch meinen Bauch und zog sogar bis hinunter in die Beine. Nun war das Stechen so heftig, dass ich aufstöhnte und mir auf die Unterlippe biss, um nicht zu schreien. Jetzt schauten wirklich ausnahmslos alle zu uns her und tuschelten.

Für einen kurzen Moment schloss ich die Augen, um tief durchzuatmen. Als ich sie wieder öffnete, blickte ich in das panische Gesicht unseres Lehrers, der zu unserem Tisch geeilt war. Meine Mitschüler umringten uns, sie waren von ihren Plätzen aufgesprungen.

„Setzt euch bitte wieder", bat Herr Jacobsen. „Diana, geht es dir gut?" Ich schnappte nach Luft und schrie auf, als mich der Schmerz erneut übermannte.

„Ich glaube, sie hat Vorwehen", meinte Verena.

„Bekommt sie etwa schon das Kind?", presste der Lehrer überfordert hervor.

„Glaube ich nicht. Es sind noch über drei Wochen Zeit bis zur Geburt, außerdem soll es ohnehin sogar etwas später kommen", rettete mich Nadine. Herr Jacobsen hätte bestimmt sofort einen Krankenwagen gerufen.

„Wollt ihr ins Krankenzimmer gehen? Dann kann sie sich ein paar Minuten hinlegen." Dort waren wir in den letzten Wochen öfter gewesen, weil mich das lange Sitzen belastete.

„Kannst du aufstehen?", fragte Verena.

Ich schüttelte den Kopf, weil ich nicht antworten konnte. Zuerst musste ich meinen Atem wieder unter Kontrolle bringen. Nachdem ich den Schmerz ein weiteres Mal gespürt hatte, verflog er langsam. „Es geht schon", keuchte ich. „Es wird wieder besser."

„Möchtest du dich trotzdem einen Augenblick ausruhen?", fragte der Lehrer. Ich nickte.

„Soll ich John holen?", bot Florian an. Ich nickte ihm zu.

Nadine und Verena begleiteten mich ins Krankenzimmer, in dem eine Liege stand. Ich war etwas wacklig auf den Beinen und froh, dass ich mich hinlegen konnte.

„Du hast uns wirklich erschreckt, Diana", meinte Verena.

Sie mussten sich so ähnlich gefühlt haben wie ich mich in der Nacht, als John unter Phantomschmerzen gelitten hatte. Ich erinnerte mich nicht gerne daran, weil ich es nicht ertragen konnte, wenn es ihm schlecht ging. Doch ich versuchte, diesen Gedanken zu verdrängen, damit er nicht die Chance hatte, es sich in meinem Kopf gemütlich machen.

„Tut mir leid", sagte ich. „Ich habe versucht, nicht zu schreien, aber dann wurde es immer schlimmer."

„Ist es normal, dass das jetzt schon passiert?", fragte Nadine.

„Ja", antwortete ich. „Das kann jetzt öfter vorkommen."

„Ist das schon mal passiert?", wollte Verena wissen.

„Nein. Heute zum ersten Mal."

Da kamen Florian und John herein. Mein Mann sah besorgt aus und rollte schnell zu mir, um nach meiner Hand zu greifen. „Geht's dir gut?"

„Ja. Die Schmerzen sind wieder weg", beruhigte ich ihn. „Wollt ihr wieder zum Unterricht?", fragte ich die anderen.

„Von wollen kann keine Rede sein." Florian grinste.

„Aber wir gehen trotzdem, sonst bekommen wir noch Ärger", meinte Nadine.

„Okay. Bis später", sagte ich. „Und danke."

Sie verstanden zunächst nicht, was ich meinte, doch dann antwortete Verena: „Keine Ursache."

Als die drei den Raum verlassen hatten, stellte John fest: „Wir werden wohl nicht mehr lange auf den Kleinen warten müssen."

„Das waren also meine ersten Wehen." Peinlich berührt schlug ich mir die Hand vors Gesicht. „Wie unangenehm, dass das vor der ganzen Klasse passiert ist."

„Das muss dir doch nicht peinlich sein. Du solltest stolz sein, weil du bald ein Kind bekommen wirst. Und es ist doch normal, dass so etwas in der Öffentlichkeit passieren kann." Er streichelte mit dem Daumen meine Hand, so wie ich es damals immer bei ihm getan hatte, als er im Krankenhaus gelegen und geschlafen hatte. Vermutlich war ihm nicht bewusst, dass er dasselbe gerade bei mir machte, oder sein Unterbewusstsein hatte diese Berührung während des Komas gespeichert. „Aber du hättest auf mich hören und schon eher in den Mutterschutz gehen sollen, wie es in der Regel gehandhabt wird."

Ich seufzte. „Ich wusste, dass du das sagen würdest. Aber ich will nicht so viel Stoff verpassen und außerdem würde ich zu Hause nur herumsitzen und Hausaufgaben machen, um mich auf dem Laufenden zu halten. Vielleicht ist es unsinnig, nach den Osterferien noch eine Woche zur Schule zu gehen, bevor ich endgültig zu Hause bleibe. Aber trotzdem ... du kennst meine Gründe, warum ich es so gemacht habe."

„Das verstehe ich ja. Na ja, heute ist sowieso dein letzter Schultag. Vielleicht sollte das ein Zeichen des Kleinen sein, dass er mehr Ruhe will."

Ich nickte. „Das denke ich auch."

„Willst du in der Pause drin bleiben?", fragte er.

„Nein. Frische Luft wird uns beiden guttun." Ich streichelte meinen Bauch.

Wenig später standen wir auf dem Schulhof und unterhielten uns mit unseren Freunden. Es war bereits Ende März und die Sonne tauchte ab und an hinter den Wolken auf.

„Was war denn los?" Tobias war aufgeregt. „Warum hat Florian dich aus dem Unterricht geholt?", fragte er an John gewandt.

„Diana hatte Vorwehen."

Tobias warf mir einen Blick zu. „Echt?"

„Ja, aber das ist normal", versicherte ich. „John ist mit mir im Krankenzimmer geblieben und hat Nadine und Verena abgelöst."

„Aber in den nächsten drei Wochen kannst du dich ausruhen", meinte Florian.

„Während wir weiterhin zur Schule gehen müssen", fügte Tobias neidisch hinzu.

„Das muss nicht sein, dass ich mich ausruhen kann", erwiderte ich. „Theoretisch könnte das Baby jeden Moment kommen. Ihr müsst zwar zur Schule gehen, aber ich muss ein Kind zur Welt bringen. Und ich glaube, das ist ein bisschen anstrengender."

„Ich weiß gar nicht, warum ihr euch beschwert. Wir hatten doch erst zwei Wochen Osterferien", warf Nadine ein.

„Weil wir nie Lust auf Schule haben", erklärte Tobias grinsend.

„Wie lange bleibst du denn nach der Geburt zu Hause?“, fragte Verena.

Ich zuckte die Schultern. „Eigentlich stehen mir acht bis zwölf Wochen zu so wie berufstätigen Frauen, aber wenn ich wirklich so lange nicht zur Schule komme, wird es schwierig, alles nachzuholen. Natürlich ist mir der Kleine wichtig, aber ob ich nicht viel Zeit für ihn habe, weil ich in der Schule bin oder zu Hause an meinem Schreibtisch sitze, ist doch eigentlich dasselbe. Normalerweise hätte ich schon vor drei Wochen in den Mutterschutz gehen können.“

„Ruf uns sofort an, wenn das Baby da ist“, befahl Nadine.

Ich lachte. „Sobald ich das wieder kann.“

„Das werde ich tun“, versprach John. „Aber erst wenn Diana meine Hand nicht mehr braucht.“

Nachdem unsere Klassenlehrerin und meine Mitschüler sich in der letzten Stunde von mir verabschiedet und mir alles Gute gewünscht hatten, waren John und ich nach Hause gefahren und lagen nun bei ihm im Garten mit einer Decke auf der Wiese. Ich versuchte so oft wie möglich, John von seinem Rollstuhl zu trennen. Ich hoffte, dass es ihm auf diese Weise leichter fallen würde, mit der Lähmung umzugehen. Ich spürte, dass er immer noch nicht seinen Frieden damit geschlossen hatte. Er konnte sich nicht daran gewöhnen, seine untere Körperhälfte nicht ganz spüren zu können. Das machte mich traurig. Aber wir hofften weiter, denn vielleicht würde er bald nicht nur den Zeh, sondern den ganzen Fuß bewegen können. Vielleicht würde in ein paar Jahren ein Medikament gegen Querschnittslähmung entwickelt werden, doch natürlich war das sehr unwahrscheinlich. Die Sonne schien, aber dennoch war es nicht besonders warm. Johns Mutter hatte am Rand der Wiese schon einige Blumen angepflanzt.

John hatte einen Arm um mich gelegt und streichelte meinen Bauch.

„Und wir bleiben bei dem Namen, über den wir gesprochen hatten?“, fragte er.

„Wenn du willst, ja.“ Ich stockte. „Du bist dir nicht sicher. Vielleicht ist es keine gute Idee, diesen Namen zu wählen, wenn du nicht zu hundert Prozent dahinterstehst.“

„Ich weiß nicht, warum ich zögere“, gestand er.

„Weil die Trauer überwiegt, um dich für etwas Neues zu öffnen“, vermutete ich.

„Vermutlich hast du recht, aber der Name ist der einzig richtige für unseren Sohn. Ich glaube nämlich, ich habe einen Grund gefunden, warum du in diesem Moment schwanger geworden bist." Er machte eine Pause, bevor er weitersprach. Ich war gespannt, was er sagen würde. „Mein Vater hatte seine Aufgabe als Mensch auf der Erde erfüllt. Als er starb, kam er in den Himmel und wurde zu einem Engel. Gleichzeitig ist er als Engel zurück auf die Erde in deinen Bauch gekommen. Und in ein paar Wochen wird er wiedergeboren, um uns zu unterstützen. Das hat er immer getan."

Ich lächelte. „Das ist wirklich eine schöne Begründung, aber das Baby war schon zwei Wochen vor seinem Tod da."

„Meinst du wirklich?" Ich runzelte die Stirn. „Vielleicht liegt darin die Erklärung, warum der Unterschied zwischen dem errechneten und dem anhand der Kopfgröße gemessenen Geburtstermin so groß ist. Es sind zwei Wochen." Nun raste mein Herz. Er hatte recht. „Vielleicht ist das Baby erst an dem Tag von Papas Tod zu dir gekommen. Für einen Engel ist das kein Hindernis."

„Es passt alles", gab ich John recht. „Diese Theorie klingt völlig verrückt, aber sie könnte stimmen." Dann fiel mir ein weiterer Beweis ein. „Weißt du noch, dass deine Mutter bei der Ultraschalluntersuchung gesagt hat, dass das Baby die Gesichtszüge deines Vaters hat?"

„Ja, das habe ich mir auch gemerkt", bestätigte John.

„Der Kleine hat also schon jetzt Eigenschaften von ihm", murmelte ich.

„Auch von dir wird er viele haben, weil du ein Engel bist wie unser Baby." John nahm meinen Kopf in seine Hände, um mich zärtlich zu küssen. „Du hast mich gerettet."

„Und der Kleine hat mich gerettet." Ohne ihn hätte ich diese schwere Zeit nicht überstehen können, das war mir schon lange klar.

„Das Baby ist ein Geschenk." Mit diesen Worten nahm er mir die beiden Bänder vom Handgelenk, die ich bei der Hochzeit in meinen Haaren getragen hatte. Ich hatte sie geflochten und trug sie seit diesem Tag als Armband. Neugierig beobachtete ich, wie er sie zu einem langen Band zusammenknotete und meinen Bauch frei machte, um es darum zu binden, sodass es wie die Schleife eines Geschenkes aussah. „Das sollten wir festhalten." John nahm die Kamera, die neben uns lag, richtete sie auf meinen Bauch und drückte auf den Auslöser.

Epilog

„Da ging er noch weiter und alles war so still, dass er seinen Atem hören konnte, und endlich kam er zu dem Turm und öffnete die Türe zu der kleinen Stube, in welcher Dornröschen schlief. Da lag es und war so schön, dass er die Augen nicht abwenden konnte, und er bückte sich und gab ihm einen Kuss. Wie er es mit dem Kuss berührt hatte, schlug Dornröschen die Augen auf, erwachte und blickte ihn ganz freundlich an. Da gingen sie zusammen hinab, und er König erwachte und die Königin und der ganze Hofstaat und alle sahen einander mit großen Augen an. Und die Pferde im Hof standen auf und rüttelten sich, die Jagdhunde sprangen auf und wedelten, die Tauben auf dem Dach zogen die Köpfchen unterm Flügel hervor, sahen umher und flogen ins Feld, die Fliegen an den Wänden krochen weiter, das Feuer in der Küche erhob sich, flackerte und kochte das Essen, der Braten fing wieder an zu brutzeln, und der Koch gab dem Küchenjungen eine Ohrfeige, dass er schrie, und die Magd rupfte das Huhn fertig. Bald darauf ließ der König seiner Tochter und dem Königssohn eine prächtige Hochzeit ausrichten. Diese wurde in aller Herrlichkeit gefeiert und sie lebten glücklich und vergnügt bis an ihr Ende.“ John schlägt das Märchenbuch zu und streichelt meinen Bauch.

„Deine Stimme scheint ihn zu beruhigen. Er hat aufgehört zu treten“, sage ich lächelnd.

„Oder ihm gefällt die Geschichte.“

„Vermutlich beides. Zum Glück hat es bei dir nicht so viele Jahre gedauert, bis du aufgewacht bist.“ Dornröschen schlief schließlich hundert Jahre, bevor sie durch den Kuss aufwachte.

„Du hättest es vielleicht mit einem Kuss probieren sollen.“ Natürlich meint er das nicht ernst.

„Ich habe alles versucht.“ Nur vage lässt mein Verstand es zu, mich an diese schrecklichen sechzehn Tage zu erinnern. „Ich habe zu dir gesprochen, dich angefleht, bald aufzuwachen, deine Hand gehalten, dir einen Kuss auf die Stirn gegeben, dir gesagt, dass ich dich liebe." Seine leuchtenden Augen halten meinen Blick fest. „Ich weiß. Und ich bewundere deine Kraft, die du in dieser Zeit aufgebracht hast und noch immer besitzt."

Ich schüttele den Kopf. „Die Kraft kam allein von unserem Baby." Ich halte inne, als ich wieder daran denke, was heute für ein Tag ist. „Es ist der dritte Mai. Dein Vater hätte heute Geburtstag gehabt." Das Messer in meinem Herzen ist deutlich zu spüren.

„Er wäre fünfundvierzig geworden." Zuerst sehe ich Traurigkeit in Johns Gesicht, doch dann lächelt er leicht. „Es wird Zeit, dass wir ihn neu kennenlernen."

Wir haben Anfang Mai, das heißt, dass das Baby nun eine Woche überfällig ist. Doch die Frauenärztin hat schließlich anhand der Entwicklung des Kleinen festgestellt, dass er ein bis zwei Wochen später kommen könnte. Die Theorie, dass Johns Vater an dem Tag des Unfalls zu mir gekommen ist, könnte also stimmen.

„Ja", antworte ich. „Ich möchte ihn endlich im Arm halten können."

Als hätte der Kleine das gehört, machte er sich auf den Weg. Ich stöhne auf, weil der mir bereits bekannte Schmerz erbarmungslos durch meinen Körper schießt. Mein Herz schlägt schneller, doch ich versuche, Ruhe zu bewahren und nicht zu schreien. Angst habe ich nicht, denn bald werde ich unser Baby sehen können.

Johns Gesichtsausdruck ist vermutlich panischer als meiner. „Diana", sagt er unsicher und nimmt meine Hand. „Kannst du laufen?"

Doch ich kann nicht antworten, schnappe nur nach Luft.

Schnell hievt sich John in seinen Rollstuhl und nimmt sofort wieder meine Hand. Ich lege meine andere an meinen Bauch und versuche, gleichmäßig zu atmen. Nun probiere ich aufzustehen, wobei er einen Arm um meine Taille legt, um mich zu stützen.

Da kommt Johns Mutter herbeigeeilt. „Ich fahre euch, kümmere du dich um Diana", wendet sie sich an ihren Sohn.

Als ich sicheren Stand auf meinen wackligen Beinen gefunden habe, gehen wir langsam in die Garage. Monika fährt schnell los, sobald wir sitzen. Vor Schmerz drücke ich Johns Hand stärker und stöhne immer wieder auf, weil ich das heftige Ziehen in Unterleib und Beinen spüre.

Mein Mann will mich ablenken. „Hast du deinen Mutterpass dabei?"

Ich nicke nur und lehne mich in den Autositz zurück. „In meiner Hosentasche."

Er nimmt ihn an sich. „Alles wird gut, Diana."

Bei der nächsten Wehe lässt sich der Schrei nicht länger zurückhalten. „Fahr nicht so schnell!", stoße ich hervor. Seine Mutter soll lieber das Tempo drosseln, anstatt einen Unfall zu bauen. Deshalb fällt mir ein Stein vom Herzen, als sie auf mich hört. „Ruf meine Eltern an", befehle ich John.

Sofort holt er sein Handy hervor und legt es an sein Ohr. Nach wenigen Sekunden sagt er in den Hörer: „Hallo, Ina." Er spricht schnell. „Wir sind gerade auf dem Weg ins Krankenhaus, Diana hat Wehen bekommen." Eine Pause entsteht, weil Mama etwas erwidert. „Nein", antwortet er dann. „Okay, bis später." Nun legt er auf. „Sie wollen auch kommen."

„Was hat sie denn gefragt?", will ich wissen.

„Ob die Fruchtblase schon geplatzt ist."

„Das wird sie bestimmt bald", wirft seine Mutter von vorne ein.

Da schreie ich wieder auf. Überraschenderweise finde ich dieses Ziehen und Stechen nicht so schlimm wie den Schmerz des Messers, das seit dem Unfall in meinem Herzen steckt. Immer wenn ich diesen spürte, musste ich zwar nicht schreien, aber trotzdem sind die Wehen erträglicher, weil ich weiß, dass ich das für unser Baby aushalte, das ich so sehr liebe.

Endlich halten wir auf dem Parkplatz vor dem Krankenhaus. Johns Mutter hat das Auto so nah wie möglich am Eingang abgestellt. John hilft mir beim Aussteigen und weicht nicht von meiner Seite, als wir den weißen Flur betreten.

Seine Mutter schaut auf den Wegweiser. „Wir müssen in das dritte Stockwerk."

Im Fahrstuhl kralle ich meine Finger noch stärker um Johns Hand. Ein älterer Mann, der mit uns fährt, wirft uns einen besorgten Blick zu, weiß aber nicht, wie er uns helfen kann. Ich fahre zusammen, als meine Hose von der warmen Flüssigkeit der Fruchtblase durchnässt wird. Jetzt nehmen die Schmerzen zu und die Abstände, in denen sie auftreten, werden immer kürzer.

Als wir endlich angekommen sind, eilt ein Arzt auf uns zu, weil er mich schreien hört. Er hält mich am Arm fest, als ich mich krümme.

„Kommen Sie mit.“ Er bringt mich in ein Zimmer, wo ich mich auf ein Bett legen kann. „Warten Sie bitte draußen“, bittet er Johns Mutter. „Ich nehme an, Sie sind der Vater des Kindes?“, wendet er sich an John.

„Ja“, antwortet er und nimmt wieder meine Hand.

„Wie heißen Sie?“

„Diana Hoffmann“, antwortet John für mich und gibt dem Arzt den Mutterpass.

„Die Hebamme wird sofort kommen.“ Mit diesen Worten verschwindet der Arzt aus dem Zimmer.

Ich schließe die Augen und schreie wieder. „Tut mir leid, wenn ich dir die Hand breche.“

Er muss grinsen, doch seine Stimme klingt ernst und mitfühlend. „Das wirst du nicht. Halte dich nicht zurück.“

Wie aufs Wort zerquetsche ich sie beinahe erneut.

Da kommt eine Frau ins Zimmer, die die Hebamme sein muss. „Hallo, Frau und Herr Hoffmann.“ John begrüßt sie ebenfalls, doch ich kann nicht. „Wie geht es Ihnen? Haben sie außer den Wehen Beschwerden?“

„Nein“, antworte ich mühevoll.

„Wann ist die Fruchtblase gesprungen?“

„Gerade im Fahrstuhl, vor wenigen Minuten“, sagt John.

Die Hebamme zieht mir die Hose aus und stellt meine Beine an. Dann holt sie ein paar Handtücher und schaut in meinem Mutterpass. „Versuchen Sie, gleichmäßig tief ein- und auszuatmen.“

Ich probiere es, doch das Schreien macht es mir schwer. Mir kommt die Zeit länger vor, als es tatsächlich dauert, bis die Hebamme irgendwann sagt: „Jetzt pressen Sie bitte, so gut Sie können, und halten Sie weiterhin Ihren Atem unter Kontrolle.“

Wieder folge ich ihren Befehlen. Trotz der Schmerzen bin ich erfüllt von Liebe und Glück. Ich bin froh, dass John bei mir ist und meine Hand hält. Ich bin froh, dass er vor der Geburt des Kleinen aufgewacht ist. Ich bin froh, dass ich die Schwangerschaft nicht abgebrochen habe. Manchmal müssen wir unseren Weg gehen, egal, was andere dazu sagen, wenn wir im Gefühl haben, dass er der einzig richtige für uns ist. Ich weiß, dass ich keine falsche Entscheidung getroffen habe. Ich weiß, dass ich John und das Baby über alles liebe. Ich weiß, warum das alles so gekommen ist.

Ich habe nicht gedacht, dass wir auf diese Frage jemals eine Antwort finden werden. Es ist zwar kompliziert, aber zugleich logisch: Johns Vater ist gestorben, weil seine Zeit auf der Erde abgelaufen war. Er hatte keine Aufgabe mehr hier zu erfüllen und ist in den Himmel gegangen. John ist gelähmt, damit wir das Baby auf jeden Fall behalten, weil dies unsere einzige Chance ist. Wir sollten es behalten, damit sein Vater als Engel neu geboren werden kann. Für die meisten scheint meine Schwangerschaft wie ein Zufall auszusehen. Ein Zufall, den wir in der passenden Situation Wunder nennen. Ich glaube an Wunder, ich glaube an Engel und somit auch an meine Begründung. Aber ich glaube nicht an Zufälle, sondern an Schicksal. Alles, was geschieht, hat letzten Endes einen Grund, auch wenn wir ihn erst spät oder vielleicht niemals erkennen.

In Gedanken lasse ich mein bisheriges Leben wie einen Film an mir vorbeiziehen. Ich denke an meine Kindheit, meine Familie, meine Eltern, die bestimmt vor der Tür warten. Ich denke an meine Schulzeit, an meine Freunde, an Nadine und Tobias und an Verena und Florian. Dann denke ich daran, wie ich John zum ersten Mal gesehen habe, wie wir uns kennengelernt haben, wie wir uns das erste Mal geküsst haben, wie wir das erste Mal miteinander geschlafen haben. Nun denke ich auch an den Unfall, an die Tage, die er im Koma gelegen hat, an die Beerdigung seines Vaters und an die Zeit, nachdem John und seine Mutter aufgewacht sind. Und schließlich lasse ich meine Schwangerschaft Revue passieren, den Tag, an dem ich zum ersten Mal die Bewegungen des Babys gespürt habe, den Tag, an dem John mir den Antrag gemacht hat und unsere Hochzeit.

Mein Herz schlägt fröhlich schneller, als ich den ersten Schrei unseres Babys höre. Zunächst weiß ich nicht, woher er mir bekannt vorkommt. Doch dann erinnere ich mich an den Traum, den ich in der ersten Nacht, nachdem ich von dem Unfall erfuhr, gehabt habe. Als ich auf der Straße stand, hörte ich diesen Schrei und sah mich um, bevor mich ein Auto überfahren hat. Mein Sohn hört sich genauso an wie in diesem Traum.

Ich lächele und löse den verkrampften Griff um Johns Hand. Ich spüre, wie die vielen Narben, die der Verlust, die Trauer und die Verzweiflung uns zugefügt haben, heilen, einfach verschwinden und mein Herz nun wieder makellos aussieht, so wie der Kettenanhänger, den

John mir zum Geburtstag geschenkt hat. Er wirft mir einen glücklichen Blick zu. „Du hast es geschafft."

Ich atme ein paarmal tief durch. Erst jetzt merke ich, dass ich ganz verschwitzt bin und meine Haare an meinem feuchten Gesicht und Hals kleben. Als die Hebamme das Baby hochhebt, kann ich es schlecht sehen, weil sie es sofort in ein Handtuch wickelt und die Nabelschnur durchtrennt. Doch dann legt sie es auf meine Brust und John hält es mit mir fest. Als ich es sehen kann, erfüllt mich ein unbeschreibliches Glück, aber gleichzeitig spüre ich den Verlust, weil ich das Baby nicht länger in mir trage. Ich habe noch nie in meinem Leben so heftig geweint und gleichzeitig so breit und aufrichtig gelächelt. Auch John reißt sich zusammen, um seine Gefühle unter Kontrolle zu halten. Doch das schaffe ich nicht. Ich bin völlig überwältigt. Der kleine Alexander dreht sein Köpfchen in meine Richtung, als würde er mich suchen. Die Augen in seinem hübschen Gesicht sind noch geschlossen, seine Haare sind dunkelbraun, so wie die von Johns Vater es waren.

„Dein Vater ist wieder zu uns gekommen. Heute ist sein Geburtstag", stoße ich unter Tränen hervor. Trotzdem klingt meine Stimme fröhlich.

„Ja. Das kann kein Zufall sein", pflichtet er mir gerührt bei.

„Er ist wunderschön. So ein hübsches Kind kann nur von dir sein."

John schüttelt den Kopf. „Die Schönheit kommt von dir."

„Oder aus dem Himmel. So schön kann nur ein Engel sein."

Mein Mann macht ein überraschtes Gesicht. „Du hast recht. Sieh dir seine Augen an."

Nun hat der kleine Alexander sie geöffnet und schaut mich an. Mein Herz setzt einen Schlag aus.

Sie sind grün.

Quellen und Hinweise

Laut der deutschsprachigen Medizinischen Gesellschaft für Paraplegie leben in Deutschland derzeit etwa 100.000 Menschen mit Querschnittlähmung. Pro Jahr kommen 2000 Neuerkrankungen dazu. [*1] (Statistik 2012)

(…) dabei geht fast die Hälfte aller Querschnittslähmungen auf das Konto von Autounfällen. [*2]

Jedes Jahr kommen weltweit 1,2 Millionen Menschen bei Verkehrsunfällen ums Leben (…). Diese Zahlen veröffentlichte die Weltgesundheitsorganisation (WHO) (…). Alle 90 Sekunden stirbt ein Mensch unter 25 Jahren bei einem Verkehrsunfall. [*3]

Quellen:

[*1] http://daserste.ndr.de/guentherjauch/aktuelle_sendung/wissenswertes219.html

[*2] http://www.edizin.de/de/a-z/krankheiten-von-a-z,s-e0-e1.querschnittslaehmung.html

[*3] http://www.spiegel.de/auto/aktuell/unfaelle-weltweit-taeglich-tausend-verkehrstote-unter-25-jahre-a-478898.html

Alle Links vom 28.07.2015.

Quelle: Johns wörtliche Rede am Anfang des Epiloges S. 297:
„Märchen Zauber – Aus dem Reich der Prinzen, Feen und Zwerge“, von Sonja Sammüller, EDITION XXL GmbH, Reichelsheim, 2001, Seiten 58-59

Quelle: Wörtliche Reden der Frauenärztin:
„Das Buch für Mädchen – Alles über Freundschaft, Liebe und Sexualität“ von Petra Hirscher, Pattloch Verlag GmbH & Co. KG, München, 2011, Seiten 144-148, S. 151-152.

Danksagung

Wo soll ich beginnen? Es gibt so viele Leute, denen ich danken möchte! Am besten beginne ich am Anfang: zuerst ein großes Dankeschön an meinen ehemaligen Deutschlehrer Herrn Zimmermann, der mir während seines Unterrichts in der fünften Klasse den Anstoß für meine erste kleine Geschichte gab. So entdeckte ich meine Leidenschaft für das Schreiben!

Ein riesiges Dankeschön an meine Tante Heike, die mich ermutigte, aus meiner ersten College-Block-Version eine große Geschichte zu machen. Ohne sie würdet ihr dieses Ergebnis jetzt vielleicht nicht in den Händen halten!

Als meine Mutter die ersten Zeilen meiner Geschichte las, fragte sie mich: „Was hat es für einen Sinn, wenn eine deiner Hauptpersonen im Rollstuhl sitzt? Muss das unbedingt so sein?“ Danach kamen meine restlichen Ideen wie von selbst ... Danke dafür!

Danke, Mama und Papa, für den Laptop, den ihr mir geschenkt habt und der es mir ermöglichte, gemütlich auf der Terrasse oder auf dem Sofa zu schreiben anstatt immer nur am Schreibtisch auf dem Computer, an dem ich meine Geschichte begonnen habe. So machte das Schreiben gleich viel mehr Spaß!

Dann bedanke ich mich bei den vielen begeisterten Lesern, die sich meine Geschichte angeschaut haben, als sie fertig war. Ohne euer Lob hätte sie ihr Dasein vielleicht weiterhin in der Schublade gefristet. Besonders meine Freundin Michelle zeigte mir, dass meine Geschichte ein Erfolg werden könnte: Sie konnte nicht mehr aufhören zu lesen und hatte meinen Roman an einem Tag (und in einer Nacht!) durchgelesen. Danke für deine große Begeisterung, die mich immer wieder ermutigt hat! Auch viele Freunde, Bekannte und Lehrer wollten die Story lesen, bevor sie ein Buch wurde. Danke!

Danke an meine Schwägerin Helena, die mich auf Papierfresserchens MTM-Verlag aufmerksam gemacht hat.

Ein Dank gilt auch meiner ehemaligen Lehrerin in der Realschule, Frau Meier, die viel Interesse an meiner Geschichte zeigte. Auch Herr Krause hat viele Lehrer auf mein Buch hingewiesen. Danke!
Danke an alle Lehrer des Gymnasiums Brede in Brakel, die mein Buch vorbestellt oder mich anderweitig unterstützt haben. Danke an meinen Direktor Herrn Koch und die Konrektorin Frau Lüttig, die viele Lehrer auf mein Buch aufmerksam gemacht haben. Danke an meine Deutschlehrerin Frau Curino-Rosa, die Lesungen in Schulklassen organisiert hat und großes Interesse an meinem Buch zeigte. Und danke an meinen Tutor Herrn Hasenbein, der auf unserer Schulhomepage über mich berichtet und so weitere Schüler und Lehrer auf mein Buch aufmerksam gemacht hat. Danke auch an die vielen Mitschüler, die sich für mein Buch interessiert haben.
Vielen Dank noch mal an meine Familie und meine Freunde, die mir alle geholfen haben, die unzähligen Flyer für mein Buch zu verteilen und die immer versucht haben, so viele Leute wie möglich auf meinen Roman aufmerksam zu machen. An dieser Stelle geht ein besonderes Dankeschön an meine Oma Lilo.
Danke an die Neue Westfälische in Höxter, die positiv über mich berichtet hat.
Danke an Frau Zapfe-Nolte, in deren Fotostudio während meines Praktikums der erste Entwurf für ein Cover entstand.
Einen lieben Dank auch an meinen Freund Sven, der bei vielen Lesungen dabei war und mir die Aufregung genommen hat.
An meine Freundin Nicole, danke, dass du bei meiner ersten Lesung dabei warst. Du warst eine tolle Unterstützung!
Danke an meinen Bruder Daniel, der mir bei der Werbung für mein Buch geholfen hat und der bei der Lesung „Kultur unter der Linde“ mit seiner Familie dabei war, als ich besonders aufgeregt war.
Danke an alle in Brakel und Bad Driburg, bei denen ich Lesungen veranstalten durfte:
Die Jugendfreizeitstätte in Brakel von Frau Roland, die mich auch auf die Veranstaltung „Kultur unter der Linde“ hingewiesen hat, bei der ich das erste Mal auf einer Bühne vorlesen durfte. An dieser Stelle auch ein Dankeschön an Herrn Brassel, den Kulturbeauftragten der Stadt Brakel, der dieses Festival organisiert hat.
Danke an Frau Kampmann-Pitz in der Bücherei Bad Driburg, die

eine gelungene Lesung organisierte. An diesem Nachmittag lernte ich Frau Müller kennen, die es mir ermöglichte, in den Kurklinken in Bad Driburg vorzulesen. Danke an Frau Betanski in der Klinik Berlin, in der ich zweimal vorgelesen habe. Danke auch an Frau Ridder in der Caspar-Heinrich-Klinik.
Im Leseclub der Bücherei Saabel in Bad Driburg habe ich mein Buch vorgestellt. Danke dafür an Frau Malek!
Auch im Leseclub Brakel habe ich vorgelesen: danke an Frau Murawski, die ebenfalls viele Leute auf mein Buch aufmerksam gemacht hat!
Danke an alle, die an mich geglaubt und nie daran gezweifelt haben, dass ich es schaffen würde, 150 Vorbesteller zu finden.
Zuletzt gilt ein riesiges Dankeschön allen Leuten, die mein Werk vorbestellt haben: Danke, dass mein Traum von einem eigenen Buch wahr werden durfte, ihr seid großartig!

An alle Autofahrer dieser Erde, ich hoffe, ihr hört auf meinen Appell, den ich bereits am Anfang formuliert habe, und helft, Autounfälle zu vermeiden.

Lisa Richter
November 2015

Die Autorin

Lisa Richter wurde 1997 geboren und lebt mit ihrer Familie in Brakel.

Nach dem Realschulabschluss besucht sie mittlerweile das Gymnasium.

Neben dem Schwimmen gehören Fremdsprachen zu ihren größten Hobbies, neben Englisch und Französisch lernt sie auch Spanisch. Zudem ist sie Freie Mitarbeiterin bei der Neuen Westfälischen Zeitung.

Ihr Traum ist es, ihre Leidenschaft, das Schreiben, auch beruflich ausüben zu können.

Unser Buchtipp

Maron Fuchs
Eisige Kälte

Taschenbuch, 342 Seiten
ISBN: 978-3-86196-364-6

epub eBook
ISBN: 978-3-86196-369-1

Gewalt, Grausamkeit und Misshandlungen gehören für die 17-jährige Larissa seit Jahren zum Alltag. Seit ihre Adoptivmutter dieses Monster geheiratet hat. Seither dreht sich ihr Leben nur noch darum, ihre Schwester, die achtjährige Nele, zu beschützen und an ihrem 18. Geburtstag mit der Kleinen zu fliehen.
Als ihr Stiefvater seine Frau in einem seiner Wutanfälle aber tötet und Larissa krankenhausreif prügelt, scheint es unmöglich zu sein, Nele vor dem Kinderheim zu bewahren. Wären da nicht diese beiden Fremden, die die Mädchen bei sich aufnehmen und behaupten, Larissas leibliche Eltern zu sein ...

Unser Buchtipp

Maron Fuchs
Glühende Hitze

Taschenbuch, 404 Seiten
ISBN: 978-3-86196-373-8

epub eBook
ISBN: 978-3-86196-403-2

Nach vier Jahren häuslicher Misshandlung ist die 17-jährige Larissa das Leben in Angst und Ungewissheit gewohnt. Aber sie hätte nie gedacht, dass all die Panik zurückkehren würde, nachdem sie und ihre kleine Schwester umgezogen und in eine liebevolle Familie gekommen sind. Endlich führt sie ein normales Leben, hat Freunde gefunden und sich sogar verliebt.
Doch ihr brutaler Stiefvater ist tatsächlich aus dem Gefängnis ausgebrochen und nun auf der Suche nach ihr. Sie weiß, dass ihre Zeit abläuft.
Denn nichts kann dieses Monster aufhalten ...

Unser Buchtipp

Suna S. Yilmaz
Versprich mir

Taschenbuch, 338 Seiten
ISBN: 978-3-86196-474-2

epub eBook
ISBN: 978-3-86196-398-1

Eine Terrorgruppe verübt mehrere blutige Anschläge auf Polizisten. Schnell wird klar, dass es sich eindeutig um einen Racheakt handelt. Rache wofür?

Das FBI tritt auf der Stelle, die einzige mögliche Spur wird ignoriert. Chefinspektor Wells startet seine eigenen Ermittlungen. Mit einem jungen Kollegen und einem Hacker begibt er sich auf die Suche.

Dabei stößt er auf die Geschichte zweier Kinder, deren Wurzeln bis zu der Terrorgruppe reichen.